Friedrich Lienhard

Der Spielmann

Roman

Friedrich Lienhard: Der Spielmann. Roman

Erstdruck: Stuttgart, Greiner und Pfeiffer, 1913 mit dem Untertitel »Roman aus der Gegenwart«

Neuausgabe
Herausgegeben von Karl-Maria Guth
Berlin 2020

Der Text dieser Ausgabe wurde behutsam an die neue deutsche Rechtschreibung angepasst.

Umschlaggestaltung von Thomas Schultz-Overhage

Gesetzt aus der Minion Pro, 11 pt

Die Sammlung Hofenberg erscheint im
Verlag der Contumax GmbH & Co. KG, Berlin
Herstellung: BoD – Books on Demand, Norderstedt

ISBN 978-3-7437-3739-6

Bibliografische Information der Deutschen Nationalbibliothek

Die Deutsche Nationalbibliothek verzeichnet diese Publikation in der Deutschen Nationalbibliografie; detaillierte bibliografische Daten sind im Internet über www.dnb.de abrufbar.

Inhalt

Erster Teil: Ingos Irrfahrt

1. Der Wanderer

»Sehne dich und wandre!«
Heinrich von Stein

Auf einem hellgrünen Riviera-Hügel, zwischen feierlicher Zypresse und lustigem Kirschbaum, der mit halbreifen Früchten betupft war, saßen zwei liebliche junge Mädchen.

Es war Verwandtschaft in ihren rosigen Gesichtern und in ihrer geschmackvoll einfachen Kleidung mit dem weißen Matrosenkragen, aus dem dort und hier auf länglichem Halse ein dunkelbraunes Köpfchen wuchs.

Die Ältere, auf einem Feldstuhl sitzend und über eine Stickerei gebeugt, war von ganz besonders bestrickender Schönheit. Wenn sie die enzianblauen Augen unter schweren Wimpern langsam aufschlug, ging ein Leuchten über die Umgebung. Alle Dinge wurden in dieser Beleuchtung schöner, alle Menschen gütiger. Es waren große, schüchterne, vielleicht nicht sehr kluge Augen, vom weiten Bogen der bräunlichen Brauen madonnenhaft umrahmt. Das Mädchen war hoch und schlank. Und schön waren auch die Nüstern des feinen Näschens, die bei gedämpftem Lachen mitzulächeln schienen; schön das sanft gerundete Kinn; schön der schmale und doch volle, kirschrote, meist ein wenig geöffnete Mund. Sie glich in ihrer gesunden und natürlichen Jungfräulichkeit den Madonnen Raffaels und mochte Maler und Dichter entzücken. Denn ein Künstler spürte in diesem Mädchen zwar weder Gelehrsamkeit noch gesellschaftliche Gewandtheit, wohl aber das Lebensgeheimnis einer starken und sittsamen Weiblichkeit, gesunde Kinder zu schaffen fähig, keine Bücher.

Unfern von den jungen Damen lag eine kannelierte Marmorsäule zwischen zerstreuten Blöcken. Vermutlich hatte man dort bauen wollen; aber der Baumeister hatte sich in die entzückende Landschaft verliebt und das Bauen vergessen. Angesichts des blauen Meeres, zwischen Zypressen und Oliven, hätte sich ein weißer Tempel wirksam ausgenommen, der Sonne geweiht, der Schönheit heilig. Jedoch der Tempel war noch unsichtbar, der Sonnenanbeter desgleichen; und dem Baumeister drohte abermals Gefahr des Verliebens durch diese beiden ungewöhnlich schönen Mädchen.

Sie plauderten französisch. Aus ihrem Gespräch ging hervor, dass die Mutter der Älteren ihren Nachmittagsschlaf auszudehnen pflegte, sodass die beiden Schönheiten abseits von der gemieteten Villa auf diesem Aussichtsplatz verweilen konnten.

Der jüngere Backfisch lag ausgestreckt im weichen Grase, stützte die braunen Wangen in die Hände und las. Mädchenhüte flimmerten strohgelb aus grünem Rasen. Und es war anmutige Stille um die beiden Gestalten; selbst der Mittagswind spielte nur lässig in Gras und Laub. Von Zeit zu Zeit sprang die Kleine auf, griff in das Blätterwerk empor und suchte sich frühreife Kirschen heraus; oft auch hob sie lachend ihr spitzes Mäulchen an den freundlich herabgeneigten Baum und naschte die Früchte gleich vom Ast weg. Dann hängte sie sich ein Kirschenpaar über jede Ohrmuschel, kaute, spuckte Kerne an die Marmorsäule und las vergnüglich weiter.

Aus der Ferne funkelte in gleichmäßiger Ruhe das tiefblaue Mittelmeer.

Häufig lachte die Lesende hell hinaus und strampelte vor Vergnügen mit den gelben Schuhen.

»Sag' doch, Martha, kann es etwas Lustigeres geben als diese verrückten Briefe Mozarts?«, rief sie. »Hör' einmal zu!«

Und sie las in geläufigem Deutsch flink herunter: »Allerliebstes Bäsle, Häsle! Ich habe dero mir so wertes Schreiben richtig erhalten – falten – und daraus ersehen – drehen – dass der Herr Vetter – Retter – und die Frau Bas – Has – und Sie – wie recht wohlauf sind – Rind; wir sind auch Gott sei Dank recht gesund – Hund« – – sie brach lachend ab.

»So geht's nun immerzu weiter!«, fuhr sie französisch fort. »Jedem dritten Wort hängt er irgendeinen albernen Reim an, der gar keinen Sinn hat, nur aus Necklust. Oh, ich liebe Mozart schrecklich! Die Leute von damals waren lustiger, leichter, eleganter und amüsanter – verstehst du das, Martha? Sie schlugen Purzelbaum, sie tanzten Menuett, sie liebten, küssten sich und waren doch nicht gemein, denn sie hatten mehr Poesie im Leibe! Verstehst du das, Martha?«

Martha lächelte, stickte und schwieg.

»*Mais allons donc!*«, zürnte die kleine Elsässerin. »Do sitzt se un sagt nix!«

Sie sprang auf, hob das spitze Näschen in die Luft und witterte die blühenden Riviera-Hügel hinunter, wo auf allen Hängen zwischen weißen Landhäusern steile, dunkle Zypressen, silbergraue Olivenbäume und spitzblättrige Gartenpalmen die Landschaft festlich stimmten. Ihre Augen leuchteten die Gegend ab.

Und plötzlich klatschte sie in die Hände.

»Da kommt er wieder!«

»Wahrhaftig!«, bestätigte die stille Base Martha, ward ein wenig lebendiger und sandte ihre tiefblauen Augenstrahlen gleichfalls den Abhang hinunter. »Was tut er denn?«

»Er spielt auf einer Laute und summt vor sich hin! Hab ich dir's nicht gleich gesagt? Das ist ein deutscher Musiker!«

»Er spricht übrigens auch gut Französisch. Und warum kann es nicht auch ein Maler sein? Er hatte ja neulich einen Malkasten mit!«

»Oder ein Dichter! Denn er hat uns ja ein Verschen gedichtet!«

»Oder ein reicher Privatmann, der alles treibt und nichts.«

»Möglich, denn Geld hat er gewiss! Und dabei so die Geste des Weltmannes! Und grundgelehrt! Er interessiert mich schrecklich. Aber ich bin gewiss, dass er deinetwegen kommt. Und dabei sitzt sie immer da wie ein Stockfisch! Ich kann die Unterhaltung im Gang halten – und in dich verlieben sie sich! Alle! Auch wenn du kein Wort sagst! Zu dumm! Ich hab's schrecklich schwer auf der Welt.«

Sie seufzte, klappte Mozarts Briefe heftig wieder auf und setzte sich mit sehr melancholischer Miene und schwermütig gestütztem Haupt neben das lächelnde, stickende und schweigende Bäschen. Aber es zuckte um ihre Mundwinkel; ihre Blicke schielten vom Buch hinweg nach dem Ankömmling, und mit einem Rippenstoß an Cousine Martha flüsterte sie, dass sie vor Lachen berste.

Der ankommende Herr war ein schmucker, mittelgroßer Mann von etwa dreißig Jahren. Er trug einen feinen Flanellanzug und einen Panamahut über kurzem dunkelblonden Haar.

Schon von fern schwang er den Hut und die bänderumflatterte Laute und rief in deutscher Sprache:

6

»Das ist ja ausgezeichnet, dass ich Sie wiedertreffe! Bravissimo! Die Freundin Mozarts und die große Schweigerin! Kirschbaum und Zypresse! Guten Tag!«

Und trat heran, verbeugte sich und fuhr fort:

»Der Tempel ist noch unerbaut, aber die Priesterinnen warten. Seien Sie gegrüßt, allerholdeste Hüterinnen dieses heiligen Hains!«

Die beiden jungfräulichen Wesen nickten gemessen und kämpften mit dem Lachen; er aber nahm ohne Verzug auf der Säule Platz.

»Verzeihen Sie, meine Damen«, sprach er, »dass ich auch heute so unsalonmäßig bin, mich nicht in konventionellen Formen vorzustellen. Nehmen Sie an, ich sei irgendein Wanderer, der – nun, der seine Bestimmung sucht. Nehmen Sie an, ich sei ein Spielmann, ein Troubadour – mein Vorname ist übrigens Ingo, und das genügt –, und nehmen Sie an, Sie seien die zwei anmutigsten Schlossherrinnen der ganzen anmutigen Provence!«

»Sehr liebenswürdig!«, lachte die Kleine. Die Sachlage war fremdartig, aber den Mädchen nicht missfällig. Die Ältere richtete ihr großes Augenpaar schüchtern und fragend auf die Jüngere; und diese zappelte vor Vergnügen, im Lustspiel mitzutun.

»Sie haben recht«, sagte der Zappelkäfer, »es ist heutzutage viel weniger Poesie in der Welt als in den Zeiten Mozarts. Hab ich das nicht eben gesagt, Martha?«

»Aha! Darum tragen Sie also beide diese zierlichen braunen Mozart-Zöpfe, nicht wahr?«

»Eben! Meine Cousine wollte nicht, aber sie muss!«

Martha lächelte und stickte; schaute dann die Base an, nicht den Fremden, und sprach mit ihrer leisen Stimme, um nur auch etwas zu sagen:

»Sie hat mir lustige Stellen aus Mozarts Briefen vorgelesen.«

»Wollen Sie's hören?«, setzte sofort das Backfischchen ein. Und sie plapperte einiges herunter, bis sie vor Lachen aufhören musste. Dann wurde sie gesetzter und bemerkte, es seien auch recht schmerzliche Briefe in dieser Sammlung, etwa über den Tod der Mutter oder jene unglaubliche Behandlung beim Erzbischof von Salzburg.

»Schändlich so etwas! Ganz abscheulich! Finden Sie nicht auch?«

»Niederträchtig!«, bekräftigte der Fremde. »Aber das hat Mozarts Lebenslaune nicht gebrochen. Ein rechter Kerl zerbricht überhaupt nicht. Ein elastischer Geist ist aus bessrem Stoff als der beste parische Marmor. Übrigens, Sie anbetungswürdiges Mozart-Mägdlein, ich zerbreche mir schon drei Tage den Kopf, warum diese Marmorsäule so mutterseelenallein hier oben auf dem Hügel liegt – grade nur die einzige! Als ob eine einzige Säule irgendetwas in der Welt stützen könnte! Als ob nicht mit der Zweiheit überhaupt erst alles Leben begönne! Sind Sie nicht auch dieser Meinung, gnädiges Fräulein?«

»*Parfaitement!*«, bestätigte die Kleine und gab der Älteren einen Rippenstoß.

Martha lächelte und stickte.

»Sehen Sie, wir zwei verstehen uns ausgezeichnet!«, rief der junge Mann. »Deshalb haben Sie sich auch, als Symbol der Zweiheit, je ein Paar Edelsteine an die Ohren gehängt, Mademoiselle!«

Die Kleine hatte ganz vergessen, die hellroten Kirschen zu entfernen, pflückte sie jetzt mit umständlichen Gebärden aus Haar und Ohrmuschel heraus und begann sie aufzuessen. Der Fremde streckte zum Fangen die Hände aus; sie lachte und warf ihm das zweite Paar der unreifen Früchte zu.

»Dafür spielen Sie uns aber auch etwas vor!«, rief sie. »Denn Sie sind doch offenbar ein Musiker?«

»Offenbar!«, erwiderte der Spielmann ernsthaft und griff Akkorde aus Mozarts Figaro, womit er das folgende Geplauder scherzend begleitete. »Aber ich male auch bisweilen; ich singe auch ein wenig; ich komponiere mitunter. Und da zum Singen Worte gehören, so dicht' ich auch.«

»Ein Universalgenie!«, rief der Backfisch entzückt.

»Und wenn Sie hinzunehmen, dass ich Dingen, die mich interessieren, auch wissenschaftlich nachspüre und sogar ein paar Bücher geschrieben habe – –«

»Oh, oh, oh, Martha, was sagst du nur dazu?!«

»So werden Sie begreifen, dass ich mich vor allem andren nach etwas ganz Bestimmtem sehne – nach der Zweiheit, mit der ich zusammen eine Einheit bilden könnte, fest, geschlossen, gesammelt – ein Kunstwerk, ein Tempel, eine Gralsburg!«

Die Mädchen schauten einander verwundert an.

»Schrecklich gelehrt!«, sagte die Jüngere. »Erzählten Sie nicht gestern, dass Sie an einem Duett komponieren?«

»Auch das! Zwei Mädchenstimmen! Die eine von stiller Schönheit, edel und einfach – Frieden ausstrahlend wie eine Madonna oder ein Engel von Fra Angelico. Die andre ein Kobold, der in allen Tonlagen herumgaukelt, ganz voll Koloraturen, eine Nixe, eine Wasserfee. Soll ich Sie mal spielen, Fräulein Nixe?«

Er spielte närrische Akkorde und sang zu den Kapriolen ein Necklied.

»Reizend! Von Mozart?«

»Von mir, holder Schmetterling!«

»*Mais c'est charmant!* Das müssen Sie mir aufschreiben! Aber nun sollen Sie auch meine Cousine komponieren!«

Er ließ sich, nachdem er sich so lange nur mit der Jüngeren abgegeben hatte, im Grase nieder, zu den Füßen der verlegenen Stickerin; aber er griff nur einige ernst-schöne Akkorde und sprach dann mit zarter Höflichkeit:

»Sie heißen Martha, mein stilles, fleißiges Fräulein. Mehr weiß ich nicht, will es auch vorerst gar nicht wissen. Aber gesehen habe ich Sie schon irgendwo und habe Ihr Gesicht behalten. Nur weiß ich nicht mehr: War es jenseits dieses Sternes, ehe unsre Seelen auf die Erde flogen, oder war es irgendwo in Europa? Denn ich wandre viel. Ihnen möcht' ich nichts Neckisches, sondern etwas sehr Liebes und Ernstes sagen oder singen. Denn Sie verdienen es, Sie sind so gut, wie Sie schön sind.«

Und ihre Hand ergreifend, an der noch der Fingerhut steckte, küsste er plötzlich die schlanken Finger der überraschten Schönen.

Dann aber besann er sich, sprang auf und packte Hut und Laute.

»Auf Wiedersehen! *A rivederci!*«

Und sprang mit großen Schritten den Hügel hinunter.

Weitab von diesem Riviera-Hügel, vor einem der alten fränkisch-thüringischen Herrensitze mitten in Deutschland, steht eine mächtige Tanne. Ein Vorfahre Ingos hatte sie gepflanzt, als er in den Türkenkrieg zog. »Ihr sollt euch«, schrieb er, »bei ihrem Anblick erinnern, dass der Mann sein Erbe verlassen und sein Lebensziel erobern muss.« Als aber sein Verwalter während des Freiherrn Fernfahrt einen Schlossteich in Ackerland verwandelte, schrieb derselbe Türkenkrieger folgenden Brief: »So wir nicht alles im alten Stand finden, schießen wir dir bei unsrer Heimkehr eine Kugel durch den Kopf, denn der Mann soll sein Erbe achten. Im Übrigen bleiben wir dir in Gnaden gewogen.«

Noch andre Ahnen Ingos hatten die abenteuerliche Ferne aufgesucht und sich doch zuletzt, gebräunt von Lebenserfahrung, auf den geliebten heimischen Boden zurückgefunden.

Der Enkel dieser freiheitlich-konservativen Männer, die aus Fernfahrt und Einkehr ihr Leben auferbauten, der Troubadour Ingo, der am Rande der Mittelmeerkultur die Leuchtkraft der Olivenhänge in sich einsog, war ein jüngerer Sohn. Bei ihm hatte sich der Adelsstolz ins Geistige umgesetzt. Und während sein älterer Bruder Hochwild schoss, sann er selbst im Gebirg' und auf dem Weltmeer dem erhabenen Problem nach, wie sich germanischer Ernst und griechische Schönheitsfreude und christliche Innerlichkeit in einem heiter-ernsten Naturell vereinigen könnten ...

Als Ingo jenen Hügel hinabschritt, sang und pulsierte sein Blut.

Und das Blut sang und sprach zu dem leichtfüßig dahineilenden Spielmann:

»Einst hat dein Ahnherr Friedrich die schöne Elsässerin Octavie von Birkheim in den harten, kräftigen Herbst eurer Thüringer Waldung heimgeführt. Greif zu, Spielmann! Trage die Schönheit unter die Parkwipfel der arbeitsamen Stille! Denn deine Munterkeit ist Maske, dein Herz ist reif und traubenschwer von Heimweh nach Tempel und Hütte mitten in Deutschland. Noch braucht dich Deutschland nicht; noch spielst du das Leid deiner Verbannung mit Melodien hinweg. Doch halt aus! Vollende dich wandernd! Wandre, wandre! Es wandert der blühende Lenz und verwandelt sich wandernd in goldenen Herbst. Es wandert das Licht, den Tag verwandelnd in Nacht und die Nacht in Frührot. Es wandert und wächst der Mensch und verwandelt sich wandernd aus Kindergestalt in die Reife des ruhigen Greises. Und so wandern Geburt und Tod. So wandert die Zeit, so wandern die Sonnen des Weltalls – und alles Lebendigen Wesen ist Wandel und Wandrung. Wandre, mein Freund – nur wandre zu *Ende*!«

So sang das Blut.

So sang es in einem schön gewachsenen, durch besonnenen Sport kräftig und ebenmäßig ausgebildeten Körper.

Und so schritt er hinab, voll Spannkraft und Lebensmut, griff in die Saiten und spielte sich ein Wanderlied.

Plötzlich unterbrach er dieses Reigenspiel seiner Gedanken, strich über die Stirn, sah um sich und sagte gelassen:

»Bursche, du bist verliebt! Mach, dass du in dein Hotel kommst, damit dir Friedel den Text liest!«

2. Titanic

»Ich komme vom Gebirge her,
Es dampft das Tal, es braust das Meer ...
Wo bist du, mein geliebtes Land?
Gesucht, geahnt und nie gekannt?
O Land, wo bist du?« ...

Schmidt von Lübeck

Nacht hatte sich der Landschaft bemächtigt.

Ein Gewitter krachte über der Palmenküste. In wuchtigen Massen troff der Regen.

Im Hotel vernahm man das nahe Rauschen und Drohen des gewaltig tosenden Meeres, dessen großer Ton sich mit den Stimmen der Gewitternacht verband.

Doch in den glänzenden Luxusräumen, die von Goldornamenten und Kristallen strotzten, wurde die Sprache der Natur nicht wichtig genommen. Ein internationales Sprachengemisch, ein feinblauer Zigarettendampf, Schaumperlen der Sektgläser stiegen empor und schufen eine besondere Stimmung.

Der kleine Kommerzienrat Otto S. Marx feierte Geburtstag. Es war ein reichlich Dutzend seiner vielen guten Bekannten zu einem Souper eingeladen. Seine Laune war vorzüglich, denn der Vormittag hatte ihm in den Spielsälen eine beträchtliche Summe in die Tasche geschoben. Und nun neckte er seinen stattlichen germanischen Freund, den Großkaufmann Schaller aus Barcelona, der eine Handvoll Goldstücke verloren hatte – für Firma Schaller & Co. zwar eine Kleinigkeit, aber immerhin des Verdrusses wert; denn die bereits gewonnenen Tausende waren dem leidenschaftlichen deutschen Spieler wieder durch die

Finger getropft, da er nicht die Besonnenheit hatte, beizeiten abzubrechen, wie der immer kluge und immer nüchterne Otto S. Marx.

Unter den Gästen stachen hervor, durch helle und einnehmende Gesichtszüge, das deutsche Ehepaar Trotzendorff mit dem befreundeten thüringischen Freiherrn Ingo von Stein-Waldeck. Der blonde englische Maler Wallace und sein angenehmer, nach allen Seiten stets gleich liebenswürdiger französischer Freund Leroux hatten sich mit diesen drei Deutschen angefreundet; und es störte sie nicht, dass der männliche Major von Trotzendorff gelegentlich seinen nationalen Standpunkt im Gegensatz zu andren anwesenden Deutschen unverschwommen betonte; denn seine leuchtend schöne Frau Friederike, genannt Friedel, glich alles wieder aus.

Um diese lebenswarmen Menschen her saßen allerlei belanglose Damen und Herren, die sich durch Reichtum und Brillanten von der arbeitenden Menschheit absonderten, nicht durch Seele. Da war ein jovialer Theaterdirektor, der ebenso wie sein Nachbar, ein blasierter Gesandtschaftsattaché, für lüsterne Anekdoten empfänglich war und manchmal aus einem wiehernden Lachen gar nicht mehr herauskam; da war eine sehr dekolletierte, sehr parfümierte, sehr geschminkte Dame aus österreichischen Adelskreisen, die täglich mit kühlster Geschäftsmiene am Spieltisch saß. Und so Gesicht an Gesicht, fahl, geisterhaft in den Rauch eingezeichnet, umblitzt von den Zierraten des Salons, umdröhnt von Meer und Gewitter.

Man sprach vom Untergang der »Titanic«.

Dieser englische Riesendampfer, das größte Passagierschiff, das je auf einem Ozean geschwommen, war auf seiner ersten Fahrt von England nach Amerika an einem Eisberg zerschellt. Das ungeheure Fahrzeug war mit mehr als tausendsechshundert Menschen in die Tiefe gesunken.

Ein Aufschrei scholl durch die Menschheit.

»Wie kann denn eine solche schwimmende Luxusstadt überhaupt untergehen?! Es waren ja Restaurants an Bord, Konzertsäle, Tennisplätze, Blumenläden – ganze Straßen! Es fuhren ja Millionäre und Milliardäre mit!«

»Der alte Atlantik kümmert sich den Teufel um alle Milliardäre der Welt!«

»Der Ozean ist dort dreihundertmal so tief als der Tiefgang der Titanic!«

»Der Eisberg, an dem das Schiff zerkrachte, ist schwerer als alle Eisenflotten der Welt!« ...

In einer eiskalten Aprilnacht war es – zwei Stöße – und das Riesenschiff stand fest! Von Tür zu Tür läuft das Wort: Auf! Ein Unglück! Was, wo, wie? Menschen, mehr neugierig als erschrocken, huschen im Schlafrock durch die Korridore – was, wo, wie? Und abermals ein Befehl: Stecke jeder ein Dokument zu sich! Jetzt summt es heraus aus allen Kabinen, jetzt füllt es tosend Verdeck und Gänge, staut sich, fragt, ruft, schreit, kämpft – und um die verängstete Menschenmasse eisige Nacht und das Plätschern, Nagen, Zähneblecken des wartenden Ozeans! Da rufen Geistliche die volle Wahrheit: In wenigen Minuten stehen wir alle vor Gottes Antlitz, wer seine Seele erleichtern will, der mag es tun! Und die Schiffskapelle, die im Salon bis zuletzt mit lustigen Weisen getäuscht hat, bricht ab und geht über in den Choral: »Näher, mein Gott, zu dir!« Furchtbare Panik! Das todgeweihte Gewühl drängt, stößt, beißt sich zu den Booten, über zertretene Kinderleichen hinüber, und alle Kommandorufe ersticken im mörderischen Gebrüll. Einzelne überladene Boote kämpfen sich los vom Überandrang, um sie her tropfen Menschen ins Wasser wie Körner von einem übervollen Gefäß – und dann richtet sich der Schiffsrumpf in seiner ganzen Länge jäh empor, in Kirchturmhöhe aus den Wassern starrend, und schüttelt die wild aufschreiende Menschenmasse ab, um dann selber in den schwarzen Strudel zu versinken ... Einige Hundert haben sich auf allzu spärlichen Booten gerettet und schwimmen nun in Nussschalen, die Füße im Eiswasser, durch die kalte Nacht, Land suchend, Überbleibsel einer Sintflut ... Titanen wollten den Himmel stürmen; Götter schoben ihnen lächelnd mit dem kleinen Finger einen Eisblock entgegen – und die Titanen stürzten ...

Diese Schilderung wurde ausgesponnen und mit erschütternden Einzelheiten umrankt. Gemüter und Nerven erzitterten.

Aber sehr bald flutete neuer Unterhaltungsstoff über den Eindruck hinweg. Man sprach von Schiffsunfällen, von Lebensversicherung, von Maßregeln, die eine Katastrophe solcher Art künftig verhüten würden; man verurteilte die Schnellfahrten über den Ozean, man stritt über den Wert solcher Riesenschiffe. Bald war man mitten in Zahlen und

Maßen der Dreadnoughts. Und hier wurden einige Herren hitzig, darunter der fachmännisch beschlagene Major von Trotzendorff, als der Kaiserliche Jachtklub, der Meteorjachtklub von Deutschland und der Deutsche Motorbootklub nicht reinlich auseinandergehalten wurden. Von da sprang das Gespräch auf den Kaiserlichen Aeroklub und den Berliner Verein für Luftschifffahrt über. Man hatte vor wenigen Tagen einer Wettfahrt von Motorbooten beigewohnt: mit aufgebäumtem Kiel, in fabelhafter Raserei, umschäumt von zurückspritzenden Wellen, waren die Boote am Felsen von Monte Carlo vorübergesprüht. Und im Hafen erhob sich, nach Anlauf auf dem Wasser, eines dieser surrenden Wunderwerke jählings in die Luft und flog mit seinen zwei Insassen in großem Bogen kühn hinaus übers Meer und wieder genau zurück und herab an die Abfahrtstelle ... Welche Eroberungen des Wassers und der Luft! Welche Überwindungen der Schwere! Sie stürmen den Himmel, diese Titanen!

Das Gespräch flatterte in Gruppen auseinander; die Titanic schien vergessen. Diese modernen Menschen waren berauscht von den unvergleichlichen technischen Errungenschaften der Gegenwart ...

Ingo von Stein saß in tiefen Gedanken versunken. Er hatte sich im Geiste mehr und mehr abgesondert vom Gespräche seiner Zeitgenossen. Plötzlich, als eine Pause sein Eingreifen möglich machte, sprach er in seiner ernst-liebenswürdigen Weise mit vollklingender Mannesstimme:

»Gestatten Sie mir eine Frage, meine Damen und Herren! Ist niemandem von Ihnen bei diesen Gesprächen über den Untergang der Titanic etwas aufgefallen?«

»Wieso? Was denn?«

»Verzeihen Sie, es ist unmodern, davon zu reden! Nehmen Sie an, dass es ein philosophisch gestimmter Mensch sei, den diese Frage beschäftigt! Als diese sechzehnhundert Menschen untergingen, fuhr ebenso ein Entsetzen durch die Welt wie beim sizilischen Erdbeben. Aber – binnen Kurzem ist alles wieder vergessen! Die Jagd saust weiter. Neue Eindrücke stürmen über die alten hinweg; es kommt nicht zu seelischer Verarbeitung. Hat wohl eine Frage nach Sinn und Wesen des Todes die materialistische Menschheit durchschauert? Hat man ein Polarschiff ausgesandt in das unbekannte Land jenseits des Todes? Hat man sich auf Sinn und Wert des Lebens und Sterbens besonnen?«

»Herr Baron, das is Religion – und Religion is Privatsache!«, rief Marx.

»Wer hat denn heute zu solchen Spekulationen Zeit?«, setzte Schaller hinzu.

»Wir sind doch nicht mehr im Mittelalter mit Hölle und Himmel und solchen Popanzen!«

»Aber darüber kann ja jeder denken, wie er will! In Religionssachen bin ich für mein Part indifferent – und ich hoffe, mit mir jeder moderne Mensch!«

So ging es um den Tisch herum. Der Attaché stemmte den Kneifer ins Auge und betrachtete den Baron wie ein vorsintflutliches Megatherion.

»Sehen Sie! Sie bestätigen, was ich sage!«, fuhr Stein fort. »Der Zusammenprall zwischen Titanic und Eisberg war umsonst. Niemand hat die gigantische Frage verstanden. Denn eine Frage ist in jener Aprilnacht über den Ozean geschwommen und hat der Titanic Halt geboten. Die moderne Titaniden-Menschheit hat die Frage nicht einmal gehört!«

Ein Teil der Gesellschaft versuchte ernst zu werden. Man vernahm draußen das Tosen des Gewitters; man vernahm das Donnern der nächtlichen See.

»Nehmen Sie einmal an«, fuhr der philosophische Sonderling fort, »wir alle, wie wir hier sitzen, ganz Europa, die ganze moderne Zivilisation, seien der Schiffskörper einer Titanic, umbraust von den Gefahren des Chaos! Nehmen Sie an, eine Katastrophe bedrohe uns, ein europäischer Krieg, mit Hungersnot, Seuchen und Revolution – was dann? Nehmen Sie einmal an, wir Zeitgenossen seien dem Untergang geweiht und schauen auf die letzten Jahrzehnte zurück, wie dort in den letzten Minuten die Todgeweihten der Titanic auf ihre Fahrt – was ist das Ergebnis? Können wir sagen, diese glänzende Anhäufung materieller Güter, diese fieberhafte Konkurrenz aller gegen alle, seien der wahre Sinn und Zweck und Wert des Daseins?«

Er hielt einen Augenblick inne, sah sich fragend um und schloss:

»Sie, meine Damen und Herren, sagen *ja* – ich sage *nein*! Das ist unhöflich, denn ich setze mich damit auf einen Nachen und fahre von der Titanic fort. Oder vielmehr: Ich fahre gleich nicht mit. Ich lehne die Beteiligung an dieser rasenden Lebensfahrt dankend ab.

Wenn mir aber jemand von Ihnen einen Amundsen oder Nansen namhaft zu machen weiß, der ausfährt, um den geistigen Pol, den ruhenden Pol in der Erscheinungen Flucht zu entdecken, jenseits der Sinnenwelt, jenseits des Todes – dieser Polarfahrt würd' ich mich sofort anschließen.«

Das war in liebenswürdigem Ton, lächelnd, aber energisch und bestimmt herausgesprochen.

Der Versammelten, die auf solche Gedankengänge nicht gestimmt waren, hatte sich eine erstaunte oder gar beklemmende Empfindung bemächtigt. Stein hatte eine Erörterung erwartet; aber man ging nicht darauf ein.

Es war Herr Otto S. Marx, Buchdruckereibesitzer großen Stils, der die sorglose Stimmung wieder herstellte. Er fuhr mit der Hand über Glatze, Stirn und leicht gebogene Nase zum modern gestutzten rötlichen Schnurrbart herunter, als wische er etwas hinweg, und rief mit Humor:

»Ein entschieden philosophischer Kopf, unser Herr Baron von Stein!«

Diese paar Worte waren mit so komischer, etwas nasaler und nüchterner Betonung gesagt, dass man allgemein in befreiendes Lachen ausbrach.

»Aber einstweilen sitzt er mit auf der Titanic und schlürft Sekt!«, trumpfte der derber gestimmte Schaller und erhob mit schallendem Lachen sein kräftig unterbautes Kinnbackengesicht mit dem scharfen Monokel und dem Durchzieher auf der linken Wange. Man konnte ihn für einen Typus des deutschen Korpsstudenten nehmen; seine ansehnliche Statur mit dem ganz kurzen Blondhaar stach wirksam ab vom salopp hingelagerten Marx, der mit den Händen in den Hosentaschen im Plüschfauteuil lehnte und spöttisch-überlegen den Baron anblinzelte.

»Lieber Baron«, fuhr Schaller fort, »Marx und ich liegen uns zwar immer in den Haaren, obwohl er meinen Rat in Bankpapieren schätzt; aber in *einem* modernen Glaubensartikel sind wir einig: erst die Million – dann die Seele!«

Erneutes Gelächter stimmte diesem massiven Grundsatz bei. Auch der gutartige Stein lächelte mit; Trotzendorff mochte gleichfalls kein Spielverderber sein; doch seine Frau sah betreten und bedauernd zu

Ingo hinüber. Nur der Engländer Wallace trank seine Limonade und rang sich kein Lächeln ab.

Als das Gespräch dann wieder im Gang war und weitersummte, beugte sich Frau von Trotzendorff zu ihrem Liebling hinüber.

»Ingo«, raunte sie, die Hand am Munde, »denk' an das Gleichnis von den Perlen!«

»Stimmt, Friedel!«, kam es zurück. »Aber ich sollte charaktervoll sein und selber nicht unter den Säuen sitzen!«

»Unsinn! Willst du wohl –?! Bist schon Einsiedler genug!«

Er zuckte die Achseln, schüttelte den Kopf und lehnte sich wieder zurück.

Und nun ließ er sein Auge wandern über diese Fräcke und Toiletten. Was für eine Gesellschaft war denn dies hier am Rande Europas, unter die er da geraten war? Wo leuchtet denn hier, aus diesen Gesichtern mit der Tücke des modernen Menschen, der seine Mitmenschen zu überlisten trachtet, aus diesen scharfen oder verlebten Zügen – wo leuchtet jenes freimütig-unbefangene deutsche Gemüt? Jenes Edelgemüt, das die große Musik, Philosophie und Mystik geboren hat? … Verstand, Pfiffigkeit, Lüsternheit, Tatkraft, Nervosität – diese Eigenschaften prägten sich zwar deutlich in den Mienen aus. Aber Seele? Wo ist denn die deutsche Seele? Er nahm nur Frau Friedels schöne und fantasievolle Züge aus neben Trotzendorffs offener Männlichkeit; der Engländer neben ihm war sachlich, der hübsche Franzose kokett. Aber diese beiden jungen Leute waren ihm noch weitaus die angenehmsten unter der unangenehmen Gesellschaft. Unangenehm? Sind es nicht deine deutschen Landsleute? Bist du nicht in Gefahr, deinem Vaterlande fremd zu werden? … Vaterland! …

Die Empfindung ließ ihn nicht mehr los, dass er sich auf einem gefährdeten Schiffe befand, selber in Gefahr und nur durch dünne Wände getrennt von den Wassern der Vernichtung.

Der junge Engländer an seiner Seite unterbrach plötzlich seine düstern Gedankengespinste und fragte den Baron, ob er wisse, dass Mr. Stead, der Vorkämpfer des Spiritismus und der Friedensbewegung, mit der Titanic untergegangen sei? Ingo, der gut Englisch verstand und sprach, verneinte. Und sachte ging Mr. Wallace auf ein Gebiet über, das abseits lag von diesem Kreise und von Ingos künstlerischen Lebenspfaden, das ihn aber rasch fesselte. Der kaltblütige Engländer,

der für die Alkoholstimmung dieses deutschen Kreises unempfänglich schien, sprach von einer spiritualistisch-religiösen Bewegung der Neuzeit. Er war Maler aus Liebhaberei, Sprachlehrer aus Beruf; und auf seiner Visitenkarte, die er im Laufe des Gespräches mit dem Baron tauschte, stand ein *M. A.*: »*Master of Arts*«, sein Universitätsgrad. Er hatte seine Jugend in Indien verbracht. Und es war für den Deutschen eine Wohltat, in dem flackrigen Rhythmus dieser Abendgesellschaft solche gelassene Ruhe zu vernehmen, wie sie aus diesem etwas kühlen, aber sehr unterrichteten Manne zu ihm herüberschwang. Es war ein Ton aus einer weiteren Welt; und dass es ein Ausländer war, von dem dieser Ton kam, machte den Deutschen beschämt und nachdenksam.

»Sie haben übrigens«, sprach Wallace, »in Deutschland einen Mann, der auf diesem Gebiete sehr bedeutend ist.«

Und er nannte einen Namen, den Ingo nie vernommen hatte.

Doch das beruhigende Zwischenspiel wurde durchbrochen. Stein, mitunter zum Aufbrausen geneigt, schnaubte plötzlich empor und rief einem Lebemann am Ende der Tafel kampflustig zu:

»Wer verunglimpft da unten Schiller?! Lassen Sie unsren Schiller in Ruhe! Hätten wir nur etwas von seiner Männlichkeit!«

»Aber Sie haben mich wohl nicht ganz verstanden, mein verehrtester Herr Baron«, erwiderte Herr von Jedermann und Überall. »Ich habe nur ganz einfach festgestellt: Damals war der Wallenstein modern – heute der Rosenkavalier; damals die Iphigenie – heute die Salome. Na, und warum soll ich das nicht sagen?«

Stein lachte und rief mit Schärfe zurück:

»Sagen Sie das, Edler! Und fügen Sie hinzu: Damals war das weimarische Hoftheater modern – heute das Kino!«

Er warf sich wieder in seinen Sessel und machte eine segnende Handbewegung gegen den Ritter des Geistes, der den linken Daumen unter die linke Achselhöhle eingeklemmt, die rechte Hand gespreizt hatte und mit der Zigarette im Mundwinkel wiederholte: »Na, warum nicht?«

Da war nichts zu widerlegen.

Jetzt tauschte Schaller seinen Platz mit Mr. Wallace und ließ sich neben dem thüringischen Freiherrn nieder.

»Herr Baron, nichts für ungut, aber Sie philosophieren zu viel! Sie müssen mich in Barcelona besuchen! In allem Ernst! Ich habe Ihnen nachher auch etwas Amüsantes zu erzählen. Unter uns: Ein Restchen deutsches Gemüt in mir beneidet Sie. Verstehen Sie? Nein? So will ich's Ihnen erklären. Gestern warfen Sie gesprächsweise die Bemerkung hin: Als Sie die Wahl hatten zwischen Staatskarriere und geistiger Vertiefung, haben Sie unbedingt das letztere vorgezogen. Universalbildung im Sinne Wilhelm von Humboldts – sagten Sie; moderne Fortsetzung des klassischen Idealismus – sagten Sie. Sie sehen, ich hab mir's gemerkt, bin also gar kein so feister Materialist, wie es allerdings aussieht. Und darum sag' ich: Ein Rest in mir beneidet Sie um dieser freien Wahl willen, die Sie getroffen haben. Hol's der Teufel! Etwas wie Sentimentalität sitzt immer in uns Deutschen.«

»Das Deutschland von heute hat sich für *Ihren* Weg entschieden, mein lieber Herr Schaller«, erwiderte Ingo gelassen. »Erst die Million – dann die Seele! Beneiden Sie mich vielleicht um das Martyrium der Heimatlosigkeit?«

»Ach was, Unsinn! Sie sind jung, nicht älter als ich! *Schaffen* Sie sich eine Heimat, *bauen* Sie sich ein Schloss! In der Calle Muntaner zu Barcelona steht meine Burg; kommen Sie einmal hin, sehen Sie sich an, was deutsche Energie im Ausland fertigbringt! Bis dahin hab ich ein hübsches junges Weib im Hause. Schaffen auch Sie sich eine Frau an, Herr Baron, das bewahrt vor philosophischen Hühnerleitern! Und kommen Sie! Ich bin manchmal hungrig nach Geist – ausgehungert! Und apropos, wissen Sie, was ich Ihnen jetzt Amüsantes zu verzapfen habe, Sennor? Wissen Sie, dass Sie entdeckt sind?«

»Wieso entdeckt?«

»Als ein Troubadour namens Ingo, der meinen zwei jungen Nichten den Hof macht!«

»Potztausend noch einmal!«, fuhr Ingo auf und hätte vor Verblüffung fast sein Sektglas fallen lassen. »Die zwei jungen Mädchen da oben auf dem Hügel sind Ihre Nichten?!«

»Sind meine Nichten, ich kann nichts dafür!«, bestätigte der lachende Kaufmann. »Niedliche Lärvchen, was? Beide haben's nicht von mir, denn wir sind nicht blutsverwandt; die Mutter der Älteren, eine Witwe aus Straßburg, ist die Schwester meiner Stiefmutter; so sind wir in eine Art Onkelschaft geraten, und ich versteh' mich mit den Mädels ganz famos. Die Jüngste ist ja entzückt von Ihnen, einfach aus dem Häuschen!«

»Aber sagen Sie mir doch – wie hat sich denn das herausgestellt? Aus Straßburg? Jetzt begreif' ich! Dort war's, dort hab ich das Mädchen gesehen, in der Vogesenstraße, als ich im Herbst ein paar Wochen dort wohnte! Aber wie hat man denn mich entdeckt?«

»Nichts einfacher als das! Durch Ihr Buch ›Heroismus‹, das Sie mir geliehen haben! Da steht Ihr Name, Ingo von Stein. Dies Ingo hat sie verraten. Ich habe das Buch meinen Nichten hinaufgebracht, wir blättern drin, der kleine Grashüpfer schwatzt immerzu von dem Besuch des reizenden Unbekannten, der Ingo heiße. Ingo? Ingo heißt euer romantischer Anbeter? Wie sieht er denn aus? So und so! Famos, da haben wir ihn ja! *Voilà! Ecco!*«

Er lachte herzhaft. Stein lachte mit.

Aber in seinem Herzen schloss sich doch etwas zu; ein musikalischer Zauber, ein poetischer Duft drohte zu entfliegen, der Reiz des Magischen und Fremdartigen. Denn jene Welt Mozarts, jenes reine Eiland der Schönheit, wurde überflutet von der breiten Alltagswelt dieser knochigen Millionenmacher, dieser Geldmagnaten, dieses modernen Amerikanismus.

Daher ging Ingo recht bald und mit leichtem Scherz über die Sache hinweg, zumal Frau Friederike, zur Eifersucht geneigt, gespannt herüberfragte, von welchen reizenden jungen Mädchen denn hier so angelegentlich die Rede sei. Nur eines merkte er sich: Die jungen Damen waren im Begriff, mit Frau Frank-Dubois, Marthas Mutter, nach Barcelona zu reisen, um dort einige Wochen bei Onkel Schaller zu wohnen.

»Eine Reise nach Barcelona«, warf Ingo hin, »steht übrigens bei mir schon längst auf dem Programm. Denn dort in der Nähe ist der berühmte Montserrat, der Gralsberg, der Montsalvat der Sage.«

»Kenn' ich natürlich genau! Famoser Berg! Großartige Aussicht! Also kommen Sie! In meinem Hause finden Sie etwas, was Ihnen so leicht kein Privatmann bietet: zwei echte Velasquez! Heh, was meinen Sie dazu? Raus aus dem Beamten- und Spießbürgernest Deutschland! Nur der Mittelmäßige kommt dort vorwärts! Für geniale Köpfe ist kein Platz mehr im Reich. Großzügige Naturen treiben sich im Ausland herum oder ersticken im deutschen Winkel.«

Die Damen und einige Herren zogen sich zurück.

Trotzendorff trat zu Stein heran, der sich gleichfalls erhoben hatte.

»Weißt du das Neueste, Ingo?«

»Nun was denn, Richard?«

»Meine Berufung ist Tatsache! Hoheit hat's bestätigt!«

»Also von jetzt ab Hofmann, lieber Richard? Na, mein herzliches Beileid!«

»Danke für den Glückwunsch! Das wird auch für dich entscheidend, alter Flüchtling! Ich habe meinen Plan. Und du weißt, ich bin in solchen Dingen zäh. Auf dem Weg über Seine Hoheit komm' ich an den Kaiser heran, mache Majestät mit deinen Gedanken bekannt, verschaffe dir eine persönliche Vorstellung, und du wirst an den Platz gestellt, wo du wirken kannst!«

Ingo legte den Arm um die Schulter des Freundes.

»Du bist doch ein unverbesserlicher Utopist!«

»Abwarten, Junge!«, erwiderte der straffe Soldat und strich seinen dicken grauen Schnurrbart. »Wenn du erst einmal mit dem deutschen Kaiser auf der Wartburg ein richtiges Kaisergespräch geführt hast, dann sprechen wir weiter!«

Frau Friederike war herangekommen. Es war heute Abend in ihrem Wesen etwas wie nervöses Fieber.

»Richard hat recht«, sagte sie hastig. »Wir müssen dich unter Aufsicht nehmen, lieber Ingo, wir müssen dich mit Gewalt an die rechte Stelle schieben. Die Sache wird gemacht! Du kennst meinen Alten, der lässt nicht locker, wenn er etwas im Kopf hat!«

»Hier steh' ich nun wie Buridans Esel zwischen den zwei bekannten Heubündeln«, lächelte Stein. »Die Lockung dort heißt Barcelona – die Lockung hier heißt Wartburg. Wohin?«

»Nach Deutschland, Ingo! An deine deutsche Aufgabe!«

»Hat mich nicht gerade Friedel aus Deutschlands Enge herausgeschmeichelt?«

Doch Frau Friederike schob ihren Arm unter den seinen und entführte ihn samt ihrem Gatten aus der Rivieragesellschaft.

Aber sie konnte sich oben, als sie einander Gute Nacht sagten, nicht enthalten, noch einmal nach den hübschen jungen Mädchen zu fragen, die ihn so lebhaft entflammt hatten. Er warf lachend einige beschwichtigende Worte hin; doch ihr entging nicht, dass er errötet war, und sie schied mit langen, schweren Blicken ...

Das Gewitter war vertost. Von den Stauden und Palmen troff noch die himmlische Feuchtigkeit; das Meer rauschte bedeutend.

Stein atmete auf seinem Balkon die würzige Nachtluft ein und verglich die muntren Mozart-Mädchen auf jenem offenen, hellen Hügel mit diesem drückenden Salonparfüm und Salongeschwätz dieser Riviera-Hotels und Riviera-Spielhöllen. Und in der Ferne vernahm er ununterbrochen das ozeanische Brausen der Titanic-Katastrophe.

»O du Tiefstes meiner Seele, du kannst ja doch nicht hinauf! Wenn meine Seele tost wie die schäumende See und zitternd solche machtvolle Schönheit aushält, dann ist es in mir wie ein schweres, langsames Glockenläuten. Und das zu ertragen, dieses Gewaltige, hilft mir nur eins: die Seelensprache der Poesie und Musik. Sie segnet meine Herzensglut, und mit ihr ertrag' ich die Schönheit der gewaltigen Erde ...«

Lang noch saß er über Büchern und Papieren, Schwermut durch Arbeit bekämpfend. Spät entschlief er.

Heitre Mozart-Melodien vermischten sich im Entschlummernden mit der Notturno-Stimmung des »Don Juan« – der Anfang von Beethovens *Sonate pathétique* brauste herein, wuchtig, zornig – und die schwermütigen, harfenartigen Einleitungsakkorde des Brahms'schen Liedes »Der Tag ging regenschwer und sturmbewegt«. Doch in diesem Chaos von Tönen behauptete sich zuletzt Schuberts »Wandrer«: »Wo bist du, mein geliebtes Land?« ...

... Marx und Schaller, die Unzertrennlichen, saßen noch beisammen, ließen sich einen Mokka brauen und sprachen von Dividenden und Prozenten.

Plötzlich warf Marx mit zweifelhaftem Blinzeln hin:

»Hm, sagen Se mal, was halten Sie von diesem Stein?«

»Ein sympathischer Mensch!«, beteuerte Schaller, der ziemlich gezecht hatte. »Eine von jenen hochbegabten Naturen, die keinen Platz finden im hundsgewöhnlichen, miserablen, mittelmäßigen Reichsdeutschland! Verstanden, Otto S.?!«

»Na, na! Das glauben Sie ja selber nich!«

»Selber nicht? War ich nicht Referendar, ehe ich Kaufmann wurde? Warum bin ich ausgerissen? Weil mir der Atem ausging zwischen euren Hinter- und Vordermännern, die einander Hacken und Zehen abtreten!«

»Riesiger industrieller Aufschwung in Deutschland! So 'ne Titanic – die übertrumpfen wir! Mittelmäßig? Steckt 'ne Masse Genie im modernen Deutschland!«

»I natürlich! In allen technischen Dingen, selbstverständlich! Zeppelin – bravo! Aber sonst? Genie? Wo denn? Was wissen Sie denn, Samuel, in Ihrem Verstandeskasten, was Genie ist? Wo sind denn die großen und ewigen Ideen in eurer Politik oder Literatur? Reporter seid ihr, ganz schwunglose Reporter und Fotografen!«

»Na, und Richard Strauß?! Und Reinhardt! Gehen Se mal in den Berliner Zirkus und sehen Se so 'ne Aufführung! Und hat nicht Hauptmann den Nobelpreis gekriegt? Was wollen Se denn noch? Wollen Se wieder Vergissmeinnichtsgeschmack einführen, Sie?!«

»Mann, Markuse, machen Sie mich nicht wild!«, schrie der Champagner aus Schaller. »Wo ist denn da Größe?! Größe, sag' ich, Sie, Sie – Sie Mann mit dem zweckdienlichen Verstandesapparat! Sie Nüchterling! Sie Mensch ohne Seele! Kurzum, Sie Geldbeutel!«

»Schaller, Sie schallen wieder mal brutal, aber brillant!« Der Kommerzienrat lachte sein meckerndes Lachen, ohne das Geringste übelzunehmen. »Ihnen fehlt ein pikantes Weibchen – so wie da die Trotzendorff. Unter uns – die und der Stein, hä? Da ist auch nicht alles geheuer. Hat übrigens in Weibersachen Geschmack, dieses Mineral – seine Freundin ist hübscher als seine Bücher!«

Und Marx lachte und schlürfte zwinkernd seinen Mokka.

»Was halten Sie denn von seinen Büchern?«, fragte Schaller unwirsch, denn er empfand für Ingo entschiedene Zuneigung.

»Nu, ich hab se nich gelesen – aber was man so hört – Nee! Heroismus? Das Buch ist geschmacklos eingebunden. Und der Inhalt – süßliche Phrasen!«

»Phrasen? Dieser grundehrliche Stein? Sehen Sie sich doch dieses offene Gesicht an!«

»Ich nenne das Phrasen.«

»Beweis!«

»Nu, ich sage Ihnen, ich nenne das Phrasen, und damit Punktum! Was ist da zu beweisen?! Und sein Drama: ›Der Sängerkrieg‹! Das hat ja schon der Wagner komponiert! Und was er sonst verfasst hat aus der Mythologie, das kann man höchstens noch mit Musik goutieren! Für mich Schwulst, süßer Brei, Phrasen!«

Er trank erbittert und nervös seinen Mokka leer, hatte sich in Hitze geredet und schaute ergrimmt seinen Gegner an. »Nu, was wollen Sie noch? Im Übrigen ein liberaler und honetter Mensch, sag' ich selber! Alles, was recht ist! Und ohne Adelsdünkel! Ein Charakter, aber ein sehr bescheidenes Talentchen!«

»Was verstehen Sie denn eigentlich unter Talent?«

»Nu, dass einer was kann!«

»Wer stellt denn fest, ob einer was kann oder nicht?«

»Die öffentliche Meinung! Wir! Leute von Geschmack! Ganz einfach!«

»Wenn aber die öffentliche Meinung auf Irrwegen läuft? Habt ihr euch nicht hundertmal geirrt, ihr Deutschen, und lebende Talente totgeschwiegen und totgeschwatzt?!«

»Mit dieser Ausflucht kann sich jeder erfolglose Dilettant decken«, bemerkte Marx nicht mit Unrecht. »Man hat denn doch im Allgemeinen eine sichere Witterung, was ein moderner Mensch is und was nur so nachdichtet. Unsere Nerven brauchen ein Stimulans, Neutöner, Reizungen, pikante Probleme – verstehen Se? Ich protegiere da einen Dramatiker – was wetten wir, dass ich ihm den Schillerpreis verschaffe? Wissen Se, wie so wat gemacht wird?«

Marx rückte vertraulich näher; und Schaller starrte unbeholfen in ein Paar pfiffige Augen.

»Denn solche Talente *kann* man machen, den Stein nicht. Da wird in klugen Abständen eine Notiz ins Tageblatt lanciert – übrigens auch Durchfälle schaden nicht, wenn nur die Öffentlichkeit beschäftigt bleibt! – also eine Notiz: der ringende, begabte, geniale Dramatiker *etc., pp.* – merken Se wat? Dann gute Verbindungen bei der Presse – nu, und nach und nach gewöhnt sich die Welt an den Namen. Aber pikant muss er dichten, pikant! Mit diesem biedren Stein – nee, damit ist kein Haus zu bauen.«

Schaller senkte den Kopf und betrachtete die Diamantknöpfchen seines zerknitterten Frackvorhemdes.

»Ihr habt unbedingt die Herrschaft«, sprach er dumpf, wie zu sich selber.

Dann schaute er aus seiner halben Betrunkenheit auf, fasste seinen Freund Marx ins Auge und schnarrte plötzlich in schärfstem Leutnantston:

»Otto Samuel, Sie heißen Markuse – und damit ist alles gesagt! Schluss der Debatte!«

Marx sprang ärgerlich auf. Aber einige spät zurückkommende amerikanische Dollarkönige gaben dem Gespräch einen neuen Aufschwung. Es war von Kartellen, Syndikaten, Trusts die Rede, nüchtern, kaufmännisch, und die Sätze waren gespickt mit Zahlen.

Der kleine Marx und der große Schaller waren wieder in ihrem Element. Und sie schüttelten sich beim Auseinandergehen gemütlich die Hände. Denn jeder schätzte des andren kaufmännische Begabung.

3. Die Freundin

Unruhig Glück im Stehn und Spähn und Warten!
Nietzsche

Ein heißes Herz und eine bewegliche Fantasie sind kein unbeschwerliches Geschenk der Gottheit. Ingo entsann sich, wie leidenschaftlich ihn einst in der Jugend die Sonntagsspiele mit seinen Kameraden hingerissen hatten. Jene Spieltage waren so voll, so glühend schön, dass ihm am Abend das Herz weh tat, wenn er sich von den Gespielen trennen sollte. Noch oft im Leben musste er mit männlicher Besonnenheit Heimweh nach dem Schönen und Guten ins rechte Maß zwingen.

So war ihm Rhythmus ein Mittel der Bändigung allzu drangvoll emporquellender Gefühle. Und wie für das Schöne, so war er für Güte empfänglich. Mit einem herzlichen Wort konnte man alles von ihm erreichen; Härte rief seine Vertrutzung wach. Er war geschaffen zur Freundschaft, zur Brüderlichkeit, zur Liebe. Doch grade weil seine Natur so warmherzig und fantasievoll allen Reizungen antwortete, brauchte er als Gegenkraft viel Kultur und Bildung, um in sich jenes edle klassische Gleichmaß auszugestalten, das dem Idealisten vorschwebte.

Ein Dreibund liebender Freundschaft bestand zwischen Ingo von Stein und dem Ehepaar Trotzendorff.

Baron von Stein-Waldeck hatte Staatswissenschaft, Geschichte und Literatur studiert und nach dem Doktorexamen die Universität verlassen. Seinen soldatischen Pflichten hatte er als reitender Artillerist genügt und war nun Leutnant der Reserve. Ihm stand ein aussichtsvoller Staatsdienst offen; die Verbindungen des Freiherrn aus altem Hause waren vorzüglich. Eine edle Jugendfreundin war ihm so zugetan, dass Verlobung zu erwarten war. Doch etwas in ihm zögerte, sich dem Staatsgefüge und dem Familienleben anzuvertrauen. Und als er Frau Friederike von Trotzendorff kennen und lieben gelernt hatte, begann für ihn eine neue Lebensepoche. Er lebte fortan seinen musikalischen und literarischen Idealen. Diese Frau, ehedem bedeutende Sängerin, war ganz Fantasie und Gefühl. Und so befreite sich unter ihrer Besonnung auch in ihm die fühlende Fantasie; und die beiden flogen miteinander empor in alle Herrlichkeit und Fülle der Kunst und der Natur. Stein hoffte, unter Führung solcher Muse, Künstler zu werden.

Aber die Muse kann nur begleiten, nicht geleiten. Frau Fantasie kann fliegen, aber nicht schreiten; kann ein Leben verschönen, aber nicht eines Lebens Fundamente bauen.

Der wandernde und fliegende Spielmann spürte mehr und mehr, dass etwas in ihm unbefriedigt blieb.

Seine edelgestimmten Bücher hatten an das Tor der deutschen Seele gepocht; doch war keine Antwort gekommen. Ingo wurde darob weder bitter noch sentimental; das lag nicht in seiner großzügigen Natur; auch überschätzte er nicht das Buchmachen. Immerhin legte er stutzend die Feder aus der Hand und horchte fragend hinaus.

Wo war das Deutschland, das er suchte?

Als Ingo von Stein am andren Morgen in den gemeinsamen Salon trat, der sein Zimmer vom Trotzendorff'schen Gemach trennte, erwartete ihn Frau Friederike.

Sie trug ihr helles Morgenkleid, das den Hals frei ließ. Der prächtig gebaute, nur etwas zu volle Körper dieser leicht in allen Nerven vibrierenden Künstlerin mit den stahlblauen Augen, der kräftig vorspringenden Nase, den üppigen Lippen schien für Bühne und Salon geschaffen; ihre Bewegungen waren elastisch; ihre Stimme weich, doch häufig belegt und zaghaft, denn ihr Herzschlag geriet bei Schmerz und Freude allzu leicht in Unordnung.

Er küsste ihr mit ernstem und müdem Gesicht ehrerbietig die Hand. Aber die nervös erregte Freundin hielt seine Hände fest.

»Ich hab mich nach dir gebangt, Ingo, ich hab in der Nacht so viel an dich denken müssen. Denn ich war gestern Abend kleinlich, vergib, ich war eifersüchtig!«

»Eifersüchtig?! Aber seit wann gibt es denn das zwischen freimütigen Freunden?«

Ingo spürte sofort, dass ein ernstes Gespräch bevorstand. Er wünschte und fürchtete dieses Gespräch; denn in der letzten Zeit war Frau Friederike von einer seltsam sorglichen Unrast, eine Löwin, die um ihr Junges besorgt war.

»Friedel«, sprach er weit ausholend, »mir sind in der Nacht schwere Gedanken durch Kopf und Herz gegangen. Sieh, als ich damals dem Beruf auswich, trennte ich mich auch von meiner Jugendfreundin Elisabeth. Ich muss offen mit dir sprechen. Du weißt, wann es war, als ich dir mitteilte, ich hätte meine heimliche Verlobung stillschweigend aufgelöst. Wir hatten den zweiten Teil des Faust gesehen; wir waren entzückt von der Helenatragödie. Dieser Faust – so setzt' ich dir nach dem Theater auseinander – ist berauscht vom Drang nach Schönheit, fährt durch die halbe Welt, um eine Helena zu finden, irrt durch die blaue pharsalische Nacht mit dem unentwegten Ruf: Wo ist sie? O Himmel, ich will's mit diesem Schönheitsucher halten! Und du glühtest mit, und wir erlebten miteinander tiefste seelische Offenbarung. Seit jener Stunde such' ich das Ideal in der Fremde und habe mein deutsches Gretchen vergessen. Ihr nennt mich ›Spielmann‹ – in der Tat, ich fürchte fast, ich spiele mit dem Leben. Und manchmal ist mir, als wäre Goethes Helena-Tragödie und mein jetziges Dasein nur galvanisiertes Leben, und ich hätte den Boden unter den Füßen verloren.«

Sie hatten beide Platz genommen und saßen sich auf steifen modernen Stühlen in dem weißgrauen Salon gemessen gegenüber, mit großen Augen beide ins Unbestimmte schauend. Er hatte von der Eifersuchtsfrage glücklich abgelenkt und das Gespräch ins Bedeutende erhoben.

»Du willst damit sagen«, erwiderte sie schwer, »dass ich es bin, die dich aus der Bahn geworfen hat.«

»Nein, Friedel, das will ich damit nicht sagen; denn ich bin dir dankbar. Was ich in Bayreuth, auf Reisen, am Klavier und vor Büchern oder in Gesprächen durch dich in mich aufgenommen habe, ist unvergleichlich. Du hast mir eine neue Welt aufgetan. Du hast meine Flaumfedern in Flügel verwandelt. Aber – –«

»Aber?«

»Du hättest ganz recht, eifersüchtig zu sein, wenn das Wort nicht zu hässlich wäre«, sprach er plötzlich, stand auf und ging hin und her. »Denn du fühlst richtig, dass etwas in mir nicht befriedigt ist. Und an jenen Mädchen da oben auf dem Hügel ist es mir zum Bewusstsein gekommen.«

»Was ist dir zum Bewusstsein gekommen?«

»Mein Beruf und meine Braut, beides gehörte einst zusammen. Und ich habe in mir die bis zum Eigensinn gesteigerte Empfindung: Wenn ich meine Lebensgefährtin finde, ist auch mein Beruf gefunden. Ein stilles, häusliches Mädchen wie diese schöne Stickerin da oben auf dem Hügel erregt mir Heimweh.«

»Und Helena? Und die freie Welt der Schönheit? Ingo, willst du Philister werden?«

»Aber, Friedel, bist nicht auch du Gattin und Mutter?!«

Das wurde fast zornig herausgeschleudert. Er hatte sich wieder gesetzt. Sie saßen in den feierlichen Lehnstühlen und schauten sich bei aller höflichen Haltung einen Augenblick wie Gegner an.

Ruhiger fuhr er fort:

»Und dennoch hast du deine Welt der Schönheit in dir, Friedel – in deinem Innern, in deiner Kunst, in deiner Häuslichkeit. Ich aber suche sie draußen, ich laufe in der Welt herum und spiele mich mit der Laute über mein Heimweh hinweg. Ich habe Heimweh nach festem Boden, Friedel. Das ist alles.«

»Meine Freundschaft genügt dir nicht mehr«, erwiderte sie dumpf und traurig, »du bist meiner müde.«

Er war zornig, dass sie immer wieder das Gespräch auf ihre Person ablenkte, statt seinen Kümmernissen sachlich zu folgen.

Doch er beherrschte sich.

»Mit deiner Person hat meine Sorge nichts zu tun, Friedel. Es wäre mir lieber, du würdest mit Richard und mir sachlich beraten. Ich halt' es einfach nicht mehr aus, auf dieser Titanic mitzuschwimmen, ohne Ziel, ohne Heim, ohne Beruf. Denn es ist die Frage, ob ich zum Büchermachen berufen bin. Die allgemeinen Sorgen der Deutschen sind mir wichtiger; die Ratlosigkeit dieser modernen Menschen in den

Fragen über Tod und Leben macht mir schlaflose Nächte. An dieser Lösung möcht' ich im Herzen Deutschlands mitsinnen, dort, wohin ich durch Geburt gestellt bin. Stattdessen lauf' ich im Ausland herum.«

»Was hat denn das mit den Mädchen da oben zu tun?«, fragte mit unerwarteter Wendung die echte Frau, die ihm gegenübersaß.

Er schwieg. Auf diesen Seitenangriff war er nicht gefasst gewesen. Sie hatte recht: Zwischen dem Philosophen, der sich gestern in das Titanic-Gespräch gemischt hatte, und dem verliebten Lautensänger war ein Unterschied. Jener suchte den festen Punkt; dieser aber wanderte als Spielmann durch die schöne Welt, durstig nach Schönheit. Und in der Schönheit nach Frieden –? Und im Frieden eben nach dem festen Punkt –?

»Ingo, ich will dir etwas sagen, was einmal gesagt werden muss, wenn wir nicht alle drei in Unnatur geraten sollen. Sieh, ich habe schon mehrmals beobachtet, wie dein Auge hübschen jungen Mädchen nachflog – und wie du dann zu erschrecken pflegtest, fast wie ein ertappter Junge, wenn du meinem Blicke begegnetest. Ach, ich sehe ja wohl, wie du suchst; und ich habe ja auch gar kein Recht, dich festzuhalten. Lieber Junge, es hat mich aber immer gedemütigt, wenn ich dich so vor mir zusammenfahren sah: Er fürchtet meine Eifersucht, hab ich mir sagen müssen. Also hab ich dir Anlass gegeben, dass du mich für kleinlich halten musst? Und du hast recht: Ich bin kleinlich, bin eifersüchtig, bin ein Hasenfuß, ich habe Angst um dich; ich fürchte, dass du einmal auf irgendein hübsches, leeres Lärvchen hereinfällst, in das du dein eigenes Ideal einstrahlst. Oh, Gott im Himmel weiß es: Dieser Schmerz um dich ist größer als der Schmerz um meine seelische Vereinsamung!«

Frau Friederike, die ihrem Freund um mehrere Jahre an Alter voraus war, stand rasch auf, hielt ihr Taschentuch an die Augen und trat ans Fenster. Auch Ingo erhob sich, blieb aber am Lehnstuhl stehen und biss sich in die Lippen. Schon einmal hatte er eine solche Szene erlebt, wo die ruhige und fröhliche Wärme der Freundschaft in flammende Liebe übergeschlagen war. Er spürte auch jetzt wieder die unheimliche Schwüle vor dem Sturm. Aber er hatte sich fest in der Hand und blieb hochaufgerichtet und unnahbar hinter seinem Sessel stehen.

»Einmal schon«, weinte es vom Fenster her, »hab ich mich zwischen dich und eine andre gestellt. Ich will es nicht wieder tun. Ich will vielmehr die erste sein, die dich beglückwünscht. Nur sag' es mir, sag' es mir gleich und offen, tu's nicht hinter meinem Rücken, stell' mich nicht plötzlich vor die Tatsache – denn das erschüttert meine Nerven mehr, als ich ertragen kann.«

Sie hatte sich die ganze Nacht mit dem Gedanken abzufinden gesucht, dass sie des Freundes Herz an ein junges Mädchen verloren habe. Und diese Empfindung verallgemeinerte sich in ihr zur erschütternden Erkenntnis, dass sie eine alternde Frau sei, dass sie Jugend nicht festhalten könne, dass alle Helena-Schönheit dahinschwinde in die wesenlose Nacht der Zeit. Mit elementarer Kraft war diese Empfindung über sie gekommen. Und zwei Mächte hatten nachtlang in ihr gekämpft und kämpften jetzt noch in dieser Stunde: entweder leidenschaftlich festzuhalten, zu genießen, zu sündigen, stürmisch den Freund zu umfangen – oder durch rasche Trennung sich wieder zu beruhigen und in Harmonie zurückzufinden.

Frau Friederike war weder zu dem einen noch zu dem andren stark genug.

Als sie sich jetzt zu ihm umwandte und Ingo ihr tränenvolles Gesicht sah, traten sie sich beide einige Schritte näher. Dann blieben sie wieder stehen. Was an Güte in ihnen war, schlug vom einen zum andren hinüber. Wieder schritt sie vor – und plötzlich lief sie hin, umschlang ihn heftig und weinte:

»Ingo, verlass mich nicht!«

Wie ein Hilfeschrei, erschütternd, schlug es aus ihr empor. Doch zugleich stieß sie ihn zurück, lief mit dem Taschentuch vor den Augen laut schluchzend nach der Nebentüre, schmetterte sie hinter sich zu und riegelte sich ein.

Ingo wusste aus früheren Anfällen ähnlicher Art, dass sie nun stundenlang auf dem Diwan liegen und sich ausweinen würde.

Der Spielmann ging sorgenvoll im Zimmer auf und ab.

Der gestrige Tag dort auf dem Hügel, zwischen Kirschbaum und Zypresse, bei scheinbar so belanglosem Geplauder mit ein paar unreifen Mädchen, war eine Lebenswende. Jetzt galt es klaren Entschluss. Sollte er sofort hinaufgehen, diese bürgerliche Frau Frank-Dubois aus dem Elsass, die hier in Sommerfrische weilte, aufsuchen und der jungen Schönheit schlankweg seine Hand anbieten? Denn jenes wunderschöne Gebilde hatte ihn berauscht. Aber was war denn an ihr, was ihn entzückte? Sie hatte ja kaum den Mund aufgetan. Warum verband er mit ihr die Empfindung von griechischer Landschaft und griechischem Tempel? War es nicht doch vielleicht nur ein allgemeiner Schönheitseindruck, der mit dem Bürgerkinde Martha menschlich nicht viel zu tun hatte? Sollte er die erprobte Freundschaft mit Richard und Friedel zerbrechen, um einem Helena-Phantom nachzujagen?

Mächtig wallte in ihm das Gefühl der Dankbarkeit empor.

»Sie haben mich gepflegt in meiner Krankheit«, sprach er zu sich selber; »Friedels beide Knaben lieben mich wie einen älteren Bruder. Sie selber nennt mich oft im Scherz ihren ältesten Jungen; sie ist besorgt um mich, wie eine Mutter um ihr Kind. Wohl hat sie sich damals zwischen mich und Elisabeth gestellt; aber es war ein Segen, denn meine verfrühte Heirat wäre Spießbürgerei geworden. Was weiß die Welt von den herrlichen Einzelheiten unsrer romantischen Freundschaft! Und wie taktvoll, wie verstehend hat sich Richard benommen! ... Nein, ich will nicht glücklich sein ohne diese beiden trefflichen Menschen.«

Er pochte an Friedels Tür.

»Friedel, nur ein Wort!«

Es kam von drinnen keine Antwort.

»Öffne nur einen Finger breit!«

Sie kam endlich, öffnete ein wenig und schaute mit verweinten Augen heraus.

Er küsste ihre Hand und sagte innig und mit aufmunterndem Humor:

»Friedelchen, wollen wir zu guter Letzt sentimental werden? Wollen wir nicht lieber heute noch abfahren und durch die Provence wandern?«

Ihr Taschentuch zuckte vom Gesicht hinweg.

»Wirklich? Wollen wir fort?«

»Aber achtest du mich denn noch, Ingo?«, kam es verzagt hinterher.

»Wunderliches Friedelchen«, lachte er, »glaubst du denn, ich könnte jemals wirklich vergessen, was du und Richard mir getan habt? Das steht in der Chronik der Ewigkeit; dort wollen wir einander hoffentlich hell und heiter begegnen. Nicht wahr?«

»Ja, Ingo«, sagte sie kindlich und legte die Hände in die seinen. »Du bist gut, Ingo.«

Und die Augen trocknend fügte sie hinzu:

»Geh nun hinunter zu Richard, Lieber, und entschuldigt mich bis zu Mittag! Und – und, Ingo, wenn wir wirklich fahren würden, ich würde ja jubeln, von hier fortzukommen!«

»Du hast recht!«, sagte er frisch. »Aus den Sentimentalitäten 'raus! Auch ich! Fort in die Welt!« ...

Am Nachmittag packten sie ihre Koffer. Und am Abend saßen sie in der Eisenbahn nach Marseille und Avignon.

4. Der Troubadour

> »Wer von der Schönen zu scheiden verdammt ist,
> Fliehe mit abgewendetem Blick!«
>
> *Goethe*

In den Anlagen des Felsenvorsprungs *Rocher des Doms* oberhalb der Papstburg zu Avignon lustwandelten das Ehepaar Trotzendorff und der Troubadour Ingo von Stein.

Der Major studierte mit der ihm eigenen Gründlichkeit die Einzelheiten des Baedeker; Friedel und Ingo umfassten hinausschauend das ganze Bild der Abendlandschaft, die in leuchtender Deutlichkeit um sie her ausgebreitet lag.

Hundert Meter unter jener gelblichgrauen Felsmasse strömt die Rhone, am Tag schlammgrau, doch in solcher Abendröte rosig und blau. Ein purpurtiefer, von Wolken unterbrochener Sonnenuntergang, in der heroischen Farbenstimmung eines Poussin, funkelte über Turm und Villen des gegenüberliegenden Villeneuve-les-Avignons; Luft und Berge waren dunkelblau; im Duft des Ostens, groß und goldrot, stand schon wartend auf das Amt der Nacht die Leuchtkugel des Mondes.

Die drei Freunde hatten kurz zuvor mit dem lebensheitren Wächter der Papstburg, Monsieur Vassel, der sich stolz *félibre* und *chanteur* Mistrals nennt, ein muntres Zwiegespräch gehabt, das angenehm in ihnen nachklang. Die hohen und stumpfen Türme des päpstlichen Kastells schienen heute heiter und verklärt zu leuchten in den Farben des Frühlings und der Abendröte.

»Was für heiter-natürliche Menschen wohnen in dieser Provence!«, bemerkte Ingo. »Man erholt sich in diesen alten Nestern vom Luxusleben der Riviera-Hotels. Ich habe nicht übel Lust, den provenzalischen Geisteskönig, den alten Meister Frédéric Mistral, in seinem Dörfchen Maillane selber zu besuchen.«

Die goldene Madonna auf der Spitze des Doms, der noch über das starke Papstschloss hinausragt, breitete segnend die Hände über die rings heraufblühende Landschaft und schaute dem Gold der Sonne nach, von dem sie angeglüht war. Der immergrüne Hain mit den schiefgewehten Pinienwipfeln war belebt von Vogelgesang und wenigen Abendspaziergängern. Bedeutend grüßte vom Norden her der weiße Gipfel des Mont Ventoux. Doch war die Lenzluft kühl; das kleine, reizend ummauerte Avignon mit seinen engen Gassen schien sich frierend um das steile Mauerwerk der Papstburg zu drängen. Und die Gehöfte der Provence freuten sich der festen Zypressenwände, durch die sie gegen den rauen Nordwind geschützt werden. Es lag ein Frösteln in der Luft und in den Seelen der beiden Menschen, die in das Abendgelände hinausträumten und windgeschützte Stellen suchten.

»Die abgebrochene Brücke da unten«, erklärte Trotzendorff, der mit seinem roten Buch herantrat, »ist die uralte Brücke St. Benezet.«

»Steht nicht ein Kapellchen drauf?«

»Ja, das Fest des Heiligen wird jährlich mit Tänzen gefeiert. Daher der alte Volksreim: *Sur le pont d'Avignon tout le monde danse.*«

»Eine Tanzbrücke also!«, erwiderte Stein. »Sie geht nur bis in die Mitte des Stromes: Ich hoffe, dass sie dann nicht ins Wasser tanzten? Oder kletterten dort die Nixen herauf und tanzten mit? Jedenfalls die Brücke des lustigen Lebens. Ein Gegenstück also zu dieser schweren Papstburg!«

Er setzte sich auf die Steinbrüstung. Und während sich die fröstelnde Frau Friederike fest in den Mantel hüllte und am Arm ihres Gatten im Schnellschritt durch die Anlagen lief, um sich wieder zu erwärmen, flossen dem Troubadour einige Verse ins Notizbuch. Er trug sie nachher seiner Freundin vor; Richard saß derweil wieder auf seiner windstillen Bank und las die Landschaft aus dem Fremdenführer ab.

Leicht rauschte die Rhone vor alter Zeit,
Schwer stand der Papst auf den Schanzen –

Und sah auf der Brücke von Avignon
Ein leichtes Völkchen tanzen.
Sur le pont d'Avignon
Tout le monde danse.

Da blähte sich sein Purpurkleid,
Gewaltig schnauften die Nüstern:
Der schwere Mann des Kampfes ward
Nach leichten Tänzen lüstern.

Der Papst stand, ein Gebild aus Stein.
So standhaft, stark und massig –
Die Tänzer der Brücke von Avignon
Tanzten geschmeidig und rassig.

»Wir türmen Granit«, so sprach der Papst,
»Wir stülpen Zinnen darüber:
Das Volk auf der Brücke von Avignon
Tanzt an der Wucht vorüber.«

»Wir türmen Satzung und Gesetz
Zu burghaft-steinernem Ganzen –
Was tut das Volk? Ich sehe das Volk
Am Stein vorübertanzen!«

Ein Schelm sang, eine Laute klang,
Das sprang um den Lauscher der Zinne:
»Da oben steht der Herr von Stein,
Inzwischen tanzt im Abendschein
Vorüber die lustige Minne!«
Sur le pont d'Avignon
Tout le monde danse!

In Frau von Trotzendorff arbeitete sich ein Entschluss langsam zutage. Sie schwieg zu diesen Versen; warf ein beifälliges »Hübsch!« hin,
kaum hörbar, und hüllte sich in Schweigen. Sie war seit der Abreise

von der Mittelmeerküste sehr heiter und zärtlich gewesen. Heute war sie schon den ganzen Tag schweigsam.

Plötzlich blieb sie stehen, schaute den Freund aus ihrem hochgestülpten Kragen heraus eindringlich an und sagte:

»Gestattest du mir ein offenes Wort?«

»Tausend offene Worte, Friedel!«

»Bedauert Ingo, dass er ohne Abschied abgereist ist?«

»Von der Riviera? Aber Schaller hat uns ja an die Bahn gebracht.«

»Du weißt, wen ich meine.«

»Die Mozart-Mädchen?«

»Ja.«

»Nun –? Und wieso denn soll ich das bedauern?«

»Sag' mir offen: Soll das Gedicht, das du mir soeben gelesen hast, eine Anspielung darauf sein, dass Jugend und Minne an dir vorübertanzen?«

»Friedel –!«

»An dir vorübertanzen, während du hier oben bei mir aushalten musst?«

»Aber Friedel!«

»Sei wahrhaftig, mein Lieber! Sieh, ich stehe immerzu unter dem Eindruck: Es ist etwas in dir unbefriedigt. Du suchst etwas, was Richard und ich dir nicht geben können. Du träumst oft in die Ferne, du besinnst dich dann plötzlich wieder auf mich und suchst mit Zartheit das Versäumte nachzuholen. Nein, leugne nicht! Verlass dich drauf, dass eine Frau, wenn sie jemandem gut ist, hierin ein sicheres Gefühl hat! Das bedrückt mich, Ingo. Es wäre sündhafter Egoismus von mir, wenn ich dich beschlagnahmen wollte. Ist nicht unser Herzensbund auf Freiheit und Vertrauen gestellt?«

Sie legte ihm die Hand auf die Brust.

»Du, Ingo, ich will dir was sagen«, fuhr sie fort und stellte sich, als wär' ihr ein jäher Einfall gekommen, »du holst das Versäumte nach, du entschuldigst dich brieflich bei den Mädchen! Verstehst du? Du schreibst ihnen in deiner liebenswürdigen Art einen liebenswürdigen Brief! Ja? Meinetwegen zwei, meinetwegen drei! Glaubst du mir dann, dass ich nicht eifersüchtig bin? Bist du dann heiter und glücklich?«

Der Spielmann verhehlte nicht sein angenehmes Erstaunen. Ihre aufmerksame Beobachtung stellte fest, dass ein Leuchten über sein Gesicht flog.

»Wirklich, Friedel?«, rief er überrascht. »Friedel, du sprichst da eine Anregung aus, die mir selber schon ganz unbestimmt durch den Kopf gegangen war, das will ich dir nur ruhig gestehen. Ja denn, ich habe etwas wie Heimweh nach jenen harmlos-heitren, unbedeutenden jungen Mädchen; und es kommt mir unartig vor, und vor allem war es unnötig, dass ich so ohne Abschied davongelaufen bin. Also, Liebste, wir wollen einen Vertrag machen: Ich plaudre brieflich mit jenen muntren Geschöpfen über unsre Fahrten und gebe dir das Geschriebene, und du schreibst ein scherzhaft Nachwort darunter und schickst die Briefe als meine Kanzlerin persönlich ab. Nicht wahr? So geht der Weg zu Jugend und Minne durch dich hindurch! So ist dieser Briefwechsel durch meine liebste Freundin gesegnet! Bist du einverstanden?«

»Ich danke dir, Ingo.«

Sie machte die Hand frei und gab sie ihm mit ernstem, bleichem Gesicht.

»Ich fühle durch den Handschuh hindurch, dass du eiskalte Hände hast«, sprach er lächelnd. »Komm einmal her, Richard, wir reiben Friedels Finger warm!«

Und er rieb ihre Hände scherzend zwischen den seinen und druckte zuletzt einen Kuss darauf. Es entging ihr nicht dieser plötzliche Ausbruch liebenswürdiger Heiterkeit.

So schritten sie, als die Heereszüge der Nacht von allen Seiten ins Rhonetal hereindrangen, miteinander hinab in die Lichter von Avignon.

»Himmel«, sprach Ingo, als er auf seinem Zimmer allein war, »was ist denn das mit mir? Ich freue mich ja kindisch, mit diesen Mädchen zu plaudern!«

Avignon, im Lenz.

Meine reizenden Mozart-Mädchen!

Neben mir saß heute Abend eine der liebenswertesten Frauen Europas und benachbarter Kontinente. Da ich mich bei Ihnen, meine Holden, als Troubadour eingeführt habe, so wollen wir auch meine Nachbarin nach der provenzalischen Landschaft benennen: Sie heißt Eleonore von Poitou.

Frau Eleonore von Poitou empfindet es als unartig von mir, dass ich ohne Abschied von Ihnen geflohen bin. Sie erlaubt mir – nein, sie bittet mich, Ihnen diesen Entschuldigungsbrief zu schreiben. Denn sie merkt, dass ich so etwas wie Heimweh in mir herumtrage. Wonach? Nach Schönheit, Liebe, Glück, Frieden, Frohsinn – was weiß ich, wonach! Und nach wem? Ja was für ein innerstes Begehren ist denn eigentlich in unsren modernen Herzen?

So schreib' ich denn diese fliegenden Zeilen auf lose Blätter überseeischen Papieres, leichten, luftigen Papieres; Eleonore, meines Reiches Kanzlerin, wird das Geplauder genehmigen, in einer Nachschrift die Richtigkeit bestätigen und die Blätter nach Barcelona senden, wie man Tauben ausfliegen lässt, die aus dem Chaos des Meeres das feste Land suchen. Unter solchem Schutze plaudere ich nun mit Ihnen, wie wenn wir dort oben auf dem Hügel säßen, als meine Saiten von selber zu klingen begannen, weil sie berührt wurden von zwiefacher Anmut.

Richtig, Kinder – fast hätt' ich da nun zu jungen Damen »Kinder« gesagt! –, und da fällt mir ein, dass ich der Jüngsten jenes Liedchen aufzuschreiben versprochen habe! Das wird nun schwer halten; dergleichen muss von Mensch zu Mensch aufglühen, das kann man nicht aufs Papier festhexen. Der Gedanke war etwa dieser:

Losgelöst vom falschen Elemente,
Liegt am Strand das munterste der Nixchen,
Liegt wie Tang, heraufgeschwemmt vom Meer.

Und sie klagt: »Ich suche Seele, Seele,
Eines Mannes liebe Seele such' ich,
Denn wir Nixen, ach, sind seelenlos!«

Kommt ein Troubadour und neigt sich zärtlich,
Auszuströmen seine ganze Seele –
Doch da lacht sie auf und schnellt ins Meer!

Warum schnellten Sie ins Meer und schwammen an die Küste von Katalonien?

Ich war in Vaucluse, dem Lieblingsort eines liebenden Einsamen: des Sängers Petrarka. Dieser Leidensgenosse hat Donna Laura, die schönste Frau der Provence (außer Eleonore von Poitou) in Sonetten von ferne besungen. Die lebenslustigen Nixen lachten, als wir uns über diese Art von Liebe unterhielten. Denn es sind dort genussfrohe Nixen im Quell der Sorgue, unsterbliche Töchter der Elemente, die einst Petrarkas melodische Klagen belauscht haben. Der Sänger trug freilich die Kutte, war grundgelehrt, ein Meister damaliger Bildung, ein Ratgeber der Könige und Päpste; und die Dame, die er liebte, war eines Ritters Gattin und Mutter zahlreicher Kinder. Seit er sie einmal in ihrer Jugend in der Kirche Sancta Clara zu Avignon gesehen hatte, war es um ihn geschehen; sie war fortan sein Stern, an dem er sich orientierte, wenn er das Land der Schönheit betrat.

Ich habe dabei an Dich gedacht, Du – – halt, da verschnappt sich einer! Ich wollte sagen: Ich habe an Euch *beide* gedacht, meine Holden, besonders an eine von Euch, doch ratet einmal, an welche? Ach, ich schüttle mich manchmal wie ein Baumwipfel, der Blüten oder Maikäfer oder Kirschen abschütteln möchte – aber Dein Bild sitzt in mir, süße Schöne, schöne Süße, und ich kann's nimmer abschütteln! Wozu auch abschütteln, was so froh macht? Wie sagt Meister Goethe? Der menschlichen Schönheit wohnt Heilkraft inne: Wer sie erblickt, den kann nichts Übles anwehen, er fühlt sich mit sich und der Welt in Übereinstimmung.

Heil also dem ärztlich wohlberatenen Petrarka! Und Heil dem Troubadour und Spielmann!

Unverträumte Wasser sind in Vaucluse. Die Quelle der grünen Sorgue bildet zwar ein stillfunkelndes Becken am Fuß einer überhangenden gelben Felsmasse; doch diese Quelle wird augenblicks ein Bach, ein donnernder Fluss, heroisch, nicht idyllisch; nixenlebendig kringeln sich die rosig vom Mittagslicht überhauchten Schaumwogen in die grünen Wasser hinein und springen über moosige Felsen den Abhang hinunter ins nahe Tal, um dort sofort Papiermühlen zu treiben – oder was sonst da unten geschäftig rauchen mag. Rasch ziehende, glänzend weiße Wölkchen fliegen wie Schwäne über tiefblauen Himmel – nach Südwesten, nach Spanien. Es ist ringsum ein Blühen, efeuumsponnene Büsche, wilde Feigen, Wacholder, Zypressen; auch seltsam gezackte Felsen bringen bizarre Linien in die Landschaft; und eine kahle Bergruine starrt fragend in den Himmel.

Hier hat Petrarka vom weiblichen Rätsel geträumt. Ich will Ihnen eine Stelle aus seinem Brief an die Nachwelt abschreiben: »Da ich den mir eingeborenen Widerwillen gegen Städte überhaupt und besonders gegen das mir verhasste Avignon nicht überwinden konnte, so suchte ich mir einen abgelegenen ruhigen Zufluchtsort, um mich dahin wie in einen Hafen zu flüchten. Ich fand fünfzehn Millien von Avignon ein gar kleines, aber einsames und anmutiges Tal, das geschlossene Tal genannt (*vallis clausa, Vaucluse*), in welchem die Quelle der Sorgue, die Königin aller Quellen, aus dem Felsen springt. Gefesselt von dem Reiz dieses Ortes, wanderte ich mit meinem kleinen Bücherschatz dahin aus. Zehn Jahre bezeugen, wie teuer mir dieser Aufenthalt war. Im Schatten dieses Tales hoffte ich auch die jugendliche Glut, die viele Jahre in mir loderte, zu kühlen. Oft verbarg ich mich dort wie ein Flüchtiger in einer uneinnehmbaren Burg. Ach, ich wusste nicht, was ich tat! Das Mittel selbst ward zum Verderben; die brennende Sorge brachte ich mit; und in so großer Einsamkeit fand ich keine Hilfe gegen den umso heftigeren Brand. So brachen denn die Flammen des Herzens in Klagen aus und erfüllten das Tal, von manchem als wohllautend gepriesen. Dies ist der Ursprung jener in der Volkssprache gedichteten jugendlichen Gesänge der Liebe« ...

So entstehen Lieder und Klagen, meine Freundinnen – und so entstehen Troubadourbriefe ...

In der Provence liegt ja Liebe in der Luft. Quellen und Nachtigallen sind voll davon; die wilden Rosen klettern um alle Burgtrümmer und suchen die Herrin. Sind doch von mehr als vierhundert provenzalischen Dichtern des zwölften und dreizehnten Jahrhunderts Lieder erhalten! Darunter waren fünf Könige, zwei Fürsten, zehn Grafen, fünf Markgrafen und fünf Vizgrafen – zum Beispiel Bertran de Born –, sechs mächtige Barone und neunundzwanzig Ritter! Ist es nicht eine rechte Herrenkunst, mit Anmut zu lieben?!

Über die Gegend ziehen häufige Wolkenschatten – und ebenso über das Antlitz der lebendigen Eleonore von Poitou ...

Die historische Eleonore – erlaubt diese Belehrung! – war Gemahlin Ludwigs des Siebenten von Frankreich und später des zweiten Heinrich von England und war die Mutter des berühmten Richard Löwenherz. Vollmenschen! Wussten kühn zu lieben und zu leben! Wäre doch mehr Genialität in unserer Krämerwelt! Die Luft war damals Musik von Waffenklang und Lautensang, von Heroismus und Liebe. Ein Buch »Heroismus« hab ich geschrieben – nun möcht' ich der Minne gleichfalls ein freundlich Papier widmen – Papier?! O süße Mädchen, ihr habt so entzückend schmale und doch volle kirschrote Lippen – und wie singt Klopstock?

»Ein beseelender Kuss ist mehr als hundert Gesänge
Mit ihrer ganzen langen Unsterblichkeit wert!«

Da liegen nun in den Bibliotheken die Papiere der Troubadourlieder, deren Notenschrift einer vor ein paar Jahren mühsam entziffert hat – aber das *Leben?* Das blühende Leben?! Den Troubadours und Jongleurs pulsierte Wanderblut in den Adern, sie durchstreiften das ganze Kulturgebiet, waren auf dem Felde der Politik zu Hause wie in Herzensrevieren; und viele ritten in den Kreuzzug oder zogen sich am Ende der Umtriebe in ein Kloster zurück, wie Bertran de Born. Und ihre besungenen Damen? Es schickte sich, dass sie verheiratet waren; es gehörte zum Schmuck des Hofes oder der Burg, dass die Herrin von einem Troubadour gepriesen ward. Kurz, ihr Mozart-Mädchen, es war damals mehr Poesie in der Welt, mehr Genie! Selten freilich hat der Gatte die Gattin besungen – aber der hatte es ja nicht nötig, Poesie zu dichten, denn er *lebte* ja Poesie! Und das *Erleben* ist doch immer wieder das *Köstlichste!* ...
Seid Ihr nicht auch dieser Meinung? Gute Nacht!

Der Troubadour.
Nachschrift. Vergib, Liebster, ich *kann* diesen Brief nicht absenden.
Eleonore.

Arles, im Lenz.
Am letzten Sonntagvormittag, meine süßen Mädchen, haben wir den mehr als achtzigjährigen Dichter der »Miréio« und andrer Gesänge, Frédéric Mistral, in seinem Dörfchen Maillane bei Saint-Rémy aufgesucht.
»Merci de votre bonne visite« – das Schlusswort des liebenswürdigen Greises tönt mir noch immer im Ohr. Nur eine Viertelstunde waren wir bei ihm, um diesem provenzalischen Meister zu danken für das, was er getan, für das, was er ist. Wie artig war er zu Eleonore von

Poitou! Blumen gab er ihr aus seinem Garten. Zwei drollige Hunde hängten sich neckisch an Frau Eleonorens Mantel – »*Toutours*« hieß der eine, der sie gar nicht mehr loslassen wollte –, um uns her blühte der einfache Dorfgarten, zu ebner Erde ist sein Arbeitszimmer. Er ist nur wenig gebeugt, kam uns in seiner Samtjacke hohen Wuchses heiter entgegen, in seinem bekannten weißen Spitzbart, sodass ich ihn gleich erkannte. Ich erzählte ihm von Thüringen, dankte ihm, dass er das Banner des Idealismus und der Regeneration hochhalte in einer Zeit, die überflutet ist von Literatur, nicht aber von Poesie. »Und Poesie ist eine so einfache Sache«, bemerkte er lächelnd. »Man braucht nur die Kinder anzusehen: Ein Kind weiß ganz von selber, was Poesie ist. Es schaut in die Wolken und schaut Poesie. Man braucht nur im Herzen Kind zu bleiben, und man hat Poesie in sich.« – »Das ist es!«, rief Frau Eleonore innig. »Wir lesen jetzt eben Ihre Lebenserinnnerungen – wie köstlich war Ihre Jugend! Ein entzückendes Buch!« – »Ich hörte, dass man in Deutschland einen Auszug daraus für die Schule hergestellt hat.« – »Sie haben überhaupt viel Freunde in Deutschland.« – »Ja, man beschäftigt sich dort wissenschaftlich mit dem Provenzalischen sehr eingehend; ein deutscher Professor schreibt mir sogar geläufig und ohne Fehler Briefe in provenzalischer Sprache.« – »Der Name Mistral ist bei uns untrennbar mit der Provence verwachsen; die Provence ist Mistral, Mistral ist die Provence. Sie haben in Ihren Büchern, in Ihrem Lexikon, im Museum zu Arles Dauerndes für dieses Land getan. Wir wollten Ihnen also danken, nicht nur für Ihre glänzenden Verse, sondern dafür, dass Sie uns andre ermutigt haben: Ihr Name bedeutet ein Programm, ein Symbol, wie man seiner Heimat treu bleiben und doch ins Große wachsen kann. Dafür wollten wir Ihnen danken« ...

Meine Freundinnen – lassen Sie mich Sie beide so nennen, denn in hohen Stunden bin ich allen guten Menschen gut! –, ich wallfahrte gern zu Stätten, wo bedeutende Geister und Herzen ihren Mitmenschen etwas zu künden wussten aus höheren Sphären. So war ich in Stratford am Avon an einem wolkenlosen Sommertag; die glührote Sonnenscheibe ging unter, als ich von Warwick kam, und die ebenso große rote Mondscheibe stieg auf, als ich im Kahn auf dem nächtlichen Avon hinter dem Kirchhof langsam einherfuhr, zwischen Weiden und Wiesen und alten Ulmen; so war ich in Schottland bei Walter Scott in Abbotsford und bei Robert Burns in Alloway; so in Florenz bei Dante, Savonarola, Michelangelo und in Assisi bei Sankt Franziskus – und so sind mir von Kindheit an Weimar, Wartburg und Sanssouci vertraute Stätten. Und so war ich nun in Vaucluse und Maillane – und war auf dem Hügel der Mozart-Mädchen! Sagt einmal, Mozart-Mädchen, ist es nicht alles ein und dasselbe? Seid nicht auch Ihr beide *Offenbarungen der Schönheit*?

Mistral hat aus den öden Rhonelandschaften Crau und Camargue die dichterische Seele eingesogen; die Crau ist eine weite steinige Steppe, die Camargue eine Sumpfwildnis voll Herden und wildem Geflügel. Und doch hat er sie lebendig gemacht. Ein schöner Menschenschlag in dieser Provence! Schön sind die *Arlésiennes*, aber ich habe schon schönere Mädchen gesehen ...

> Ach, von des Hügels fernherlachendem Zauber
> Will sich noch immer kein Bote des Himmels lösen
> Und mir sagen, ob ich die Eine minnen –
> Oder ob ich sie wieder vergessen soll?

> Seid mir gewogen, zierliche Strahlen der Mondnacht
> Webt aus Goldbrokat ein haltbar Brückchen,
> Dass mein Bote, mein leichthintanzender Bote
> Bald und gewiss die freundliche Botschaft bringe!

> Auf ein Zeichen wart' ich des deutlichen Boten,
> Den die Heimlichen, die mich schon immer beraten,
> Senden mögen: Soll ich die Eine minnen?
> Oder – –?

Dies schrieb ich, als wir am starken, viereckigen, nach außen fast fensterlosen Schloss des Königs »René des Guten« zu Tarascon saßen. *Le bon roi René* war ein poesievoller König der Provence; er hatte *Fantasie* und *Güte* – kann es *schöneren Bund* geben? Auch Frédéric Mistral ist ein *bon roi René*, ein guter König der Provence, aus dessen Wesen die einfache Güte eines edelnatürlichen Menschen leuchtet. Wenn ich alt werden soll, so will ich mir solch ein Abendrot um meine Welt wünschen.

Aber auch dann werde ich nicht aufhören, alles Schöne zu verehren, berauscht zu stehen vor griechischen Statuen, schönen Gemälden, großer Musik – und niedlichen Zöpfen mit ganz entzückenden Gesichtern dazu! ...

Hier schaute mir Frau Eleonore in die Blätter; ich neckte sie sofort, indem ich recht herzhaft für ferne Schönheiten schwärmte. Doch nun droht sie, mir den Stift aus der Hand zu winden! Kämpfend schreib' ich nur noch eben hin: – bitte, liebste Mägdlein, schreibt mir einen Gruß nach Lourdes, postlagernd! Oder fliegt selber zu eurem – von Heimweh nach dem Land der Schönheit durchglühten

Troubadour.

Nachschrift der Frau Eleonore. Solche Liebesbriefe vertraut mein Herzensfreund mir an?! Ich soll sie lesen, soll sie absenden! O mein Ingo, was verstehen denn wohl diese blutjungen Mädchen von deinen sehnenden Gedanken? Und was wissen sie denn wohl von der Kraft und Tiefe, mit der eine reife Frau einem Freunde gut ist? Wie kannst du solche Tändelbriefe ins Unbekannte aussenden und mir vertrauend zumuten, dass ich deine Werbung segne? Willst du mir Eifersucht abziehen? Willst du mich auf eine Verlobung vorbereiten? Ein Ingo Freiherr von Stein-Waldeck und irgendeine Dir nur wenig, mir gar nicht bekannte bürgerliche Fräulein Frank-Dubois – soll das einen würdigen Bund geben? Nein, lieber Schwärmer, so darfst Du denn doch nicht auf meinem Herzen tanzen. Ich sende auch diesen Brief nicht ab, sondern verschließe ihn schweigend in meine Kassette.

Eleonore von Poitou.

Cette am Mittelmeer, auf dem Wege nach Lourdes.
Liebe Freundinnen!
In einer toten Hafenstadt, deren nächtliche Laternenreihen gespenstisch an den stummen Kanälen stehen, übernachten wir. Meine letzten Briefe waren – Kirschbaum; dieser ist – Zypresse. Zwischen Kirschbaum und Zypresse saßen dort die zwei Schönheiten, die mir das Herz ein bisschen verwirrt haben: die zapplige Jüngste dem heitren Kirschbaum näher; Sie aber, meine Stille, nahe an der Zypresse.

Die weißen Straßen der Provence mit ihrem ziehenden Staub schlafen dahinten; Orange, Nimes, Les Baux – all die Schönheiten dieser stillen Städte sind hinter uns verblichen; Regenwetter fröstelt auf den blühenden Hügeln; der Mond ist verhüllt. Frau Eleonore kränkelt und ist früh zu Bett gegangen; ihr Gatte sitzt unten bei einem thüringischen Fabrikanten, der sich uns angeschlossen hat; ich habe mich zeitig auf mein Zimmer zurückgezogen.

Wissen Sie, Fräulein Martha, dass ich mich auf Wandermüdigkeit ertappe? Wissen Sie, dass ich anfange, Sie um den Frieden zu beneiden, in dessen feinem, rosigem Gewölk sich Ihre Seele immerzu behütet findet? Denn ob ich in einem alten, weitläufigen Hotel der Provence, mit Steinfliesen und Kamin, übernachte oder in einem Temperance-Hotel zu Edinburg oder zu Christiania oder zu Rom oder gar hinter einem Moskitonetz auf Zeylon – es ist dieselbe Welt der Gegenständlichkeit. Ist es der Mühe wert, so viel Maulwurfshügel dieser Erdkugel abzuklettern? Lohnt es Zeit und Kraft, so viel Augenkost einzuschlürfen, auf die Gefahr hin, sie seelisch nicht mehr verarbeiten zu können? Das Reisen ist eine Stufe und muss überstiegen werden; so wie die moderne Titanenschlacht, dieser Wettkampf aller gegen alle, enden muss in einer Katastrophe, wonach dann entfieberte und entgiftete Menschen als freie Freunde ruhig miteinander verkehren werden – jenseits der Titanen, auf den Hügeln der Schönheit, wo meine Mozart-Mädchen ein so lieblich Leuchten ausstrahlen.

> Jenseits der Titanen
> Sind keine Waffen mehr,
> Sind nur noch Wunden
> Und heilende Hände;
> Jenseits der Titanen
> Eroberst du nimmer;
> Dort wirst du beschenkt.
> Jenseits der Titanen
> Wohnt auf den Hügeln der Götter
> Die Schönheit, das Glück.
> Doch niemand wandelt ohne Narben
> Jenseits der Titanen ...

Ihnen, mein stilles Fräulein Martha – ich will es bekennen: An Sie besonders muss ich immerzu denken, die Sie so lieb und langsam die langbewimperten Augen auftun, immer mit einem schüchternen Lächeln um den verlegen halb geöffneten Mund – Ihnen besonders gilt dieser nächtliche Gruß. Es ist mir, als ob ich in einer Kapelle säße, obwohl Protestant, und schlicht und fromm zu einer Madonna spräche. In meiner Wohnung in Thüringen sind alle Wände voll von Bildern, denn ich muss Schönheit um mich haben. Auch zu Marseille habe ich Ihrer gedacht, dort oben in der Kirche *Notre Dame de la Garde*, wo die gnadenreiche Jungfrau Meer und Hafen bewacht. Über dem Altar jener Kirche, die den ganzen Hafen überleuchtet, steht eine silberne Madonna, darüber der Gruß an die Gnadenbringerin: *Ave gratia plena!* Dass sich das Heilige und Reine so gern in ein Jungfrauenbild symbolisiert! Jungfrau und Kind! Etwas Jungfräuliches und Kindliches in unsren Seelentiefen antwortet wie ein Echo im tiefen Walde, wie eine versunkene Glocke aus den Vineta-Gewässern des Herzens. Die Wände sind dort bedeckt mit *Ex-voto*-Tafeln dankbarer Besucher; ich entsinne mich einer Tafel: »*Retour du Dahomey et du Soudan d'un capitaine père de famille*«; und so drückten viele ihren Dank aus, ihre »*reconnaissance à Marie*« oder »*à notre honne mère*«. Die Luft ist an jener schönen, steil gelegenen Kirche voll von Dank- und Bittgebeten. Und das ist sinnig. So mögen schon in Urzeiten die Schiffer des Mittelmeers ihre Heimat gegrüßt und mit erhobenen Händen zu ihren Göttern gebetet haben. Vielleicht stand eine sinnliche, schaumgeborene Aphrodite, wo jetzt eine seelenvolle Madonna silbern strahlt ...

Wunderschön ist der Blick von jenem Steinhügel über Marseille, die vorgelagerten Inseln, worunter die Türme des kleinen Château d'If, die langen Höhenzüge, die Flotillen der Segelschiffe und einzelne große Dampfer. Und wenn man sich aus dieser bunten Vielheit umdreht, so glüht hinter uns, im Dunkel der Kirche, die immer gleich ruhige rote Ampel, das ewige Licht, wie der feste Mittelpunkt einer unsterblichen Seele.

Ich habe Sie zuerst auf einem Hügel gesehen, Fräulein Martha. Auf den Hügeln standen immer die Tempel und Kirchen und Leuchttürme und Burgen der Menschheit – alles, was Wege weist und Schutz gibt. Dort auf dem Riviera-Hügel liegt auch und wartet der unerbaute Marmortempel ...

Es raunt etwas in mir: Troubadour, du sprichst ja dies alles gar nicht zu einer Erdenjungfrau, sondern deine eigene unerfüllte Sehnsucht nimmt Gestalt an – und Martha oder Madonna sind nur

Weckmittel, leuchten wie ein Grubenlicht in den Schacht deiner Seele, und fördern aus deinen Tiefen dein eigenes Lebensziel zutage. Aber es ist ungalant, Ihnen das zu sagen, liebes Fräulein ...

In Arles hatten wir den letzten sonnenhellen Tag; auch Frau Eleonore war noch heiter. Da haben wir vor Mistrals bronzenem Standbild verehrend Rückschau gehalten; die dankbare Provence hat es ihm errichtet. Die Namen seiner Werke sind darauf eingegraben: *Miréio, Calandau, Netto, Les isclo d'or, Lou trésor dou félibrige* – und andre. Und wie reich ist sein Museum! Welch schön gerundetes Lebenswerk! ... Ich aber – wie fahr' ich in der Welt umher! ...

Übrigens, meine reizende Elsässerin, hab ich hier in der Provence entdeckt, woher der Name Elsass stammt. Es gibt in Arles eine Sarkophagen-Allee, die »*Aliscamps*«, die »*Champs Élysées*«. Offenbar hängt Elsass mit Elysium zusammen, mit elysäischen Gefilden. Seit ich zwei so anmutige Elsässerinnen kennen und lieben zu lernen das Glück hatte, bin ich von dieser Abstammung des Namens Elsass durchdrungen und überzeugt ...

Wie tot die mitternächtige Stadt mit ihren stummen Kanälen! Wie unbewegt diese Lichter an den nassen, menschenleeren Gassen! Es ist ein schwermütiges Stadtgebilde ohne Mond und Sterne, ohne Melodie ... Doch formt sich mir, indem ich auf zerrissenen Teppichen des vernachlässigten Hotels schlaflos auf und ab schreite, dieses Lied ...

Im Lande der Trauer gedeiht keine Frucht,
Da rieselt und seufzt in vertrockneter Schlucht
Nur traurig ein Tropfen zum andern;
Da starrt in gläserne Luft das Laub,
Kein Wind scheucht unter den Sohlen den Staub,
Wenn es dich lüstet, zu wandern.

Und sucht die Flöte den Freudenton,
So schleicht sich der Laut wie ein Dieb davon;
Auch sind keine Mädchen zum Tanzen.
Die Ritter reiten verdrossen vorbei,
Sie fragen umsonst, wo Großtat sei;
Der Rost sitzt an den Lanzen.

Doch sprengt Frau Freude die Hügel hinan
Auf weißem Ross, mit Schellen dran,
So weiß sie die Sonne zu geben!
Schon jauchzte die Flöte, das Mädchen sprang,
Es reift die Tat und die Frucht am Hang –
Und heilig wird wieder das Leben!

Wäre mein Leben tatengroß und heilig, liebes Fräulein! Ich habe mich leicht geschwatzt und heiter gereimt, holdes Mädchen! Weltschmerz hat nie lange Raum in meiner Seele, ich räuchre und reime und klimpre den Kerl wieder hinaus. Haben Sie Dank, dass Sie zugehört haben! Ich beherberge in mir die fantastische Hoffnung, dass uns in Lourdes – wenn wir über Carcassonne und Toulouse ankommen – irgendetwas Wundervolles erwartet: – ein Brief von Ihnen –?! Oder gar Sie selber?! ...

Närrische Welt! Ich lasse mich treiben und überraschen und beschenken. Ist ja doch alles Glück und Gnade! Gute Nacht!

Troubadour.

Nachschrift. Und kommst nicht mehr an meine Tür? Und sagst mir nicht Gute Nacht? Bist aber so ehrlich, mir am andren Morgen mit gekünsteltem Lächeln auch diesen verschwärmten Brief zu überreichen? Du hast ein übergroßes Vertrauen zu mir, liebster Freund, und hältst mich für stark und hochherzig. Ich bin's aber nicht. Mein Herz möchte dich glücklich sehen, aber mein Herz weint. Ich kann auch diese immer unverhülltere Werbung nicht gutheißen. Ich lege den Brief zu den andern.

Eleonore.

5. Lourdes

Darf nur ein Kind dein Antlitz schaun
Und deinem Beistand fest vertraun,
So löse doch des Alters Binde
und mache mich zu deinem Kinde!

Novalis

Wo war Friedels Feuerseele geblieben?

War diese Frau, die da neben zwei frischen Männern einherschlich, noch die einst entzückende Sängerin, die den Spielmann Ingo von Stein hingerissen hatte als Sieglinde und Isolde?

Pegasus im Joch? Eine entmarkte, ungenial gewordene Hausfrau?

Doch nein – wo waren die glänzenden Hauskonzerte noch vom vorigen Winter? Waren sie nicht ein Beweis, dass sich die siebenunddreißigjährige Frau in zehnjähriger Ehe glänzend entfaltet hatte? Und welche Stimmungen, wenn Richard und Ingo als zwei einzige Zuhörer im Schatten des Hintergrundes saßen und die Frau am Klavier zwei und drei Stunden lang ihr loderndes Temperament entladen ließen, dass die Kämme und Nadeln aus den goldenen Haaren flogen – die zahllosen Haarnadeln, die dann der allezeit ritterliche Richard mit elegantester Gewandtheit, auf den Zehen, unnachahmlich komisch auflas, auf einer silbernen Visitenschale sammelte und zum Schluss mit gebeugtem Knie der Künstlerin wieder verabreichte? Je nach der Zahl der herausgeschleuderten Nadeln wurden Grad und Wucht des Spieles lachend festgestellt. Doch nicht selten geschah es, dass man ergriffen und begeistert die Feststellung vergaß.

Oder wenn Friedel und Ingo vierhändig Sinfonien von Brahms und Beethoven spielten, dass die Wände bebten beim Fortissimo und die beneidende Nachtigall aus dem Park ans Fenster flog beim Adagio – wo war das?

Dann wieder sang sie mehrere Stunden lang Lieder von Brahms, Schubert und Schumann, wandte sich in den Pausen nach den lauschenden Freunden um und fragte: »Seid ihr noch nicht müde, Kinder?« – »Wenn du nicht müde bist, Friedel –?« – »Oh, jetzt fang' ich erst an!« Erst gegen Mitternacht wurde mit Tee und Brötchen oder mit einer von Richard glänzend bereiteten Bowle der musikalische Abend beschlossen. Und »ihr seid geniale Zuhörer«, dankte die Sängerin, das Gesicht fächelnd, strahlend und gesättigt. »Kinderchen, jetzt ist mir wieder wohl! Musik ist in aller Qual des Lebens meine Gesundheit, meine Seligkeit!«

Wo war das alles?

Kann Geniefeuer versprühen, das bis vor Kurzem in dieser ungewöhnlich lebensvollen Frau gesprüht hatte? Nein, nein, es kann sich veredeln, verinnigen, aber darf nicht verloren gehen ...

»Spielmann«, sagte sie wehmutvoll zu Ingo, als sie in Lourdes einfuhren, und zupfte ihn wie ein ungeduldiges und unglückliches Kind am Ärmel, »lieber Spielmann mein, warum spielen wir denn nicht mehr? Warum sind wir denn so säuerlich ernst geworden? Warum bin ich denn so schwer, so schwer? Ach, ich bin eine verrostete Harfe, ich bin alt, alt, Kinderchen, ich bin über Nacht alt geworden!«

Mit keiner Silbe berührten sie und Ingo die provenzalischen Briefe an jene jungen Mädchen. Richard hatte von dem Dasein dieser Briefe überhaupt nur ein flüchtiges Wissen; bei guter Laune hätte er den Freund geneckt, und in seinem normalen sachlichen Ernst langweilte ihn solche Romantik.

»Du besuchst so gern katholische Kirchen«, scherzte der Gatte. »Bete zur Madonna von Lourdes, sie soll dich wieder jung machen.«

»Ach, spotte nicht, Liebster«, gab die Kranke zurück. »Was wisst ihr Männer, wie einer alternden Frau zumute ist, die einst als Künstlerin die Welt erobern wollte! Die Welt erobern!«

»Aber, Friedel, alternde Frau – wenn man so was hört!«, versuchte Ingo zu trösten. »In zwanzig Jahren lass uns davon sprechen! Und selbst dann – hast du nicht oft von deiner lustigen Großmutter erzählt, dass sie noch mit mehr als siebzig Jahren die Jüngste war von allen? Etwas in uns wird immer jünger, lichter, geistiger; ein Herz voll Güte und Poesie kennt kein Altern. Denk an den greisen Mistral in Maillane, von dem du so entzückt warst!«

Als sie zu Lourdes kaum im Hotel abgestiegen waren, stürzte der Troubadour mit der Nachricht herbei: »Friedel, Richard, ich hab im ersten Stock einen Salon mit Klavier entdeckt! Der Wirt gibt ihn mit Vergnügen. Es sind wenig Gäste im Hotel; rechts und links nehmen wir unsere Zimmer und musizieren den ganzen Abend. Friedel muss sich mal wieder austoben, das seh' ich ihr schon lange an; was, Friedel?«

»Ein Klavier? Gutes Klavier? Her damit!«

Der Major, dem der Zustand seiner Gattin in den letzten Wochen Sorgen gemacht hatte, war überglücklich. Sogleich nach dem Nachtimbiss ging man hinauf, ohne sich im dunkelnden Lourdes viel umzusehen; und der Gatte ließ eine Flasche Sekt kaltstellen, Friedels Leibgetränk.

Nun saß sie vor den Tasten und stürzte sich sofort mit Wucht und Wonne in den zweiten Akt von Tristan und Isolde: »Nicht Hörnerschall tönt so hold, des Quelles sanft rieselnde Welle rauscht so wonnig daher« … Sie spielte die Begleitung auswendig, sie sang und begleitete sich selber. Und dazwischen, die Erwartungsszene mit Brangäne bei beginnender Nacht mit Glut spielend und singend, rief und stieß sie in allem Rausch der Darstellung manchmal hervor: »Ja, das ist das Weib – Wagner kannte das Weib – seht, wie kindlich jetzt – jetzt begehrend, zärtlich und wild – alles – eine Naturkraft« – – So spielte sie hingerissen und hinreißend; und stand doch als Mensch und Künstlerin immer wieder darüber.

Aber später, mitten im Liebestod – »mild und leise, wie er lächelt« – sprang sie auf und brach ab. Ihre Kämme waren herausgefallen, ihr Goldhaar flutete über den Rücken, ihre Wangen flammten im Fieber. »Nein!«, rief sie. »Nicht sterben! Auch nicht aus Liebe sterben! Das ist zu gewaltig! Das darf man nicht am Klavier im Salon singen, in engen Verhältnissen, als Gattin und Mutter – das ist das Meer! Uferlos! So etwas kann man nur erleben – einmal erleben und im Erleben vergehen!«

Sie warf sich in einen Sessel.

»Nein, nein, nein, ich will leben! Lass die Kämme liegen, Richard, lass meine Haare fließen und meine Seele uneingedämmt! Komm, Ingo, lieber Freund, spiel' mir einen beruhigenden Satz aus Bach! Nicht sterben, Kinder – überwinden!«

Es war sonst nicht ihre Art, einen musikalischen Abend derart zu zerreißen. Ingo begab sich zögernd ans Klavier und holte aus seinem umfassenden musikalischen Gedächtnis Töne der Beruhigung hervor. Richard aber saß bei seiner Gattin auf der Lehne des Fauteuils und streichelte besänftigend ihren angeschmiegten Kopf. Ihr Herz hämmerte laut, ihre Pulse flogen, ihre Finger zuckten; sie stürzte rasch einige Gläser Schaumwein hinunter, bis sich ihr aufgestörter Künstlerdämonismus langsam wieder beruhigte.

Nachher sang sie einige Lieder. Und dann saßen alle drei in einer wohligen Plauderstimmung beisammen; und Friedel, in ihr Tuch gehüllt, kam in ein lebhaftes Erzählen, durch das freilich Nervosität hindurchzitterte.

»Heut' gehen wir überhaupt nicht zu Bett, Kinder, was?«, schlug sie vor. »Oh, wie hat mir das Stündchen am Klavier wohlgetan! Ich war so allein in diesen Wochen. Kinderchen, seid ihr mir denn noch ein bisschen gut? Ach, Richard, du glaubst nicht, wie ich mich nach unsren Jungen sehne! Wollen wir nicht umkehren, Richard, ja?«

»Gewiss, mein Herz, das hab ich mir ohnedies vorgenommen. In acht Tagen sind meine Ferien zu Ende. Aber du bist mir dann hoffentlich hübsch gehorsam, wenn ich in München den Arzt deinetwegen befrage?«

Sie wollte nichts vom Arzt wissen, geriet vielmehr in ein zungengeläufiges Plaudern von tausend Dingen, besonders von ihren Jugendtagen.

»Schon als ich Kind war, flogen mir bei großer und schöner Musik Schauer über den Rücken«, plauderte sie; »ich spürte Musik körperlich. Und es geht mir heute noch so. Es ist ein elektrisches Bad. Oh, ich kann euch sagen, ich war ein unbändiges Kind, der Schrecken meiner Verwandten, und liebte die Natur leidenschaftlich. Ich weiß noch, so gegen das vierzehnte Jahr, als sich meine Freundinnen immer mehr für Jünglinge interessierten, konnte ich das gar nicht verstehen, denn bei meinem wilden Springen und Raufen fehlte mir jedes Gefühl für sentimentalen Geschlechtsunterschied. Ich stand vor einem Rätsel, meine Gespielinnen wurden mir fremd, ich war zum ersten Mal grenzenlos allein. Aber ich hatte mein ideales Elternhaus, wo nichts Unreines an mein Ohr drang. O Kinder, ich bin in einem wilden Park voll von schönen Blütenbäumen groß geworden! Oft war ich ganz mit Blüten überstreut, wenn ich bis Abendrot und Mondlicht im Grase gelegen hatte und vor Heimweh nach den Abendröten zu sterben vermeinte. Denn übergroße Schönheit macht mir körperlichen Schmerz. Dort irgendwo, dort hinter den glühenden Wolken, dort musste meine Heimat sein. Und meine Seele spannte – halt, eins meiner Lieblingslieder schon damals!«

Sie lief ans Klavier und sang mit hingebender Innigkeit Schumanns seelenvolles Abendlied: »Es war, als hätte der Himmel die Erde still geküsst«.

»Wenn ich dann ins Haus zurückkam, hatte ich lange mit einer Art von Betrunkenheit zu kämpfen, bis ich mich wieder in der Erdenwirklichkeit zurechtfand. In jenen Jahren wurde mein Großvater krank und lag viele Monate in wunderbarem Seelenfrieden zu Bett. Keiner ging ungesegnet von diesem Leidenslager hinweg; sein Gesicht war von himmlischer Güte. Unsre lebhafte Großmutter, die ihm allabendlich vorgespielt hatte, war kurz vorher gestorben. Und so fiel mir dreizehnjährigem Backfisch die reizende Aufgabe zu, ihn abends durch Musik zu erfreuen. Ich saß mit meinem dicken Zopf im riesengroßen Saal am Flügel, glühend vor Glück und Begeisterung; und der Großvater lag nebenan im dunklen Zimmer, in das nur ein Strahl von meiner Klavierlampe hineinfiel. Und nach jedem Stück rief er ein Wort des Dankes. Oh, ich war selig vor Glück, jemandem Schönes geben zu dürfen – und und er sagte dann oft: ›Kind, das ist der Himmel auf Erden.‹ Meist spielt' ich Mozart und Beethoven, dann sämtliche Oratorien, die ich von Großmutter kannte, wobei ich alle Stimmen ohne Ausnahme sang. Und da dies dem Großvater sehr behagte und ihm niemand zu widersprechen wagte, so spielt' ich oft zum Leidwesen der Mutter bis um Mitternacht … Ihr seht, Kinder, so früh hat das begonnen! Und ich habe mir die Unart heute noch nicht abgewöhnt.«

So erzählte die heute wieder von innen heraus leuchtende Künstlerin. Und die verständigen Männer ließen sie lächelnd gewähren, stimmten wohlgefällig bei und verallgemeinerten unmerklich das Gespräch zu Bemerkungen über die Opferkraft und Zähigkeit der Frauen überhaupt.

»Wir sind wunderliche Geschöpfe«, sagte Friedel. »Ich fürchte mich, im Finstren allein zu sein, ich bebe tagelang vor jeder unangenehmen Aussprache; aber in großen Gefahren – das wirst du mir bestätigen, Richard – kenn' ich keine Spur von Angst.«

Langsam leitete sich die Unterhaltung in immer ruhigerem Rhythmus zu der Mission der Frau hinüber. Man knüpfte an Wagners Frauengestalten an: die Erlösungskraft der Senta im Fliegenden Holländer, Elisabeths heiligende Einwirkung auf Tannhäuser, Kundrys Entwicklung vom Dämonismus zum Dienen. Dann erwähnte Ingo Pfitzners Armen Heinrich und die Aufgabe der jungfräulichen Agnes, den kranken und verbitterten Ritter in ein neues Leben zu führen.

»Es sind Walküren, solche Frauen«, sprach er, »sie führen den kämpfenden Helden in heilige Hallen.«

»Man kann ebenso gut sagen: Es ist in ihnen die Madonna wirksam!«, rief Friedel. »Herrlich ist das Wesen der Madonna, dieses großartige Symbol jungfräulicher Mütterlichkeit! Jungfrau und Mutter zugleich! Wissende Reinheit! Der Protestantismus ist arm, dass er die Madonna nicht mehr hat; und wir können den Malern nicht dankbar genug sein, dass sie diesen Typus festgehalten haben. Über meinem Bett hängt oben Raffaels Madonna Sixtina und unten Giorgiones schlafende Venus. Von der Venus zur Madonna – das ist unsre Entwicklung. Aber die Madonna ist das Höchste.«

So glitt das bedeutsam gewordene Reigenspiel des Gespräches ganz von selber harmonisch hinüber zum Hirtenmädchen von Lourdes und zur Madonna der Wundergrotte.

Da vernahmen sie draußen einen fernen, vielstimmigen Gesang. Und als Richard Fenster und Laden öffnete, hatten sie, in die Nacht hinausschauend, einen großartigen Anblick.

Die Kirchengebäude, die sich dort im Schatten der nächtlichen Pyrenäen erhoben, erglühten von oben bis unten in einem überwältigenden Goldglanz. Den Rändern und den Portalen entlang waren elektrische Lämpchen entzündet, und nun stand die schlanke obere Kirche flammend mitten in der Nacht, und ebenso unter ihr das große rundliche Portal der Rosenkranzkirche. Ein feenhafter Anblick! Als ob die Gottheit einen Tempel gebaut hätte aus Funken und Flammen, statt aus Steinen. Dazu wogte der Männergesang einer Prozession herüber, deren Kerzen nun durch die Frühlingsnacht sichtbar wurden; und man unterschied den immer wiederholten Kehrreim: »*Ave, ave, ave, Maria!*« Es war ein vielstimmiger Gruß an die Himmelskönigin, dargebracht mit Licht und Schall, aus den Seelen von einigen tausend Gebirgsbewohnern.

»Herrlich!«, sprach Friedel ergriffen und legte den Arm um ihres Gatten Schulter. »Man möchte fromm werden und mitsingen.«

Und die andere Hand Ingo reichend fügte sie weich hinzu: »Kinder, wir wollen einander gut bleiben, nicht wahr?«

»Ungeheure Organisationskraft!«, bemerkte der Major gleichmütig und meinte damit die katholische Kirche.

»Hier ist den Sinnen die Macht des Geistes eingeprägt und einge-zwungen«, fügte Ingo hinzu, der Friedels Händedruck etwas zerstreut erwiderte. »An diesem Schauspiel werden diese Gebirgsbauern lange zehren.«

Zum Überfluss dröhnten noch irgendwo Böllerschüsse; das alte Schloss stand in bengalischer Beleuchtung; und vom Gipfel des Pic du Jer glühte ein großes Kreuz gleichfalls in elektrischen Flämmchen hernieder.

»Was wollt ihr?«, sprach Ingo duldsam, als der sehr protestantische Major einige unwillige Bemerkungen fallen ließ. »Die Könige aus dem Morgenlande brachten dem Kind in der Krippe Weihrauch, Myrrhen und Gold, die Engel ihre Lobgesänge, die Hirten ihre Anbetung – und diese Pyrenäenhirten Beleuchtungen, Gesänge und Prozessionen. Das Leben bildet mannigfache Formen, auch das religiöse Leben. Doch mich interessiert vor allem die kleine Hirtin Bernadette Soubirou, die diesen Ort berühmt gemacht hat.«

So zogen sich die drei Freunde nach melodischem ersten Abend zur Nachtruhe zurück.

Lourdes, im Frühling.

Immer ernster wird meine Stimmung nach den Schwärmereien der Provence. Ich bin in diesem Augenblick noch unentschlossen, ob ich Ihnen, meine Damen, bei Ihrem gänzlichen Stillschweigen diese wei-teren Blätter senden darf und will. Frau Eleonorens bewährter Takt mag darüber entscheiden.

Mit Spannung bin ich hier in Lourdes auf das Postamt gelaufen; hoffte bestimmt, ein Lebenszeichen, einen Gruß, einen Dank von Ihnen zu finden – fand aber nur eine Karte von Schaller: »Meine Nichten sind hier in Barcelona – wann kommen Sie?«

Und kein Gruß von Ihnen. Keine Unterschrift.

Das ist alles.

Das ist der ganze Widerhall. Meine Briefe haben nichts in Ihnen geweckt.

Nun, hier in Lourdes ist nicht Zeit und Ort, einem Verdruss nachzugeben. Ich bin sogar ungalant genug, Ihnen zu bekennen, dass hier zwei andre Damen im Brennpunkt meiner Teilnahme stehen: die kleine Seherin Bernadette Soubirou und die Madonna der Grotte ...

... Ich bin voll von diesem Abend in Lourdes. In mein Zimmer herauf rauschen die Wasser der Gave – die Nacht ist feierlich still – einzelne Sterne leuchten – und die großen grauen Pyrenäenberge umstehen das Tal in festlicher Hoheit.

Bei beginnender Nacht betrat ich den Platz vor der Kirche. Welche Raumbehandlung! Alles stumm, kaum ein Spaziergänger; die Lichter zittern und funkeln, abgemessen verteilt; und von selbst finde ich den Weg zur Grotte, nachdem ich erst vor dem gekrönten Jungfrauenbild auf dem Platz haltgemacht.

Vor der Grotte sind eine Anzahl nächtlicher Beter versammelt. Alles schweigt, kniet, betet. Neben mir liegt auf dem Pflaster ein Mönch, fern von den andern, hinter den andern; zum Schluss neigt er sich und küsst die Erde. Mehr als hundert Kerzen flammen in der Grotte, eine Pyramide von Lichtern, zu dem Bild empor, das dort oben rechts in weißem Gewand und blauem Gürtel steht, genau an der Stelle, wo die Gestalt durch Bernadette gesehen worden.

Welche Künstlerin, dieses arme vierzehnjährige Hirtenmädchen! Eine Dichterin! Wie kam das Kind dazu, eine Gestalt dieser Art zu schauen, die ihr von keinem Altarbild her bekannt war? Denn die Jungfrau Maria der Bernadette ist eine Neuschöpfung. Das ist das Wunderbare. Immer hat sie jene Gestalt in derselben Gewandung gesehen und genau beschrieben: weißes Gewand, Schleier rechts und links am Gesicht herab, blauer Gürtel, dessen zwei Schleifen bis fast zu den Füßen reichen, und auf jedem nackten Fuß eine goldne Rose. Welche Schönheit! Die Gestalt hält den Rosenkranz in Händen, macht ihrer kleinen Besucherin das Zeichen des Kreuzes in neuer und großzügiger Form – wie Bernadette es vorher nicht pflegte –, lächelt oder ist traurig-ernst, spricht zu ihr: – kurz, sie hat Leben, Bewegung, Natürlichkeit. Es ist nichts Starres, es ist etwas Lebendiges. Und die Kleine ist traurig, wenn sie ihr nicht erscheint, ist aber bei ihrem Anblick so entzückt, dass sich ihr Gesicht verklärt – derart verklärt und verschönt, dass die eigene Mutter kaum noch ihr Kind erkennt.

Ja, während einer der Erscheinungszeiten hält das Kind versehentlich lange Zeit, wohl eine Viertelstunde, die Hand in die brennende Kerze – und die Hand der Verzückten bleibt unversehrt.

Was soll man sagen? Hat sich hier die himmlische Welt aufgetan? Hat diese Kleine durch eine Ritze in das jenseitige Reich geschaut?

Und mit welcher Kraft und Umsicht hat sich die Kirche dieser Ereignisse bemächtigt! Einst war hier Wildnis, jetzt steht da oben, gewaltig, im Sternendunkel der Nacht, die weiße, schlanke Kirche. All diese klug durchdachten Anlagen, all diese Kaufläden mit den Tausenden von Figuren, Bildwerken und Andenken, all diese Hotels, diese Hunderttausende von Menschen, die schon hierher gepilgert sind und noch hierher pilgern werden, all diese Gebete, diese Kerzen, diese Gottesdienste: – alles veranlasst durch ein armes Hirtenmädchen!

Ist dieses jungfräuliche Kind vergleichbar der Jungfrau von Orleans? Hat sie die Aufgabe erhalten, Frankreich und die Welt von einem andren Feind zu erlösen – von niedren Leidenschaften und Krankheiten des Leibes und der Seele?

Hier ist der Punkt.

Diese Madonna nennt sich »unbefleckte Empfängnis«. Was heißt das? Es heißt das Reinigen der Beziehungen zwischen Mann und Weib. Das muss die Erklärung sein, nichts andres. Es heißt Reinheit und Natürlichkeit anstelle der Entartung; es heißt Heiligung der Natur statt der unsauberen Lüstlingsunnatur. Gerade Frankreich mit seiner erotischen und Ehebruchsliteratur, seiner Verherrlichung sinnlicher Kunst und sinnlich-eindringlichen Geschmacks überhaupt – grade das sinnliche Frankreich musste der Ausgangspunkt sein, wo die Gegenkraft einzusetzen versuchte, fern von Paris, im äußersten Winkel, in diesem Gebirgstal mit dem rauschend reinen Wasser. Ein heiligender Quell entrieselte der Stelle, wo Bernadette auf Befehl der Jungfrau mit den Fingern grub, und wurde in wenigen Tagen ein starker Brunnen: eine symbolische Handlung! Es ist das Wasser des Lebens, des wahren, durch reine Natürlichkeit der menschlichen Beziehungen wieder geheiligten und geadelten Lebens. Wasser! Überreiztheiten des Alkohols entstellen die moderne Zivilisation und dieses Weinland Südfrankreich: Hier aber fließt das silberklare Bergwasser unentstellten Lebens, das nicht reizt, das aber *heilt*.

Tiefsinnig! Unerklärliche Genialität eines Kindes! Einer reinen Jungfrau! Immer in Sagen und Märchen, diesem Niederschlag uralter Weisheit, ist es ja das Kind oder die Jungfrau, denen Erlösungskraft aus den Banden der Unnatur innewohnt.

Warum entzückt mich so, dort an der Riviera und hier in Lourdes, immer wieder das Jungfräuliche? Was such' ich darin an symbolischem Lebensgehalt?

Sie weiß von Welt und Zivilisation nichts; sie weiß nicht einmal, was das Wort »unbefleckte Empfängnis« – mit dem sich die Madonna zuletzt vorstellt (*je suis l'immaculée conception*) – überhaupt heißt. Sie soll's dem Pfarrer sagen als dem natürlichen geistigen Mittelpunkt des Ortes; schnell aus der Grotte ins Pfarrhaus laufend, murmelt sie's immerzu vor sich hin, um das Wort ja nicht zu vergessen! Welche menschliche Züge!

Man geht hier im Frühling, wenn keine Pilgermassen Staub aufwühlen, in andauernder Ergriffenheit einher. Es ist unmöglich, sich diesen einströmenden, eindrängenden, wie Bergwasser in uns einrauschenden Gedanken zu entziehen. Ich war heute Abend nur eine halbe Stunde draußen; die melodischen Kirchenglocken schlugen an, als ich hinausging; sie schlugen wieder an, als ich den großen, höchst bedeutend wirkenden Platz vor der Kirche verließ.

Und die Wasser rauschen die ganze Nacht ...

Ich habe noch nicht an der Quelle getrunken ...

... Gibt es eine jenseitige Welt?

Und wenn es eine solche Welt gibt: Warum soll sie unter den Mitteln, sich mit uns zu verbinden, nicht auch dieses benutzen?

Gibt es aber eine jenseitige Welt voll von Kräften und Lichtgestalten, die das geistige Fluidum unserer Erde bilden, die unsre geistige Lufthülle sind, aber ebenso den ganzen Kosmos durchdringen, in den wir ja eingebettet sind: Ist dann das Sprechen mit ihnen so unsinnig? Ist Gebet Unsinn?

Leben unsre Verstorbenen? Oder sind sie tot für immer? Ist nur das Sichtbare wirkliches Leben? Gibt es nicht viele andre Daseinsformen? Kann man Augen und Organe ausbilden für die geistige Welt? Sind unsre großen Dichter, Künstler, Religionsstifter die *Seher* dieser geistigen Welt und kündigen von diesem realen, den andren Sterblichen unsichtbaren, nur geahnten unbekannten Lande?

Das ist die eiserne Frage ...

... »*Pénitence!*«, ruft die Erscheinung von Lourdes. Buße! Dreimal ruft sie es eindringlich und mit einem so tieftraurigen Gesicht, dass der mitfühlenden, magnetisch auf sie eingestellten Kleinen die Tränen kommen. »Was soll ich tun?«, ruft das Mädchen. – »Bete für die Sünder!« Und viele Menschen will die Jungfrau dort sehen, will sie dort beten sehen: Sie will eine *Gegenkraft* entwickelt wissen.

Weiß und Blau sind darum die reinen Farben dieser Madonna. Und auf den Füßen blühen goldene Rosen.

Indem man zu den Füßen dieser Himmelsfrau von diesem Wasser trinkt und sich die Augen wäscht, drückt man den Wunsch aus, mit dem Lebensstrom, der von dieser Erscheinung ausging, in Verbindung zu treten. Es ist nicht das Wasser als solches, das hilft: Es ist der in uns selber erwachende heilkräftige Wunsch, jener himmlischen Reinheit und Gesundheit teilhaftig zu werden. Wunsch in uns und Wasser außer uns wirken zusammen. Das Ich muss lebendig mitwirken, wenn Reinheit und Schönheit zum Ich kommen sollen.

Die Best-Geheilten sind jene, die mit reinerem Herzen diese Stätte verlassen ...

Schwer freilich, an Wunderheilung zu glauben! Schwer – – weil so *einfach*? ...

Doch ich will nicht von den wirklichen oder angeblichen Heilungen sprechen, die hier geschehen mögen. Was etwa sich ereignen mag an Wahn oder gar an frommem Betrug, wenn im Hochsommer der stille Ort fast erstickt unter den Zehntausenden von Pilgern, das ist eine Sache für sich. Darüber mögen andere streiten. Mich fesselt dieses kleine Menschenkind ...

In einer schimmernden Wolke pflegte ihr die Gestalt zu erscheinen, die von sonst niemandem erblickt wurde; es war also ein Lichteindruck; und eine schimmernde Wolke blieb noch ein Weilchen zurück, wenn die Gestalt entschwunden war. Sie kam aus dem Licht, sie war Licht. Es mag wohl eine elektromagnetische Verbindung zwischen Seherin und Erscheinung bestanden haben. Reines Herz nebst reinem magnetischen Organismus – das hat wohl in diesem besonders veranlagten Kinde anziehend auf die jenseitige Welt gewirkt. Alles Schöne ist dem

Licht verwandt und wird am schönsten symbolisiert durch das Licht. Gemeine Sterbliche würden geblendet werden durch des Lichtes Fülle.

Marias Lieblingsblume, neben der Rose der Liebe, ist die Lilie der Reinheit und des Glaubens. Die Lilie wächst hoch und weiß über das gewöhnliche Blumenmaß hinaus. Die Form ihrer Blüte ist ein Kelch, ein weißer Kelch: geschaffen, um Licht und Tau einzunehmen, die himmlischen Gaben. Ein Gralskelch! Die jungfräuliche Blume hält den Kelch empor und füllt sich mit Licht von oben.

Gibt es doch noch etwas Höheres als die willensstarke Persönlichkeit? Vielleicht – Gefäß zu sein? Rein, still, empfangend von oben, weitergebend nach unten? Wie die Lilie?

Ist das lilienhaft Jungfräuliche in solchem Sinne höher und himmlischer als das Nur-Männliche? Erlöst uns Männer immer wieder die Jungfrau? ...

Und wie schwer war Bernadettes äußeres Leben! Sehr arm, sehr einfach, doch gut erzogen, etwas zart als Kind, erlebte sie dann die Fülle ihres Glückes binnen wenigen Monaten in jenen genialen Visionen. Dann aber, als ihr Werk gesichert war und eingeweiht wurde, lag sie krank und konnte an den Festen nicht teilnehmen. Als Klosterschwester starb sie fern in Nevers, hat ihr mächtig anwachsendes Werk nie mehr gesehen. Muss wohl sterben, wer die Götter geschaut hat?

Ihr Werk lebte, sie selber ging dahin.

Groß! ...

Ingo.

Nachschrift. Groß! Ja, mein Ingo, das ist groß. So haben wir zwei es uns einst geschworen, einer edlen und großen Lebens- und Kunstanschauung unser Dasein zu widmen. Und diese Blätter lassen mich wieder an Dich glauben, mein Freund und Bruder! Aber willst Du diese ernsten Gedanken wirklich an jenes unbedeutende Mädchen senden? Will der Gralsucher wieder zum tändelnden Spielmann werden? Lieber, merkst Du denn nicht, dass Du über den Eindrücken hier in Lourdes sowohl sie als auch mich vergessen hast? Denk' an das Gespräch über die Titanic: Suchst Du des Lebens Sinn und Geheimnis, indem Du irgendeine Braut suchst? Lieber Troubadour, unter Tränen will ich beten, dass Du ausziehen mögest wie Saul, der Sohn des Kis: Er suchte eine – Eselin und fand ein Königreich. Ich werde diese Blätter zu den unabgesandten Briefen legen und Dir heute alles übergeben. Hier in Lourdes soll es sich zwischen uns entscheiden. Ich bin krank; die Aufgabe, die ich an Dir hatte, geht zu Ende. Bald bist Du auf törichter Brautschau – und ich eine Kranke unter Kranken. Ach süßer Freund, die Sorge um Dich ist meine Krankheit!

Friederike.

Krankheit und Verdüstrung der Frau von Trotzendorff rollten wieder wie Wolken über jenes kurze Aufflammen der alten Gesundheit.

Sie stand in seelischen Kämpfen, von denen ihre Mitreisenden nichts oder wenig ahnten. Oft saß sie allein an der Grotte und setzte sich mit der Tatsache auseinander, dass sie den Freund verloren habe, dass Anmut und Jugend ihn anziehe, dass sie selber unrettbar zu altern beginne. Und das Gesicht der leidenden Künstlerin wurde bleich und verfallen. Aber sie hatte ein meisterhaftes Talent, dergleichen nach außen hin zu verbergen; unter dem Schein leichter Magenverstimmung, verursacht durch die ölige südfranzösische Kost, wusste sie ihren Seelenkampf scherzend ins Harmlose zu deuten.

Fabrikant Muthner, der sich in Cette zu ihnen gesellt hatte und später nach Bayonne und Biarritz weiterwollte, war wieder aufgetaucht: ein ernster, wohlbeschlagener Fachmann, der sich mit Trotzendorff vorzüglich verstand. Er machte der gnädigen Frau mit natürlichem Anstand den Hof. Und Frau Friederike, die für ehrliche Komplimente empfänglich war, hatte sogar den Versuch gewagt, ihren Freund Ingo ein wenig zur Eifersucht zu reizen: ein Zug, der dem erstaunten Troubadour neu war, wie überhaupt das Verhalten der Freundin ihm ebenso Bedenken erregte wie dem Gatten.

An diesem Morgen, kurz vor dem Frühstück, das alle vier gemeinsam einzunehmen pflegten, waren Ingo und Trotzendorff zufällig allein und tauschten ihre Besorgnisse aus.

»Sag' einmal, Richard«, begann Ingo, »die Kränkeleien unsrer Friedel machen mich besorgt. Solltet ihr nicht einen Arzt befragen?«

»Das hab ich mir längst vorgenommen«, erwiderte Richard in seiner gesetzten, nüchternen Weise. »Denn auf die Wunder von Lourdes will ich mich denn doch als guter deutscher Protestant nicht verlassen. Sie hatte schon einmal, nach der Geburt des zweiten Jungen, solche unangenehme Geschichten – Frauenleiden – wo sie auch wie jetzt zwischen

Übermut und Schwermut hin und her pendelte. Zarte Geschöpfe, diese Frauen, man kann gar nicht feinfühlig genug sein.«

»Das ist wahr«, versetzte treuherzig der Troubadour, der keine Ahnung hatte, wie er der Freundin weh tat.

»Ich werde sie heute nicht mitwandern lassen«, fuhr der Major fort. »Muthner und ich werden Cauterets und Umgegend besichtigen. Du tust mir einen Gefallen, Ingo, wenn du dich ihrer annimmst, soweit sie überhaupt ausgeht. Zu deinem beliebten Eigenbrödeln und Notizenmachen wirst du ja dazwischen Zeit genug finden. Einverstanden?«

»Vollkommen! Es ist mir heut' überhaupt nicht um Geselligkeit zu tun. Hab da einen ernsten Brief aus Thüringen erhalten.«

»Nun? Unangenehmes?«

»Mein Bruder hat einen Jagdunfall gehabt. Näheres schreibt mir die Cousine nicht.«

»Elisabeth? Ei was! Ist die wieder in Thüringen?«

»Merkwürdigerweise! Der erste Brief seit mindestens drei Jahren.«

»Ich dachte, sie wäre in Pommern bei ihrem Schwager?«

»Bis jetzt, ja. Ihre Mutter kränkelt. Nun ist sie zu Hause und wechselt in der Krankenpflege zwischen ihrer Mutter und meinem Bruder.«

»Es wundert mich, dass dein Bruder sie nicht genommen hat. Zwei Nachbarsgüter – das hätte sich nicht übel gemacht! Ruhige Naturen beide.«

»Eben darum vielleicht. Das Gesetz der Ergänzung, verstehst du!«

»Na, dein Bruder hat ein raues Fell, die sanfte Elisabeth hätt' ihm gut getan! Übrigens – du standest ihr doch wohl auch einmal ziemlich nahe?«

»Sehr sogar.«

»Ihr seid doch verrückte Kerls, ihr zwei Waldecker!«, lachte Richard. »Junggesellen alle zwei! Der eine tost auf der Jagd oder auf landwirtschaftlichen Ausstellungen herum, der andre durchläuft die halbe Welt. Elisabeth hätte ganz gut zu einem von euch beiden gepasst. Die entfernte Verwandtschaft ist doch kein Hinderungsgrund? In Thüringen vettert sich ja alles!«

Er lachte, er war selber Thüringer. Und als das Gespräch nun auf die Wunder von Lourdes kam, betonte der breitschultrige, wuchtige

Mann so scharf und nüchtern seinen protestantischen Standpunkt, dass Ingos Romantik sich rasch in blauen Duft verflüchtigte:

»Unser Reformationsgesang ›Ein' feste Burg ist unser Gott‹ hat mehr Mark als diese ganzen süßlichen Litaneien.«

Beim Frühstück wurde das Programm des Tages mit Vorsicht besprochen und festgesetzt; denn man musste bei Frau Friedel darauf gefasst sein, dass sie sich in ihrer gefühlsmäßigen Art auf irgendeinen Entschluss versteifte. Doch heute war sie nachgiebig und ließ die Männer entscheiden.

Major und Fabrikant zogen ab.

Der Troubadour wandelte mit Frau Eleonore von Poitou langsam hinaus nach der Grotte.

»Lass uns einen dieser kleinen Becher kaufen, Ingo«, bat sie, als sie aus dem Gasthof traten, der vorn eine Verkaufsstelle führte, »wir wollen heute aus der Quelle trinken.«

Ingo erfüllte den Wunsch.

An der Grotte waren wenig Besucher. Die weißen Kerzen entsandten ihr mildes Licht, das in der Tagesbeleuchtung seltsam wirkte; die weiße Marmorgestalt der Jungfrau stand still über dem kleinen Rosenstrauch. Fünf bis sieben blühende Rosen waren am Strauch, rötlichweiße Blumen, die sich unter den Füßen der Madonna lieblich entlang rankten.

Die beiden Deutschen setzten sich auf eine Bank, hörten hinter sich das Rauschen der Gave und vor sich das leise Murmeln einer betenden Nonne.

So saßen sie eine besinnliche Weile: Ingo in seinem ungeklärten Drang, Frau Friederike in ihrem steten, starken Kampfe.

Dann erhob sich die gefasste und stille Frau, schritt an den Brunnen neben dem Gitter der Grotte heran, füllte den Becher und trank; füllte ihn nochmals und reichte ihn Ingo. Hernach tauchte sie die Hand ein und fuhr sich waschend über die Augen. Alles geschah schweigend.

Und schweigend gingen sie dann miteinander den sanft ansteigenden Fußweg hinauf, der hinter der Kirche unter Bäumen nach oben führt.

Sie rang um Kraft. An ihrem Arm trug sie ihr Täschchen; im Täschchen waren die unterschlagenen Briefe.

»Wir wollen erst noch das Panorama sehen«, sagte sie mit schwerer Stimme.

Und so besuchten sie miteinander das Panorama.

Ingo gab die nötigen Erklärungen.

»Siehst du, so sah Lourdes ums Jahr 1858 aus, zur Zeit, als die kleine Bernadette jene Erscheinungen erlebte. Damals stand hier weit und breit noch kein Haus, alles war ländlich, eine Mühle war ja wohl hier in der Nähe. Und dort kniet sie nun, inmitten der zusammenlaufenden Leute; sie trägt das eigentümliche Kopftuch dieser Gegend, gleicht fast einer kleinen Nonne. Mit der linken Hand hält sie die Kerze, mit der rechten berührt sie die Flamme, ohne sich zu verbrennen. Das Feuerelement scheint ihr verwandt zu sein in diesem Zustand. Sieh nur, wie ist sie entrückt und abgesondert von den ratlosen Gruppen der Menschen! Entrückt ins Land der Schönheit! Wie das Genie einsam! Nur durch Taten der Güte mit den Mitmenschen verbunden!«

»Das ist groß«, bestätigte Frau Friederike leise.

»Und sieh, welch ein bläulicher, fast violetter Duft über der Landschaft! Wie eine Verklärung!«

Sie verließen das Gebäude und gingen weiter, am Kalvarienberg vorüber und nach der Gegend der *grotte du loup*. Immer einsamer und ländlich stiller wurde die Umgebung. Die Luft war mild, voll weicher Färbung der Hügel und einfach-großen Gebirgskämme.

An einer jungen Birke machten sie halt und setzten sich auf die Decke, die Ingo trug. Die runden, hellgrünen Frühlingsblättchen dieses sonst so leicht erzitternden zarten Baumes bewegten sich kaum. Eine weiße Straße lief ziemlich fern zu ihrer Rechten in die Pyrenäen hinein, hell und trocken wie die Straßen der Provence, doch ohne wandernden Staub. Die Dämonen des Windes schliefen irgendwo auf Tempelstufen.

Frau Friederike saß in ihrem mattblauen Kleide, hatte den Hut abgesetzt und ließ ihr Goldhaar leuchten. Aber ihr Gesicht war wie Alabaster, ihre Lippen blass und stumm. Sie hatte das Täschchen vor sich auf den Schoß genommen und hielt beide Hände darauf.

Ingo legte kameradschaftlich den Arm um den ihrigen. Doch lehnte sie den Kopf nicht an, sie sah nur starr in die Gegend.

»Friedel ist auf cis-Moll gestimmt«, begann er. »Hast auch du, wie ich heute früh, einen Brief bekommen, der dir Sorge macht?«

»Du hast einen Brief bekommen?«

Er zog sein Taschenbuch und überreichte ihr den Brief seiner Cousine Elisabeth.

»Darf ich lesen?«

»Aber, Friedel –! Seit wann haben wir denn Geheimnisse voreinander?!«

Sie las folgenden schlichten und sachlichen Brief:

»Lieber Ingo!

Du wirst erstaunt sein, von einer alten Freundin diesen Brief zu erhalten, nachdem wir uns seit Jahren nicht mehr geschrieben haben. Ich bitte Dich hiermit herzlich um Entschuldigung, wenn ich Deine Frühlingsfahrt stören sollte. Dein alter Vater kommt ja mit seiner Gicht nicht an den Schreibtisch; und so hat er mich gebeten, Dir mitzuteilen, dass Dein Bruder leider einen Jagdunfall gehabt hat und an den Folgen daniederliegt. Das Gut war ja bis jetzt in den Händen deines Bruders; wenn die Sache übel ausgeht, so könnte an Dich eine Aufgabe herantreten, die allerdings zu Deiner romantischen Freiheitsliebe, wie sich Dein Vater ausdrückt, nicht mehr stimmen würde. Mir würde es leid tun, wenn Du Dir Dein Leben nicht so gestalten könntest, wie Deine Natur es braucht, das weißt Du, lieber Ingo. Zum Glück habt Ihr ja einen guten Verwalter. Auch Dein Vater ist immer derselbe, in allen Unpässlichkeiten geistesfrisch. Weniger freilich meine Mutter. Ich fahre in eurem gelben Jagdwagen täglich zwischen den beiden Gütern hin und her, von einem Krankenbett zum andren. Nun kommen mir meine Erfahrungen vom Roten Kreuz zugute. Oft auch lauf' ich zu Fuß durch den Wald, wobei mich Harras, unsre unverwüstliche Dogge, begleitet. Ach, ich bin wieder jung geworden, als ich nach harten Jahren meinen Thüringer Wald wiedersah! Es ist allerdings möglich, dass ich von heut' auf morgen mit meiner Mutter an den Genfer See fahre. Denn der Arzt wünscht es dringend. Gib jedenfalls immer Deine genaue Adresse an, für den Fall, dass man Dich hier brauchen sollte. Im Übrigen, lieber Ingo, gedenke ich Deiner mit derselben Liebe, die mich von Kindheit an mit Dir verbunden hat. Sei innig gegrüßt!

Elisabeth.«

Frau von Trotzendorff gab den Brief zurück und schaute lange vor sich hin.

»Ein Gruß an mich oder meinen Mann ist nicht dabei«, dachte sie. »Ich hab ihr einst Schweres angetan – jetzt tut mir das Schicksal das Gleiche.«

»Was sagst du dazu?«, fragte Ingo.

»Vielleicht wär's das Beste, du würdest sofort nach Hause reisen.«

»Unter keinen Umständen!«, rief er mit einigem Trotz.

»Und dein Bruder?«

»Ist robust genug, hat sich nie viel um mich gekümmert, wird auch diesen Unfall durchbeißen.«

»Und dein Vater?«

»Ein selbstständiger Charakter.«

»Und das Gut?«

»Davon kann man reden, wenn es mit meinem Bruder wirklich schlimm würde.«

»Aber der Brief liest sich wie eine Vorbereitung.«

»Oder auch wie ein Anknüpfungsversuch der guten Elisabeth.«

»Bei ihrem spröden Charakter? Schwerlich! Ich glaube, du solltest den Gedanken an Heimkehr ernstlich ins Auge fassen.«

»Aber wie kommt mir denn Friedel vor? Haben wir zwei nicht hinlänglich mein Verhältnis zu Elisabeth durchgesprochen? Vergisst du, dass wir so gut wie verlobt waren? Und sie schreibt ja, dass sie noch ebenso denkt. Wie kannst du mir da die Rückkehr empfehlen? Bist du gar kein bisschen mehr eifersüchtig?«

Sie ging auf seinen scherzenden Ton nicht ein. Es kämpfte gewaltig in der unglücklichen Frau; sie neigte sich einen Augenblick seitwärts ins Gras und stützte laut seufzend den Kopf in beide Hände. Hier Thüringen – dort Barcelona! Zwischen Skylla und Charybdis saß sie und rang um den Freund, den sie doch festzuhalten weder Macht noch Recht besaß.

Dann richtete sie sich auf, beachtete seine fragenden und beruhigenden Worte nicht, sondern griff in ihr Täschchen und nahm das Bündel Briefe zur Hand.

»Da!«, sagte sie dumpf und presste die Zähne zusammen.

»Was ist das?«

»Deine Briefe.«

»Welche Briefe?«

»An die Mädchen in Barcelona. Ich hab sie nicht abgeschickt.«

Er hatte das blaue Band gelöst, ließ aber nun jäh die Hände sinken.

»Nicht abgeschickt?«

»Nein.«

»Aber – weshalb nicht?!«

»Du kannst es in den Nachschriften lesen.«

Er durchblätterte die Papiere und las die Nachschriften. Dann kam eine lange, unheimliche Stille.

Sie atmete kaum; ihr schwaches Herz pochte zum Zerspringen. Er legte schweigend die Blätter wieder zusammen, band sie schweigend wieder zu und steckte sie schweigend in die Rocktasche.

»Friedel«, sagte er endlich mit gepresster Stimme, »es ist nicht das erste Mal, dass du dich zwischen mich und andre stellst. Fühlst du nicht, wie du mich entwertest?«

Er saß in einem Gemisch von Zorn und Wehmut auf dem Rasen, rupfte sprießende Gräser aus und warf sie wieder fort.

»Würde dieses Lourdes nicht so beruhigend auf mich wirken«, sprach er weiter, »ich fürchte, wir würden im Zorn voneinander scheiden. Denn dieses Bevormunden ist gegen unsre Verabredung einer unbedingt vertrauensvollen Kameradschaft. Meine Schwärmerei für jenes Mädchen mag seltsam sein, meinetwegen; deshalb ist aber die Tatsache, dass ich von jenem Hügel mit der stillen Stickerin und dem unerbauten Tempel einen tiefen Eindruck mitgenommen habe, dennoch vorhanden. Und ich werde dieser Sache auf den Grund gehen – und werde die Briefe persönlich nach Barcelona bringen.«

Sie saß mit abgewendetem Gesicht, neigte das Haupt und zuckte nur wenig zusammen. Sie kannte ihn und war nicht überrascht; sie wusste, dass er stärkeren Eindrücken und Erkenntnissen unbeirrbar bis zu Ende nachspürte. Hier war nichts zu halten; sie hatte ihn nicht mehr in der Gewalt.

Er sah nicht, wie ihr die Tränen in die Augen stiegen, den kristallenen Behälter füllten und dann langsam über die Wangen rollten. Ihr lag es pressend schwer auf dem Gewissen, dass sie sich einst zwischen ihn und Elisabeth gestellt hatte; dieses stille und herbe Mädchen war nach allem, was man seitdem hörte, doch wohl wertvoller, als sie beide damals angenommen hatten. Ingo von Stein, zu Hause wenig verstanden, hatte in Friedels Familie ein neues Heim gefunden; sie hatten sich beide beflügelt und gefördert und hatten einfach vergessen, dass eine stille, etwas spröde Elisabeth irgendwo Kranke pflegte. Oft aber stand jetzt die hohe Gestalt dieser keusch verschlossenen, schwer zugänglichen Jungfrau, die durch gesellschaftliche Beziehungen des thüringischen Adels auch mit Trotzendorffs bekannt war, mit schweigender Mahnung an Frau Friederikens Lager. Sie trug die Tracht der Schwestern vom Roten Kreuz, denen sie zwei Jahre angehörte; und sie schien ernsten Blickes nach Ingo zu fragen. Bislang hatte Friedel wenigstens Rechenschaft über den Freund geben können; jetzt konnte sie auch das nicht mehr; der unbefriedigte Spielmann fuhr weiter.

Die liebende Frau tat, wie sie es manchmal in Zeiten der Missverständnisse zu tun pflegte: Sie setzte stumm den Hut auf, nahm ihr Täschchen und erhob sich, um sich schweigend zu entfernen. Er wollte ihr folgen; aber sie winkte ab und sagte leise:

»Bitte, lass mich allein!«

Jetzt erst sah er, dass ihr Gesicht in Tränen gebadet war. Und sofort loderte Beschämung in ihm empor, die jede Regung des Unwillens verbrannte. Der letzte Satz der letzten Nachschrift stieg ihm riesengroß in Bewusstsein und Empfindung: »Die Sorge um Dich ist meine Krankheit.« Hatte sie nicht recht, um ihn besorgt zu sein? War er nicht ein Fantast, der oft genug sich einfach auf die Bahn gesetzt hatte und in die Welt hinaus gesaust war, wenn ihm irgendwelche menschliche Verhältnisse nicht passten? War es nicht deutlich, dass er zwischen Wissenschaft, Poesie und Religion tatlos umherschwebte, nippend an allem, von nichts aber sich wahrhaft durchdringend und nichts in Kunst oder Leben prägekräftig gestaltend? Wie unritterlich stand er vor der mütterlichen Sorge der weinenden Freundin!

»Vergib, Friedel!«, rief er und wollte in überwallendem Mitgefühl den Arm um ihre Schultern legen. Allein sie befreite sich sanft und bestimmt. Sie wollte kein Mitleid; dass ihr die Tränen flossen, merkte sie kaum. Ihr Entschluss stand fest.

»Groß!«, rang sich endlich als erstes Wort aus ihr hervor. »Das letzte Wort deiner Aufzeichnungen heißt groß. Wir wollen nicht kleinlich sein, Ingo.« Sie sprach mühsam und wischte sich mit dem Taschentuch die Tränen fort. »Es spricht auch in mir so viel Unerfülltes mit. Aber groß sein, nicht wahr! Ich hab mir's an der Quelle da unten gelobt. Und darum bitte ich: Lass mich für heute allein. Ich will ins Hotel zurückgehen und mich niederlegen. Denn ich bin krank.«

Er machte abermals einen Versuch, sich um sie zu bemühen. Aber sie wiederholte nur in ihrer bekannten Art, die jeden Widerspruch ausschloss: »Bitte!«

Dabei sahen sie sich einen Augenblick an. Nur einen Augenblick, wie die Sonne am verschleierten Tage zaghaft hindurchbricht; der Augenblick drohte ihren Entschluss umzuwerfen; doch sie wandte sich rasch und ging den Pfad nach Lourdes hinunter, an einem spät blühenden Apfelbäumchen vorüber, von dem eine Blüte auf ihren Hut fiel – ein Abschied von der Jugend.

Ingo stand betäubt.

Er übersah, empfand und begriff mit einem Mal den Schmerz, den diese Frau von großzügiger Künstlerleidenschaft und zugleich von früh geübter Gewissenhaftigkeit so lange schon durchkämpfte. Mit jenem stürmischen Isoldengesang hatten diese Tage von Lourdes begonnen; mit offenem Haar, wie Wogen des offenen Ozeans, war sie noch einmal einhergerast. Jetzt schlich sie weinend nach Lourdes hinunter.

»Das ist die zweite Frauenfreundschaft, über deren Trümmer hinüber ich mein Glück suche«, sprach er in knirschendem Kummer zu sich selber. »Sollte wohl auf dieser Glücksjagd Segen ruhen? Aber ich will sie wiedergewinnen, Friedel und Elisabeth, beide, sobald ich – sobald – – ja, was denn nun wohl?«

Da war wieder das Unerfüllte. Und er sah wieder jene Mozart-Mädchen auf einem Hügel der Freiheit und Schönheit winken und warten – warten auf ihn?

»Weltfahrer bin ich«, sprach er, indem er durch die Hügel wanderte und schließlich zu einem kleinen Schilfsee gelangte, dessen Stille beruhigend auf ihn wirkte. »Weltfahrer bin ich, immerzu von Melodien durchsungen, und sehne mich nach dem festen Punkt, von dem aus das Nahe und Ferne reich und tief sich erfassen lässt. Ich will Friedel nicht durch Mitleid beleidigen; sie ist tapfer und wird das allein durchhauen. Aber ich will doch neben der Fantasie fortan der Güte einen größeren Raum in meinem Herzen gestatten – wie diese Bernadette, wie meine vergessene Elisabeth.«

Er ging an die Grotte von Lourdes zurück, saß dort lange und sammelte sich zu einer Gebetsstimmung, seine Augen heftend auf die Marmorstatue der weißen Madonna mit der blauen Schärpe.

Am Abend, als die willensstarke Frau bleich und gefasst wieder am Tisch saß und über ihre Schwächlichkeit zu scherzen versuchte, wurde von dem Ehepaar beschlossen, über Paris nach München zu fahren und dort ein Sanatorium aufzusuchen.

Ingo, der sehr zart zu Friedel war, hielt in möglichst unbefangenem Ton an seinem Abstecher nach Barcelona fest.

Richard schaute einen Augenblick vom Kursbuch auf, es zuckte ironisch um seine Mundwinkel, und er fragte:

»Suchst du Schallers Nichten oder den Gralsberg?«

»Beides«, bemerkte Ingo trocken ...

Am Bahnhof von Toulouse nahmen sie Abschied. Der Troubadour und Frau Eleonore hielten sich lang an beiden Händen und schauten mit Wehmut einander an.

Die Lippen der blassen Frau bebten. Sollte sie ihm sagen, wie sehr sie krank war? Sollte sie ihm sagen, dass hier vielleicht auf Leben und Tod Abschied genommen wurde? Nein! Es war einer ihrer heroischen Momente. Galt es zu sterben, so wollte sie allein sterben. Die Heroine lächelte und zwang sich zu einigen Worten von allgemeiner Herzlichkeit, das Weh in sich begrabend, das tiefe Weh, auf den abirrenden Freund nicht mehr von Einfluss zu sein:

»Groß bleiben, lieber Ingo! Es wird gewiss alles gut werden, wir wollen dir lauter gute Gedanken mitsenden. Madonnengedanken!«

Er nickte schweigend.

Und zu Richard sprach er mit bewegter Stimme:

»Gib gut auf sie acht, Richard ... sie ist die Beste von uns dreien!«

6. Die Verlobung

O brich nicht, Steg! Du zitterst sehr.
O stürz nicht, Fels! Du dräuest schwer.
Welt, geh nicht unter, Himmel, fall nicht ein,
Eh' ich mag bei der Liebsten sein!

Uhland

Aus dem dröhnenden Geräusch der spanischen Hafenstadt Barcelona hebt sich das vornehme Villenviertel am Gebirgszug Tibidabo empor und sucht reine Luft.

Dort klettert die Straße, die nach einem katalonischen Dichter den Namen führt, die Calle Muntaner, mit starker Steigung bergan.

Auf der Terrasse eines prächtig unterhaltenen Gartens voll immergrüner Gewächse standen dort die beiden Mozart-Mädchen.

Hier aber war die Stimmung anders als auf dem leichten Riviera-Hügel. Die zwei jugendlichen und schönen Geschöpfe lachten nicht aus ungezwungenen Matrosenkleidchen in eine heiter-natürliche Welt; sie waren vielmehr eingenäht in nagelneue, steif knisternde Festkleider. Und hinter ihnen ragte mit strengem Stolz Schallers große Villa, ein viereckiger Bau mit flachem Dach, einem Kastell nicht unähnlich.

Um sie her aber prangte der balsamisch duftende Garten, planvoll gefüllt mit Palmen, Orangenbäumchen, Zitronen und andren Stauden und Spalieren des halbtropischen Klimas. Zu ihren Füßen funkelte abendschön die laute, energische, menschenvolle Stadt; in der Ferne glühte blendend das Meer; zur Rechten sahen sie den schräg ansteigenden und steil abfallenden Festungsberg Montjuich den Hafen bewachen. Hinter ihnen, auf den Höhen, waren Pinien rötlich angeglüht von der sinkenden Sonne, und wie Minarette winkten dazwischen fremdartige Türmchen.

Man spürte wohl noch an diesen graugrünen Abhängen den Pulsschlag der Arbeitsstadt, den Atem des Hafens, den Duft des Mittelmeers. Aber man war zugleich diesen Regionen entrückt und schloss sich durch eine hohe und weitläufige Gartenmauer vom Arbeitstag ab.

Hier also hatte Schaller seine Burg erbaut.

Im Innern des Hauses hatten sich manche Kostbarkeiten und manche wertvollen Gemälde angesammelt. Ein Innenhof war von farbiger Kuppel überdacht; dort spielte ununterbrochen der feine Strahl eines Springbrunnens und verbreitete zugleich Kühle und das Gefühl einer leichten Lebenslaune, einer Überwindung der Arbeitsschwere. Es stimmten dazu die heiter geschnitzten Geländer der Stockwerke, die diesen dämmernden Innenhof umrankten. So war dort eine maurische Stimmung geschaffen, die zum subtropischen Gartenbild passte und gegen den brennenden spanischen Sommer schützte.

Die Mädchen, in Seidenkleidern und weißen Schuhen, gingen wie auf Stelzen und bemühten sich, gesetzt zu sein; aber sie konnten ihre Erregung nicht verbergen. Denn es war keine gewöhnliche Abendgesellschaft, der sie entgegenfieberten.

Die lebhafte Jüngere entlud ihre Gespanntheit in fortwährenden Umarmungen und Küssen, die Fräulein Martha über sich ergehen lassen musste, besorgt um die Falten und Bauschungen ihres feierlichen Kleides.

»Ich freue mich ja schrecklich, ganz schrecklich für dich!«, rief der hübsche kleine Zappelkäfer. »Freust du dich denn nicht auch? Hältst du's überhaupt noch aus vor Ungeduld?«

»Gewiss, ja, nur weiß ich nicht recht –«

»Na, was denn nun wieder? Pfui, schäm' dich! Etwa wegen des Spanischredens heut' Abend? Aber du bist ja schon einmal ein ganzes Jahr hier gewesen!«

»Ich hab aber vieles vergessen. Nein, das nicht, ich meine nur – ich wollte, es wäre schon vorüber. Ich bin ja viel zu jung – und – mein Gott, wie sie mich alle ansehen werden!«

»Lass sie gaffen, du bist süß, sie werden sich alle verlieben! Zwei junge Spanier werden sich deinetwegen erdolchen, es wird ein Duell geben mit zehnmaligem Kugelwechsel, heute Nacht reißen die Katzen aus vor den vielen Serenaden – und ich gieße den Sängern Wasser über den Kopf.«

»Glaubst du, dass sie Reden halten auf – auf ihn und mich?«

»Natürlich! Dann sagst du ganz einfach *gracias* oder *merci beaucoup* und nickst ein klein wenig mit dem Kopf – aber nur ein wenig, vornehm – siehst du, ungefähr so!«

Die Kleine gab ein vorbildliches, gnädig herablassendes Kopfnicken zum Besten, wobei ihr der Augenaufschlag meisterlich gelang. Aber die schwerblütige Martha schaute mit ihren wundervollen Blau-Augen ratlos in die Welt und war nicht in Stimmung zu bringen.

Zu gleicher Zeit lustwandelte der Herr des Hauses, in Frack und brasilianischem Orden, zwischen seiner blass-vornehmen Stiefmutter und der bürgerlich-ehrbaren Witwe Frank-Dubois, die immer in schwarzer Kleidung ging. Sie schritten stattlich unter Fächerpalmen auf und ab. Ein springender Strahl rieselte und raunte auch dort; und im runden Becken flimmerten rote Fische. Es lag hochzeitlicher Glanz in der abendlich rosigen Luft; die Welt war voll Farben; auf Palmen-kronen wiegten sich Genien mit Schmetterlingsflügeln und gaukelten abwechselnd um die Gespräche der Alten und das Zwitschern der Jungen. Selbst die kleinen bärtigen Gnomen, die Geister des Goldes, die sonst schwere Säcke schleppten, feierten heute, saßen unter Tropfsteingebilden und kämmten sich gegenseitig die Bärte.

In den Worten und Gebärden der hier wandelnden Erdenbürger war satte Sicherheit. Sie fühlten sich nicht heimgesucht von irgendwel-chem Hunger nach Unendlichem. Das Rätsel des Daseins hatte sie nie bekümmert. Eine erhebliche Rente in Gewahrsam zu bringen, ge-nügte als Lebensziel. Wobei sie Arbeitsamkeit, Ordnungssinn und andere bürgerliche Tugenden zu achtenswerter Entfaltung brachten.

»Jetzt bin ich über die Zukunft meiner Tochter doch einigermaßen beruhigt«, versicherte Frau Frank-Dubois. »Mit ihr selber wird es sich schon ganz gut machen, denn sie ist ja sparsam und häuslich und versteht den Haushalt. Die Schule ist ihr halt schwer geworden; aber sie hat, was sie an Schulbildung braucht. Es ist eine stille Natur; mein seliger Mann war auch so ein Stiller, sie hat's von ihm.«

»Das Mädel wird's wie eine Prinzessin haben«, versetzte Schaller und nahm die Dame fest zugreifend unter den Arm. »Das glaube ich Ihnen versichern zu dürfen. Also wenn ihr beide einverstanden seid, so klopf' ich nach dem zweiten Gang ans Glas und mache die Sache bekannt. Ich liebe immer Überraschungen, knappe, fertige Tatsachen. Punktum!«

Er trat zu den Mädchen, legte der Jüngsten von hinten her seine großen Hände über die Augen und küsste ihre Wange.

»Na, Mausi, hast du dein Cousinchen aufgemuntert?«

»Pah, Onkel Schaller, die hat Angst!«

»Es schickt sich, dass eine Braut schüchtern tut«, erwiderte Schaller und legte den Arm um das gazellenschlanke Mädchen, das nur um eine Stirnbreite kleiner war als er selber. »Kinder, es soll famos werden! Die Nacht wird durchgetanzt! Und außerdem hab ich eine ExtraÜberraschung, besonders für die da, den kleinen Grashupfer!«

»Noch einen Bräutigam? Her damit!«

»Ruhig Blut, Sennorita! Es klingelt! Gäste kommen!«

Ingo von Stein hatte in Narbonne übernachtet. Er fuhr dann über Perpignan nach Barcelona. Der Schnellzug lief an der See entlang, deren Wasser im Ostwind an die Klippen schäumte und das tiefe Blau des Mittelmeers in ein ebenso herrlich Weiß verwandelte.

Sprangen nicht mit glänzenden Schuppenschwänzen die Okeaniden herauf, lachten den Fahrenden aus und schnellten im Purzelbaum wieder hinunter in die Arme aufpustender Wassermänner? O Schaumtanz, o Schmeichelwelle, o Heimat der schaumgeborenen Göttin Aphrodite! Herfunkelnd ans knochig-männliche Festland – und dem Greifenden zwischen den Fingern zersprühend, ein schillernder Schein!

Am Bahnhof hatte ihn Schaller persönlich und ohne Chauffeur im Automobil abgeholt. Bei ihm saß noch ein würdiger alter Herr, dessen Wesen und Aussehen dem Ankommenden sofort angenehm und bedeutend ins Auge fiel. Es gibt Menschen, zu denen man auf den ersten Blick ein seelisches Verhältnis findet, als hätte man sich schon irgendwo einmal gesehen. Dieser alte Herr, gleichsam der erste Gruß auf spanischem Boden, wirkte in so merkwürdig anziehender Weise auf Ingo. Sie gaben sich mit so gelassener Selbstverständlichkeit die Hand, als wären sie gestern erst auseinandergegangen.

Der mehr als sechzigjährige würdige Herr war ein Freund des Großkaufmanns und wurde als Konsul a. D. Ernst Bruck vorgestellt. Es war ein Mann von Mittelgröße mit schönem grauem Vollbart, graublauen Augen und einer klaren, hohen Stirn. Hätte er einen Turban getragen, man hätte ihn mit seinem tropisch gebräunten Angesicht für einen indischen Rajah halten können. Nur dass sein Wuchs nicht ragend genug und sein Benehmen bei aller ernsten Ruhe einfach und ohne jede Pose war.

»Also steigen wir ein, fahren wir ab! Gepäck ist in Ordnung!«

Frisch und händereibend sprang der Spielmann in das Fahrzeug, es war neuer Schwung über ihn gekommen. Wieder im Menschengewühl! Und Schaller hatte in seiner rauen und lauten Weise seiner aufrichtigen Freude Ausdruck gegeben, den durchgeistigten Wanderer in seinem katalonischen Heim begrüßen zu dürfen.

»Leider sind einstweilen meine Fremdenzimmer besetzt«, entschuldigte er sich, »und ich muss Sie ins Hotel bringen. Aber wenn Sie sich ausgeruht haben, werfen Sie sich gleich in Frack und kommen hinauf. Sie sollen eine festliche Versammlung finden. Es gibt einen Knalleffekt, die Mädels werden an die Decke hüpfen, außer mir und Bruck ahnt niemand Ihre Nähe. Um sechs Uhr, bitte! Bruck holt Sie im Auto ab. Übrigens fährt er morgen mit Frau und Tochter gleichfalls nach dem Montserrat, kann Ihnen also Führer und Dolmetscher sein.«

Während sich Schaller am Steuer durch das Menschengewimmel der großen Stadt hindurcharbeitete, erzählte der Konsul, wie er seinen Freund vor einem Dutzend Jahren in Brasilien kennen und als tatkräftigen Geschäftsmann schätzen gelernt habe.

»Ich baute damals eine Drahtseilbahn aus der Ebene nach einem Bergwerk auf den Kordilleren«, sprach er mit seiner wohltönenden Bassstimme, in einer langsamen, sachlichen Bestimmtheit, ohne jenes nervöse Fieber, das dem modernen Menschen bis in die tägliche Redeweise hinein das Gepräge gibt. Er bildete einen auffallend ruhevollen Gegensatz zu Schallers Temperament, bei welchem man immer das Gefühl hatte, dass er mit vorgerecktem Kinn, Fäusten und Ellenbogen um die Million kämpfe, unter der berüchtigten Losung, die seinen Angestellten nur allzu bekannt in die Ohren klang: »Wer nicht pariert, der fliegt!«

Der Konsul, gemächlich in die roten Lederpolster zurückgelehnt, fasste seinen Fahrtgenossen ins Auge und sprach:

»Ich kenne Sie übrigens schon. Meine Tochter, die viel liest, hat mir aus Ihrem Buch ›Heroismus‹ vorgelesen. Und Schaller erzählte mir von Ihrem Gespräch über die Titanic. Ich darf Ihnen wohl gleich bekennen, dass ich da ganz auf Ihrer Seite stehe.«

»Die Titanic! Sie haben recht. Jene grauenhafte Katastrophe hat mich an das tiefste Problem gemahnt, das ich schon lange ungelöst in mir herumtrage und neulich in Lourdes wieder ernsthaft durchdacht habe: Wie steht es um Tod und Jenseits? Die moderne Menschheit wirft sich mit so viel Tatkraft auf so viele Probleme – warum nicht auf dieses?«

Der Konsul nickte.

»Vielleicht grade weil die modernen Menschen zu tatkräftig, zu unruhig sind. Man müsste, um einen Zugang zu dieser Frage zu finden, vor allem andren eine Entfieberung vornehmen, eine Entgiftung. Nun, das muss man der höheren Führung überlassen. In diesen Fragen stimme ich mit Freund Schaller nicht überein. Ich selbst bin auch nicht unmodern, was Tatsachensinn anbelangt; war Seemann, Ingenieur, Farmer, hielt mich als Konsul im Kaukasus, dann in Indien und Brasilien auf und habe mich nun in meiner Heimat Westfalen zur Ruhe gesetzt. Doch wir können ja wohl über diese Dinge noch in aller Ausführlichkeit auf dem Montserrat hoffentlich recht ergiebige Gespräche führen.«

So waren sie die Rambla hinuntergefahren und hatten den Gast im Hotel abgesetzt.

Stein war durch Stand und Erziehung an die geselligen Formen gewöhnt, sodass ihm der Übergang von nachdenklicher Einsamkeit zur gefälligen Vielsamkeit nicht schwerfiel. Als er nun vor Spiegel und Waschbecken den Eisenbahnruß hinwegspülte, besah er genauer als sonst seine äußere Erscheinung. Eine grad und gut gewachsene Statur, kurzes Blondhaar, milde mattblaue Augen, ein ungestutzt voller Schnurrbart und von den Augenwinkeln zu den Enden des etwas vortretenden Mundes zwei scharfe Linien, die eine edle Nase flankierten und dem gesundfarbenen Gesicht im Verein mit einer hohen und breiten Stirn geistige Strenge verliehen. Doch sobald er nur wenig lächelte, verwandelte sich die Strenge in sonnige, fast kindliche Güte; und gar sein lautes Lachen war nach Tonfall und Aussehen von herzbezwingender Macht. Neckerei wohnte gern in diesen Zügen und spielte oft um den beweglichen Mund; aber Spott und Schärfe hatten darin keine Wohnung; höchstens noch die Schwermut und eine gewisse verträumte Abwesenheit. Das zu kleine Kinn war der Gegensatz zu Schallers Bulldoggenkiefer und zur modernen Menschheit überhaupt; dieses Gesicht mit seinem hellen Leuchten, sobald es seelisch und geistig belebt war, passte nicht in den Kampf aller wider alle. So sah ein Sonnenbringer aus, ein Götterbote aus dem Lande des Vertrauens, kein pfiffiger Späher aus dem Lande der Konkurrenz.

Er legte sich auf den Diwan, hatte noch ein Stündchen Zeit bis zum Umkleiden und durchblätterte aufs Geratewohl die Gedichte des Novalis, die er in der Tasche trug.

>Darf nur ein Kind dein Antlitz schaun
Und deinem Beistand fest vertraun,
So löse doch des Alters Binde
Und mache mich zu deinem Kinde!«

Wen meint der Dichter? Die Madonna meint er. »Ich sehe dich in tausend Bildern, Maria, lieblich ausgedrückt« … Da taucht immer wieder die Jungfrau auf, das holde Urbild mütterlicher und zugleich kindlicher Weiblichkeit, die der Welt das Genie schenkt: denn aus den Augen des Kindes auf ihrem Arm leuchtet Geniefeuer. Das Geheimnis des Lebens ist in den Augen dieses Kindes, das den Tod überwunden und eine Bahn in den Kosmos zum »Vater« eröffnet hat. Ist die Jungfraumutter Hüterin des Lebensgeheimnisses? Ist das Geheimnis der Geburt zugleich das Todesgeheimnis? Warum ergreift mich so mächtig das Rätsel des Todes? Warum ergreift mich so mächtig das Rätsel lebendiger Frauenschönheit? Warum sehn' ich mich nach dem einen Weibe – und nach dem einen Gral? Wo sind sie vereinigt? Wo sind Spielmann und Gralsucher eins? Wo ist kein Zwiespalt mehr zwischen Leben und Tod, zwischen Poesie und Religion, zwischen freudig erfasstem Diesseits und edel erkanntem Jenseits?

Das Leichte und Frohe der Mozart-Mädchen hatte ihn, vor seinen Augen herschwebend, mit magischer Gewalt nach Spanien gelockt. In solchen Mädchen ist Glück, Wärme, Stille – waren es vielleicht grade diese Eigenschaften, die er suchte, nicht die Mädchen selber? War es das knospenhaft in sich Geschlossene der Jungfrau, was so bezaubernd auf ihn gewirkt hatte?

Jedenfalls war er entschlossen, heute Abend eine Frage an das Schicksal zu stellen und die Entscheidung zu erzwingen: Er war entschlossen, seine Briefe persönlich zu überreichen. Säuberlich waren die bedenklich warnenden Nachschriften der treuen Friedel abgeschnitten und im Notizbuch verborgen. Er steckte die Briefe, die noch vom

blauen Band umflochten waren, behutsam in die Tasche seines Über-
ziehers, dachte mit Dank und Teilnahme an die ferne Freundin,
fühlte sich aber unwiderstehlich vorwärtsgetrieben. Sehenswert war
gewiss morgen der nun so nahe gerückte Gralsberg; aber sein
rauschhaftes Empfinden suchte zunächst einen andren Gralsberg irgendwo da oben am Gebirgszug Tibidabo.

Und rasch und neckisch vollzogen sich nun die Ereignisse.

»Wissen Sie, woher der Name dieses Berges kommt?«, fragte Bruck,
als sie miteinander in Schallers Automobil zum abendlichen Fest
hinauffuhren. »*Tibi dabo* ist lateinisch und heißt ja wohl: Ich werde
dir geben. Nämlich alle Reiche und Herrlichkeiten der Welt, wie der
Versucher zum Heiland sagte, so du niederfällst und mich anbetest.
Aber der Heiland hat das freundliche Angebot dankend abgelehnt. Es
ist also der Berg der ahrimanischen Täuschung und luziferischen
Versuchung, wenn Sie wollen, der Berg irdischen Besitzes.«

Der Konsul lachte sein sonores Lachen und schloss gelassen:

»Unser weltkluger Materialist Schaller hat sich also seine Gralsburg
an einen recht passenden Ort gebaut.«

Ingo, in Frack und Zylinderhut, eine Teerose im Knopfloch, zwei
Blumensträuße in Händen, lachte mit und vergaß in diesem Augenblick, dass er selber über den Schmerz einer kranken Freundin hinüber
dem auf der Kugel schwebenden Glück nachjagte.

»Ja ja«, sagte er, »ich erinnere mich seines handfesten Programms.
Erst die Million, dann die Seele!«

»Stimmt!«, lachte Brucks Bassstimme. »Nämlich dem Teufel die
Seele, wenn der ihm dafür die Million gibt! Aber Schaller ist gar nicht
so schlimm, wie er manchmal tut. Auf die Zehen lässt er sich allerdings
nicht treten. Teils durch Spekulation, teils durch Arbeit und zuletzt
durch Heirat zwingt er die Dämonen des Reichtums in seinen Dienst.«

Als Steins vornehme Erscheinung neben dem kleineren Bruck die
gewundenen Wege des Zaubergartens zu Schallers Burg hinanstieg,
war oben schon alles voll lustiger Gäste. Deutsch, Französisch und
Spanisch klangen in allen Tonlagen durcheinander.

Kaum in Sicht der Terrasse, wo sich die festlichen Menschen in der
Beleuchtung des Sonnenuntergangs bewegten, wurden die Ankommenden vom Hausherrn selbst bemerkt.

»Holla, die erste Überraschung!«, rief er. »Mädels, hierher! Wen haben wir da? Den Troubadour!«

Und er packte in seiner nervös-energischen Art die beiden jungen Damen an den Armen und riss sie herum, dem Kommenden entgegen, der den Zylinderhut zog, schon von Weitem lachend grüßte und dann seine Blumen überreichte.

Martha wurde glutrot, die Jüngste schlug in die Hände.

»Der Baron!«, rief sie, denn er wurde gesprächsweise nur der Baron genannt. »Martha, aber was sagst du nur! Hab ich's nicht gleich gesagt, den werden wir noch einmal sehen?! Danke für die schönen Blumen, aber warum haben Sie denn gar keine Silbe mehr von sich hören lassen? Wir waren Ihnen schrecklich böse! Martha war anfangs fast melancholisch. Ich auch!«

»So mach ich heute Abend alles wieder gut«, lachte Ingo, »ich werde grade zu Ihnen beiden verschwenderisch liebenswürdig sein.«

So begrüßte man sich, hell und vertraut. Ingo wurde mit der Gesellschaft bekannt gemacht: Da waren Brucks freundliche Frau und kränkelnde Tochter; Schallers Teilhaber, ein knochiger Geschäftsmann, mit seiner Gattin, einer unendlich mageren und unendlich graziösen Pariserin, ein Justizbeamter, ein Professor der Musik, Kaufleute, Herren und Damen aus der Gesellschaft, junge Deutsche, die in Barcelona geschäftlich tätig waren und sich an diesem Abend als Dolmetscher zwischen den zwei oder drei Sprachen nützlich machten. An wahren Schönheiten, das übersah der geübte Ingo mit raschem Blick, war nur noch eine echte Spanierin vorhanden, die den Namen Carmen trug und ihre Rasse prächtig vertrat.

Aber Martha, obschon verlegen und ungelenk, überstrahlte alle.

Stein war gewohnt, sich rasch auf eine Gesellschaft einzustimmen und den Ton zu treffen, der sich in das Menschenkonzert einfügte. Als man bei einem Rundgang durch die Räume am Flügel haltmachte und der Musiker einige Sätze aus der Mondscheinsonate zum Besten gab, ließ ihm Ingo durch den Dolmetscher Komplimente machen über seine romanische Umfärbung Beethovens, und es entspann sich, mit Hilfe des geschickten Dolmetschers, ein Gespräch über Musik. Mit Carmens Eltern sprach er über den Unterschied zwischen Katalonien und dem übrigen Spanien; man stellte fest, dass Provence und diese spanische Nordprovinz sprachverwandt seien, und dass beim Kongress der *félibres*, unter Mistrals Führung, auch Kataloniens Dichtkunst vertreten war. Der vielgereiste Ingo freute sich an den melodischen spanischen Lauten. Und immer wieder, auch im Buschwerk des Kleingesprächs, wusste er durch irgendeine Lücke hindurch nach Martha zu spähen, die aber den Blick nicht erwiderte.

Er war ahnungslos.

Er machte sich innerlich Vorwürfe, weil sein Geschmack feststellte, dass sie hier, auf dem Parkettboden der Gesellschaft, nicht den günstigen Eindruck bestätigte, den er von ihr in Erinnerung trug. Die Bewegungen der Elsässerin waren – zumal neben der Pariserin – von schwerfälligem Rhythmus; sie glich einem zwar schlanken, aber etwas täppisch laufenden russischen Windspiel; ihr Gesicht war mehr treuherzig als geistvoll; auch unterhielt sie sich fast gar nicht, sondern ließ sich unterhalten. Er steuerte unauffällig durch die belebten Gruppen und machte sich kundschaftend an Frau Frank-Dubois heran, die ihm zur Tischdame bestimmt war.

Die Herren boten den Damen den Arm; man zog zum Abendessen unter die Arkaden, die unterhalb der Terrasse mit vielen Säulen märchenhaft angelegt waren, mit Lampions und Blumen reizend verziert. Vier blinde Musiker aus Barcelona sorgten für Tafelmusik. Und nun ergossen sich, aus Silber, Porzellan und Kristall, die Genüsse der Tafel über die sehr laute und heitere Gesellschaft, wobei vor allem die Deutschen den südländischen Weinsorten, vom dunkelsten Purpur bis zum edelsten Gold, mit Bewunderung zusprachen.

»Die Älteste sitzt neben mir«, hatte ihm Schaller mitgeteilt, »dafür hab ich Sie zwischen Marthas Mutter und den Goldkäfer gesetzt, der für Sie schwärmt! Auf der andren Seite haben Sie den Geisterseher Bruck. Nehmen Sie sich also nach allen Windrichtungen in Acht!«

Und er hatte dem Baron zugeraunt, dass er sich mit der elsässischen Bourgeoisdame französisch unterhalten möge; sie halte das für vornehmer, und das Hochdeutsche falle ihr etwas schwer. Der thüringische Freiherr stutzte einen Augenblick; aber er war von andern Dingen erfüllt und sah in dieser würdigen Dame vor allem Marthas Mutter.

»Madame«, sprach er, als sie bei Tisch saßen, »gestatten Sie, dass ich Ihnen eine drollige Geschichte erzähle? Auch Sie, Mademoiselle, meine muntere kleine Nachbarin, passen Sie auf! Wissen Sie, Madame, dass ich Sie und Ihre Tochter schon lange kenne? Ich besuchte in

Straßburg im vorigen Herbst einen mir befreundeten Schriftsteller; dieser Schriftsteller hat einen Roman aus der Revolutionszeit geschrieben. In diesem Roman kommt eine Leonie vor, die sich zuletzt mit einem etwas pedantischen Hauslehrer verlobt. Als wir nun dort miteinander an einem großen Platz – heißt er nicht Broglieplatz? – vor einer Buchhandlung standen, kam eine Dame in Pelz und schwarzem Kleid mit ihrer schlanken Tochter vorüber. ›Sehen Sie sich die junge Dame an‹, bemerkte mein Freund: ›so etwa sah Leonie aus.‹ Das war in Straßburg. Und wen find' ich einige Monate später an der Riviera? Jene nämliche Leonie, die mir jetzt hier in Barcelona gegenübersitzt! Ist das nicht eine närrische Welt?«

»C'est charmant!«, rief die Junge. »Ich muss es gleich über den Tisch hinüber Martha erzählen.«

Durch diese natürliche Art, sich zu geben, stellte Ingo rasch einen vertraulichen Ton her.

Aber mit Madame Frank-Dubois entspann sich nach und nach ein immer kühleres politisches Gespräch. Sie vertrat, mit mehr Eigensinn als Begründung, den Standpunkt eines Teils der elsässischen Bourgeoisie, Anschauungen, die weder mit der Mehrheit des elsässischen Volkes noch mit den deutschen Empfindungen des Thüringers harmonisch zusammenklangen. Er ahnte hier Klüfte. Ihre Tochter, äußerte sie mit einem befremdlich anmutenden bürgerlichen Stolz, besuche nur französische Tennisplätze und Gesellschaften.

»Was hat sie denn davon?«, fragte Stein trocken. »Sie schließen sich also vom deutschen Kulturgebiet ab?«

»Wir sind Elsässer.«

»Genügt das? Mit diesem engen Grundsatz kommen ja die Elsässer in den Schmollwinkel.«

»Für einen Fabrikanten kann es ja wohl gleichgültig sein, wo er sein Geld verdient.«

»Ist der Mensch bloß zum Geldverdienen auf der Welt? Hat er nicht auch ein Vaterland?«

»Bei uns Elsässern, die wir Verwandte in Frankreich haben und morgen vielleicht wieder französisch werden – –«

»Aha, *damit* rechnen Sie also?! Glauben Sie denn wirklich, Deutschland werde das mit so viel Blut erkaufte Elsass je wieder herausgeben? Gestatten Sie mir einmal in allem Ernst die Frage: Möchten Sie wieder französisch werden?«

Madame Frank-Dubois zögerte; sie hatte sich nie viel mit diesen Dingen beschäftigt; sie machte eben mit, wie es in ihren Kreisen guter Ton schien.

»Französisch werden?«, wiederholte sie gedehnt. »Das nun grade nicht. Das würde doch wohl wirtschaftliche Störungen mit sich bringen. O nein, das eigentlich nicht! Nur – –«

»Nur eben auch nicht deutsch, nicht wahr?«, lachte Stein. »Also weder Fisch noch Fleisch! Elsässer – weiter nichts! O weh, wie würd' ich Ihr schönes Land bedauern, wenn es ein Zwitterding würde wie Luxemburg! Wissen Sie übrigens, dass auch ich elsässisches Blut in den Adern habe? Eine meiner Urahnen war aus dem oberelsässischen Adel und hat nach Thüringen geheiratet. Sehen Sie, damals sperrten sich die Elsässer nicht ab!«

»Das sag' ich ja auch«, erwiderte Madame Frank-Dubois und atmete auf, denn es war ihr bei diesem Gespräch nicht behaglich gewesen, »drum geb ich ja auch meine Tochter einem – –«

Hier klopfte Herr Schaller, der besorgt in diese Politik herübergelauscht hatte, hell und unternehmend ans Glas; und die erglühende Martha senkte den Kopf. Er erhob sich in seiner ragenden Größe und stemmte das Monokel ins Auge; sein kühnes und festes Herrengesicht glänzte wie die Rose in seinem Knopfloch; der studentische Schmiss glühte doppelt keck in der vielfarbigen Beleuchtung der Lampions. Die Saitenmusik schwieg; das Tischgespräch ging über in erwartungsvolle Stille.

»Meine Damen und Herren«, sprach er auf Deutsch, übersetzte aber sogleich jeden Satz mit eleganter Handbewegung ins Spanische, »die erste Überraschung des Abends bestand darin, dass ich Ihnen einen geistreichen Idealisten, den ich schätze und beneide, heute Abend zugeführt habe.« Er winkte mit leichter Verneigung dem Baron zu. »Ich für mein Teil pflege offen meinen Realismus zu bekennen, denn ich mache gar kein Hehl daraus, dass mir der Sperling in der Hand lieber ist als die Taube auf dem Dache. Noch lieber ist mir *die Taube* in der Hand als der Sperling auf dem Dache. Und ich bin in der glücklichen Lage, Ihnen sagen zu dürfen, dass ich ein Täubchen gefangen habe, eine schöne weiße Taube, die fortan meine Arche Noah über den Ozean des Lebens geleitet wird. Meine Herrschaften, gestatten Sie mir, Ihnen meine Braut vorzustellen, Fräulein Martha Frank-Dubois!«

Erstaunte Stille – dann ein brausendes Hoch in allen drei Sprachen von allen Seiten des langen Tisches und der wunderlich gemischten Gesellschaft! Es war ein Knalleffekt! Man hatte geahnt, man hatte getuschelt; aber nur wenige waren auf die deutliche Tatsache gefasst gewesen. Alles drängte nun zu dem Brautpaar heran, Gläser klangen, Glückwünsche flogen, Umarmungen fluteten über die Braut herab; und mehr als ein Tropfen des köstlichen Getränkes spritzte auf Tisch und Teppich.

Stein saß vom Donner gerührt.

Der Trinkspruch hatte ihn einfach niedergeschmettert.

Die Andeutungen der Jüngsten während des Abends hatte er nicht verstanden oder auf sich bezogen; dass etwas in der Luft lag, hatte er nur vorübergehend empfunden. Jetzt saß der Troubadour mehrere Sekunden mit buchstäblich offenem Munde und starrte sein entzaubertes Ideal an, das sich mit der rosig verschönten Anstandsmiene eines gut erzogenen Mädchens erhoben hatte und Umarmungen über sich ergehen ließ.

Dann aber kam ihm seine gesellschaftliche Schulung zu Hilfe. Er sprang auf, schlug in die Hände und rief immer wieder: »Großartig!«, küsste der Mutter die Hand, riss die Kleine übermütig ans Herz und nahm sie mit hinüber zur persönlichen Beglückwünschung. Denn alle Tischordnung war auf eine Weile zerbrochen.

»Hätt' ich eine Ahnung gehabt!«, rief er drüben. »Ich hätte mir's nicht nehmen lassen, mit Reim und Lautenklang das festliche Ereignis zu feiern.«

»Es wäre zu nett, wenn Sie Ihre Laute mitgebracht hätten«, versicherte die Braut mit schicklicher Höflichkeit.

Und so lachten sie und plauderten inhaltlose Sachen und bedauerten das Fehlen der Laute und schüttelten Hände und gingen nachher, als Schallers Geschäftsteilhaber ans Glas klopfte, um kurz und korrekt zu beglückwünschen, wieder an ihre Plätze. Die Woge der Festfreude legte sich einen Augenblick, schwoll aber immer wieder an; einige Mütter seufzten, dass ihnen der reiche Kandidat entgangen war, Steins

Herz hämmerte, die Jugend war elektrisiert – und alle miteinander strahlten, schwatzten, lachten und zechten um die Wette.

Es wurde getanzt. Der Troubadour fantasierte später, als sich die Gesellschaft verteilte, so toll am Flügel, dass der spanische Professor vor Begeisterung aus dem Häuschen geriet. Schaller ließ sich die »Rosenlieder« singen, sein Leiblied; denn er wurde sentimental. Dann tanzte man wieder zur Musik der Blinden; die jungen Leute führten ein harmlos Scherzspiel auf; man trank sämtliche Spirituosen durch – bis lange nach Mitternacht der Halbmond über Meer und Montjuich stand. Stein machte allen halbwegs hübschen Damen ebenso unbedenklich wie liebenswürdig den Hof; verliebte Paare lustwandelten im Garten; er glaubte sich zu entsinnen, Hände, Wangen und Lippen geküsst zu haben, sogar die leider nach spanischer Unart gepuderte und geschminkte Carmen.

Gegen Morgen saß er schweren Hauptes in einem Automobil, hatte jedoch Besinnung genug, nach dem Überzieher zu tasten, ob die provenzalischen Briefe noch darin wären. Ja, da waren sie noch wohlbehalten an Ort und Stelle. Und so glitt er denn auf lautlosen Gummireifen mit seinen Briefen und mit seinem Rausch ins Hotel zurück, wo er lachend ankam und immer vor sich hinrief:

»O Troubadour! O Troubadour!«

Zweiter Teil: Ingos Einkehr

7. Der Gralsberg Montserrat

Wer ist der Gral?
Das sagt sich nicht.
Doch bist du selbst zu ihm erkoren,
Bleibt dir die Kunde unverloren.

Richard Wagner

In stiller Größe walten über den wechselnden Schicksalen der Menschheit die Genien der Güte und die Meister der Innerlichkeit.

Nicht ist es ihre Sache, sich um den Haushalt des Alltags oder das Getriebe der Gattung zu kümmern; das besorgen andre Geister und Dämonen, ruhelos den Erdball umdrängend.

Aber die Meister warten. Die Meister warten auf einzelne erwachende Seelen. Und wenn ein Gralsucher sich losringt von den Trieben der Masse und fortan seinen persönlichen Weg sucht, so senden sie ihm ermunternd und beratend einen Lichtboten.

»Dort ist ein Suchender deiner Teilnahme wert, lieber Bote«, sagen dann die Meister. »Geh hinab, werde sein Schutzgeist! Arbeite an seinem Herzen, durchdring' ihn mit dem Bewusstsein ewigen Wertes! Lass ihn stolz sein, doch ohne Hoffart! Sag' ihm, dass nicht Titanenwille den Göttersitz erobert! Denn wir sind es, die den durch uns hindurchrinnenden göttlichen Strom weiterschenken; aber wir schenken nur dem, der zur Erkenntnis stiller Größe nach Kampf und Irrfahrt reif geworden. Geh hin, lieber Bote, tue dein Werk!«

Und die Lichtboten tauchen tatenfroh hinab in die Lebensfluten der Erde.

Wenn aber Boten des Lichtes vorüberziehen an den Gestaden der Düsternis und der Vernüchterung und der Weichlinge, die an des Lebens Würde verzweifeln, so strahlt in doppelter Schönheit der Gottesboten Gesicht.

Sie drehen der flammenden Schwerter flache Klinge dem Gestade zu, sodass ein Widerstrahl von dem kraftvollen Silber hinüberblitzt in das Land der Dumpfheit.

Da hebt dort einer oder der andre sein Haupt: »Wer zieht vorüber? Wer hofft noch? Wer wagt noch an Freiheit und Freude zu glauben in diesem Räderwerk der Fronen?«

»Ich, mein Bruder!«, flammt es zurück. »Und sieh her, wie meine Muskeln straff und meine Blicke voll Mut sind und mein Atem den Busen schwellt! Sieh her, wie mir wonnig und wohl ist, weil ich wandeln darf als Bote der Gottheit!«

»Bis jetzt haben Sie Laute gespielt oder Klavier, Herr Spielmann«, sagte der Konsul. »Aber Sie kennen noch nicht die Macht und Tiefe der Orgel. Wie die Orgel zur Laute, so verhält sich der Montserrat zur Wartburg. Was Sie mir soeben aus Ihren Blättern über Lourdes vorgelesen haben, lässt mich annehmen, dass Sie dort eine erste Weihe empfangen durften; das heißt, eine Ahnung von den höheren Gesetzen, die hinter dem Sichtbaren walten. Vielleicht gibt Ihnen dieser Berg eine zweite Weihe. Und das Leben selber hernach die dritte und beste.«

Sie saßen bereits in der Bahn, als diese Worte gesprochen wurden. Das Reiseziel der Familie Bruck und des Spielmanns war nicht mehr fern.

Der Felsenberg Montserrat erhebt sich einsam und majestätisch aus den Hügeln der katalonischen Landschaft.

Nähert man sich an duftigem Sonnentage von Barcelona her dem Städtchen Monistrol im vielgewundenen Tal des Llobregat, so scheint sich plötzlich am Horizont ein Wolkengebirge zu türmen. Man späht genauer – und man entdeckt mit erhabenem Staunen: Es sind keine Wolken, es sind Felsen!

In abenteuerlichen Steinformen zackt sich der gewaltige Berg wie eine Walhalla aus den Dünsten des Flachlandes empor. Sein Name ist Montserrat, das heißt Zackenberg, weil wie die Zähne einer Säge diese Kammlinie zerrissen und zerschnitten ist. Und umso wirksamer ist der langgestreckte und hohe Felsenbau, weil er sich einsam mitten in wenig hohen, zerwaschenen Lagerungen der katalonischen Lehmhügel erhebt.

Die Fantasie gesellt sich hinzu und verbindet mit dieser Stätte eine der tiefsinnigsten Legenden.

An diese hohe Felsenburg heftet sich eine Sage, die aus keltischen Bezirken stammt. Der Montserrat ist der mittelalterliche Montsalvat oder Munsalvaesche der Gralsage.

Dem Gralsucher Ingo von Stein war der Gral, dieses geheimnisvolle Becherkleinod, das verjüngende Kraft gibt, lange schon anziehend und bedeutsam. Er fühlte längst den unbestimmten Drang, durch Klingsors Gärten und Blumenmädchen hindurch diesen schwer zu erreichenden Einsiedlerberg zu besuchen. Doch ohne Kenntnis des Spanischen ist die Fahrt zum Montserrat beschwerlich. Es ist oben, auf einer Felsenterrasse, eingenistet in eine Schlucht, nur ein großes Benediktinerkloster mit allerlei umfangreichen wirtschaftlichen Gebäuden und Logierhäusern. Ein Gasthaus nebst Kaufladen ist zwar auch vorhanden, aber kein eigentlicher Hotelbetrieb, nur einige Laienbrüder, die das Gepäck besorgen. Die Gäste, die familienweise kommen, erbitten sich je nach ihrer Kopfzahl in irgendeinem der Logierhäuser eine Wohnung und bereiten in der dazu gehörigen Küche ihr Essen selber. Durch ein schickliches Trinkgeld entschädigt man das Kloster für die Gastfreundschaft. So sind dem einzelnen Ausländer die Zugangsbedingungen erschwert; doch umso ungehemmter kann er sich dann der Einsamkeit des Berges überlassen.

»Ich glaube gelesen zu haben«, äußerte Stein, als er mit der Familie Bruck auf der gewundenen Zahnradbahn im Schatten der Felsenwände hinauffuhr, »dass schon Wilhelm von Humboldt begeistert von diesem Berge gesagt hat, er habe nie einen ähnlichen Anblick genossen, denn an dieser Stätte vereinige sich alles, was einer Landschaft Größe und Schönheit zu geben vermag.«

»Sie werden staunen«, sagte der Konsul. »Ich war schon vor Jahren oben.«

»Im Übrigen muss ich Ihnen gestehen, dass ich Spanien nicht sehr liebe«, fuhr der Troubadour fort. »Es ist Grausamkeit in diesem Volk der Stierkämpfe; sie haben Peru und Mexiko vernichtet, waren mit Bluthunden hinter den Indianern her, haben Torquemada, Alba und die Inquisition erzeugt – ein fanatisches Land, kein Land der Liebe!«

»Immerhin, sie hatten auch den Vorkampf gegen die Mauren«, fügte Bruck ausgleichend hinzu und strich nachdenklich seinen Druidenbart. »Sie haben in ihrer Art, unter dem Cid zum Beispiel, den Gral des Christentums gegen die Araber behütet.«

»Das ist wohl wahr«, räumte Ingo ein. »Aber es saßen damals Germanen in Spanien: Goten. Und erst im mittelalterlichen Deutschland hat sich der Gralsgedanke vertieft. Es ist vielleicht eine europäische Mission der Germanen, solche Gedanken zu pflegen und wachzuhalten. Wolfram von Eschenbach hat sie nach Deutschland getragen, Richard Wagner hat die alte Burg neu erbaut im Herzen moderner Kultur und Kunst.«

»Wer ist der Gral?«, zitierte Brucks belesene Tochter aus Wagners Parsifal. »Das sagt sich nicht; doch bist du selbst zu ihm erkoren, bleibt dir die Kunde unverloren.«

»Waren Sie in Bayreuth?«

»O ja! Und sahen den Gral und das Nibelungengold.«

»Wunderbare Gegenstücke! Der Edelstein des Heils – und das Gold des Unheils! Jener kommt aus der Höhe – dieses aus den Tiefen. Dort eine Taube – hier ein Drache. Wunderbar!«

»Ja, und dort Reinheit, hier Begierde. Man kann sagen, dass Parsifal ein geläuterter und erlöster Siegfried ist. Auch der Drachentöter hat einen Speer, tötet damit und wird getötet. Aber Parsifals Speer heilt.«

Ingo und Bruck verstanden sich erstaunlich in der Deutung dieser tiefen Symbole; sie nahmen einander förmlich das Wort von den Lippen und setzten sofort ein, wo der andere aufhörte. Im hochgebildeten Freiherrn von Stein wurde die einfach-große Madonnenstimmung von Lourdes wieder lebendig; es arbeitete etwas in seinem ganzen Organismus. Sein Zustand war kein Denken, sondern mehr als dies, auch das Denken umfassend: Sein Zustand war einsaugendes Erleben. Und Bruck selber, einem alten Barden an Gestalt nicht unähnlich, schien gefüllt zu sein mit solchen Gedanken, deren plastische Kraft durch sich selber und ohne Beweis überzeugte.

»Da nach der Sage so viele Ritter das Kleinod des Grals gesucht haben«, sprach der Freiherr, »so muss es sehr schwer zu erringen, sehr kostbar und sehr geheim sein.«

»Das Einfachste ist meist das Schwerste«, warf Bruck ein.

»Ja, denn diese großzügige Einfachheit ist eine Summe von tiefsinnigen und verwickelten Dingen, aber ins Klare gebracht«, fuhr Ingo fort. »In einem Tautropfen spiegelt sich eine ganze Umwelt. Und so ist wohl der Gral gesammelte Kraft.«

»Ganz gewiss, und zugleich Heiligkeit, Lebensheiligung, denn er hängt mit dem Karfreitag zusammen.«

»Sehr wahr, er ist eine Mischung aus keltischer Sage und christlicher Legende. Die Sage vom Wunschgefäß – vom Tischleindeckdich – vereinigte sich mit der Kunde von jener heiligen Schale, aus der das letzte Abendmahl gehalten worden und in die Joseph von Arimathia Christi Blut aufgefangen hat. Die Sage ist also ritterlich und religiös zugleich. Welt und Himmel, Abenteuer und Gebet, Fantasie und Ethik! Ja, bis ins alte Indien führt sie zurück: Das Wunschgefäß, das so viel Segen gibt, soll die Sonne selber sein, aus den Drachenwolken herausgekämpft von Indras Speer.«

»Da dieses leuchtende Kleinod aus den geistigen Welten kommt, hat man es sogar für einen Meteorstein gehalten«, fügte Bruck hier lächelnd ein.

»Und Munsalvaesch mag man ja von *sauvage* ableiten und als Wildenberg deuten«, meinte Ingo. »Doch sinniger deucht mir die Ableitung von *salvus*: Heilsberg.«

»Ein materialistisches Geschlecht hat das Geheimnis des Grals verloren«, schloss der Konsul und schaute ernst an den Tempelmauern dieses gigantischen Berges empor. »Denn sie haben heute weder Ehrfurcht noch Heiligtum und müssten in einer neuen Mysterienschule erst wieder nachdenksame Einsamkeit lernen.«

Als sie hinaufkamen vor die großen, vielstöckigen und mehr massiven als schönen Häuserkasten aus rötlichem Stein, die sich unter überhangenden grauen Felsen neben Kloster und Kirche ausbreiten, verhandelte der Konsul mit den Angestellten und ließ sich eine Wohnung von zehn Zimmern öffnen, sodass jede Person zwei Zimmer zur Verfügung hatte. Ein Vorraum und ein Esszimmer in der Mitte blieb dem gemeinsamen Gebrauch vorbehalten; die Betten wurden überzogen; ein Glasschrank enthielt die nötigen Gläser und Geschirre.

Und nun war man behaglich allein in dem fast noch unbewohnten, großen, hallenden Hause, das nur im Hochsommer mit Flüchtlingen aus der Bruthitze der Ebene überfüllt zu werden pflegt. Frau Bruck hatte ihr Dienstmädchen mit; es knisterte bald in der Küche; und Ingo saß, als Gast dieser ernstgestimmten Familie, mitten in Spanien an einem deutschen Tisch.

Die Frauen, von häuslichem und unauffälligem Wesen, beide mit warmen braunen Augen, deren Blick wohl tat, zogen sich früh zurück. Die Tochter, eine junge Witwe, barg irgendeinen Lebenskummer, auf den man aber nicht zu sprechen kam. Die beiden Männer packten ihre Lodenmäntel aus und schritten dann miteinander in den kühlen Abend, eingehüllt wie Mönche, um in der Kirche dem berühmten Vespergesang zu lauschen.

Denn die Mönche des Montserrat sind berühmt durch ihre Musikschule. Sie unterrichten dreiunddreißig Knaben als Schüler; nur begabte Jugend wird dieser Ehre teilhaftig. So kann man dort im Zauberdunkel der Kirche, besonders abends, eindrucksvolle Kirchenmusik vernehmen; biegsamen und hellen Knabenstimmen antworten männliche Gegenchöre der Mönche; beide Gruppen bleiben unsichtbar; und die Begleitung der Orgel wird verstärkt durch ein kleines Orchester. So ist der ganze Raum, in dem nur wenige Beter anwesend sind, erfüllt von gregorianischer Kirchenmusik.

Auch hier bildet die Statue einer Jungfrau den Herzpunkt der Kirche: eine Madonna, angestrahlt von vielen Kerzen. Sie steht über dem Altar unter einem goldverzierten Bogenwerk, inmitten eines maurisch-byzantinischen Chors, der von Gold funkelt. Die Jungfrau ist blütenweiß gekleidet, das Kleid bauscht sich nach unten, viele Kerzen vereinigen ihre Leuchtkraft: Aber ihr Gesicht ist schwarz. Das Maurische des Chors und die Schwärze der Jungfrau wirken fremdartig und orientalisch.

Dieses höchste Heiligtum Kataloniens entstand vor einem Jahrtausend im Grenzkampf zwischen arabischer und christlicher Kultur, zwischen semitischen und christlichen Vorstellungen. War es das Erbe vielleicht schon eines phönizischen oder vorarischen Heiligtums? Der Berg ist ja ein riesenhafter Altar. Es saßen zur Zeit der Maurenkämpfe Goten in Spanien; Gundomar hieß der Bischof, unter dem vor tausend Jahren das Bild gefunden wurde. Die schwarze Holzfigur soll aus Palästina stammen und war in einer Höhle des Berges verborgen; noch heißt die Grotte *cueva de la virgen*; Hirten sahen dort jeden Sonnabend einen Glanz – man drang mühsam vor und fand diesen heiligen Gegenstand. Eine Grotte und eine Madonna auch hier – wie dort in Lourdes!

Von einem Gral weiß diese kirchliche Legende nichts. Man müsste denn dieses wohlbehütete, angeblich aus Palästina stammende Jungfrauenbild als einen Heiligen Gral ansprechen; wobei die ehemaligen Einsiedler als Gralsritter zu betrachten wären.

Der Konsul erzählte dies alles.

»Es waren einst«, fuhr er fort, »da oben auf dem weitgedehnten Felsenberg, noch höher als das Kloster, zwölf Einsiedeleien über den Montserrat zerstreut, mit einer dreizehnten – Santa Anna – in der Mitte, worin der älteste und würdigste dieser Eremiten wohnte, während immer der jüngste die fernste und steilste Klause – San Jeronimo – zugewiesen bekam. Nun ging damals über den ganzen Berg ein sogenanntes ewiges Geläute. Um zwei Uhr morgens gab die Klosterglocke das Zeichen: Die Mönche erhoben sich und zogen zu Gebet und Gesang in die Kirche; nach bestimmter Zeit nahm die nächste Einsiedelei Glockenzeichen und fromme Übung auf; und in genauer Reihe und Zeitfolge setzte sich das fort, bis um Mitternacht San Jeronimo den Beschluss machte. An bestimmten Tagen und Stunden vereinigten sich alle Eremiten bei Santa Anna, im Mittelpunkte des Hochtales; von dort wanderten sie nach einem Felsenvorsprung, von wo das Kloster sichtbar war, und sangen das *salve regina* herunter. Viele Äbte und andre hohe Geistliche haben sich nach arbeits- und studienreichem Leben hierher zurückgezogen und sind Einsiedler geworden, oft von Königen und Fürsten in ihrer Stille besucht und um Rat gefragt. So ist die Luft dieses Berges magnetisiert von heiligen Gedanken. Und Loyola folgte einer richtigen Ahnung, als er sich nach seiner Bekehrung hierher begab und in dieser geweihten Luft seine berühmten Exerzitien schrieb. Denn dieser Berg hat viel Magnetismus, ich spüre das.«

Stein saugte mit erstaunten Sinnen diese absonderlichen Dinge ein. Der Montserrat, dessen sich jetzt die Nacht bemächtigte, wurde immer sprechender und merkwürdiger. Diese Felsengebilde da oben waren Statuen; hatte ein Urvolk seine Götter in Stein gehauen?

Die beiden Wandrer fühlten sich erhaben gestimmt von der ungewöhnlichen Kirchenmusik und ergingen sich auf dem äußersten Vorsprung, wo ein Denkmal an jenen spanisch-französischen Kampf aus der napoleonischen Kriegszeit erinnert, dem die Einsiedeleien zum

Opfer gefallen, nachdem ein französischer General von San Dismas herab das damalige Kloster in Grund und Boden geschossen hatte.

Unter dem Schein des wachsenden Mondes erhöhte sich noch das Fantastische der Felsformationen. Und fantastisch antwortete dem Berge das verschnörkelte Land mit dem Flusslauf des vielgekrümmten Llobregat. Überall ausgeschwemmte Tonerde, mit kahlgewaschenen Felsenzügen dazwischen, voll von Runzeln und Schrunden, einer Mondlandschaft nicht unähnlich.

»Abenteuerlich!«, rief Stein. »Man ist in einer Märchenstimmung, ganz dem Gewöhnlichen entrückt!«

»Und eine abenteuerliche Situation!«, fügte er für sich selber hinzu, als er sich nachher in der eisernen Bettstelle dehnte. Er schaute sich noch einen Augenblick in dem schmucklosen weißgetünchten Zimmer um und löschte dann die Kerze.

Grimmig zog er die Wolldecke um die Ohren und lachte grimmig über den Schabernack, den ihm das Schicksal da unten in Barcelona gespielt hatte. Bitterkeit lag nicht in seiner Natur; aber Wehmut wuchs im Laufe der lautlos ruhigen Nacht. Kein Geräusch der Ebene drang an sein Ohr; nur in ferner Schlucht vernahm er den Gesang einer Nachtigall. Die Steingiganten über ihm hielten ritterliche Wacht; der unvollkommen leuchtende Mond warf die langen Schatten dieser Ritter den mitternächtigen Berg entlang. Welche Wirkungen des Mondes!

So lag er lange wach und horchte in die große Nacht und glaubte der Erde und seinem bisherigen Leben entrückt zu sein – auf einen Felsen geschwemmt, wie ein Schiffbrüchiger der Titanic.

Nach und nach gestaltete sich diese erste Nacht auf dem Montserrat, hoch über den Eisenbahnpfiffen der unruhigen Erde, zu einer stillen Rückschau.

Er zog die Summe seines bisherigen Lebens.

Vor fünf Jahren hatte sich Ingo von Stein in den Gärten am Horn zu Weimar eine Wohnung eingerichtet, hatte Bibliothek, Klavier, Gemälde, Büsten, Fernrohr und andre Dinge geschmackvoll untergebracht und gedachte nun seinem Ideal einer persönlichen Universalbildung schaffend nachzuleben. Doch die Meister seines Schicksals waren damit noch nicht einverstanden. Sie stellten Friederike von Trotzendorff zwischen ihn und seine Braut. Und als Friedels geniale Natur alle

Register ihrer Fantasie- und Gefühlsromantik zog, trat die herbe, gefühlskeusche, etwas menschenscheue Elisabeth still zurück; der Briefwechsel mit ihr entschlief; sie wurde Krankenschwester beim Roten Kreuz und begab sich später zu ihrer Schwester nach Pommern. Aber das Kleeblatt bereiste Italien und England, ging allsommerlich nach Bayreuth und Tirol oder an die See; und der Statistiker und Soldat Richard war glücklich, dass die gern fliegende Gattin einen Flugkameraden gefunden hatte. Ingo selber tat tiefe Einblicke in den Reichtum, die Zartheiten, die Wunderlichkeiten einer Frauenseele und wurde durch diesen Bund im Innersten gefördert, ja – wie sie oft scherzend sagte – mit Genialität angesteckt. Bis dann diese Kameradschaft, durch zwei harmlose Mädchen, in der Provence und am Fuße der Pyrenäen, in der bisherigen Form zerschellte. Und – seltsame Fügung! – gleichzeitig trat Elisabeth wieder in Sicht! Und zwar dort in Lourdes, inmitten der ernsten Krankenstimmung, die so viel stille Kraft entfaltet, dort bei Bernadette und ihrer wundersamen Madonna! Die heitere Schar der Troubadours – und dann die ernste Schar der Kranken von Lourdes: – welch ein Gegensatz!

»Seltsam das alles!«, dachte der Gralsucher. »Elisabeth, die Krankenpflegerin, hat sich immer dem Lebensernst gestellt und war auf soziale Fürsorge gestimmt – doch Friedel und ich? Wir sind immer davongeflogen in heitre Gefilde. Kann es da keinen Ausgleich geben? Damals wär' ich Spießbürger geworden, hätt' ich mich mit Elisabeth in jenes gemächliche Heim eingelullt – aber jetzt? Sind heimliche Führer über meinem Leben? Haben sie Friedel benutzt, wie sie sich jetzt der Mozart-Mädchen bedienten? Ach, ihr seid mächtiger als ich! Ihr führt mich im Zickzack durch die Welt, foppt mich mit hübschen Gesichtern – und werft mich zuletzt auf diesen einsamen spanischen Berg, nachdem ihr mir Elisabeth und Friedel und diese kleine Martha genommen habt! Ist das der Gral? Ist dies nun das unbekannte Land, das ich suche?«

Immer wieder blitzte in seine beginnende Schwermut der Gedanke hinein, es sei dennoch planmäßige Führung höherer Mächte, die hinter dem Sichtbaren stehen.

»Ist der Gral vielleicht gar keine fertige Sache – so wenig wie jener Tempel? Kristallisiert er sich vielleicht in uns nach und nach? Und leuchtet dann als ein Licht inmitten des Lebenstempels, den wir selber nach und nach aufbauen?!«

Er rollte sich qualvoll in seiner Wolldecke hin und her; Sinnenhunger, Lebenshunger, Gestaltungsdrang glühte in dem gesunden jungen Manne, der hier vereinsamt, von weiblicher Liebe verlassen, auf dem weltfernen Montserrat lag. Denn nicht mit Bausteinen der Romantik allein baut man die Gralsburg, sondern nur aus der Fülle wirklichen Erlebens ...

In der gleichen Nacht schaute der wachsende Halbmond in das Fenster eines Sanatoriums in München, wo eine schöne Frau bei elektrischem Licht schlaflos lag und unter Schmerzen der Seele und des Körpers umsonst zu lesen versuchte.

In der gleichen Nacht kauerte ein halbwüchsiges Mädchen zu Barcelona im Nachtgewand auf dem Bettrand der älteren Cousine und unterhielt sich mit ihr darüber, dass der Baron eigentlich noch netter wäre als Onkel Schaller, und dass ihn Martha gewiss genommen hätte, wenn er ein wenig früher gekommen wäre. Und unten saß Madame Frank-Dubois mit Marthas Bräutigam zusammen und rechnete ihm vor, dass sie ihrer einzigen Tochter vorläufig rund hunderttausend Mark mitgeben könne.

In der gleichen Nacht stand in Thüringen die hohe Gestalt des Fräulein Elisabeth von Stein-Birkheim am Bett ihres schwerkranken Vetters und gab der neuen Krankenschwester Anweisung, wie der Kranke zu pflegen und zu beköstigen sei, da sie selbst am andren Morgen mit der leidenden Mutter an den Genfer See reisen musste. Dann fuhr sie spät in der Nacht im Wagen durch den Mondschein nach Hause und empfand es in stillem Hinträumen als ein großes Glück, Leidenden helfen zu dürfen. »Es ist auch eine Form von Liebe«, fügte sie leise hinzu, nistete sich in ihren Pelz ein und schloss seufzend die Augen.

»Wir zwei werden heut' allein den Gralsberg besteigen«, sprach Konsul Bruck am andern Morgen. »Meine Damen lassen sich entschuldigen, sie sind müde und möchten einstweilen ausruhen.«

Also nahmen die beiden Herren Lebensmittel in den Rucksack, Lodenmäntel auf den Arm, Stock in die Rechte und stiegen durch

Morgennebel eine schmale Schlucht empor zu den Ruinen der Einsiedeleien.

Diese Schluchten sind üppig durchwachsen mit Efeu, Rosengebüschen, Buchsbaum und Steineichen nebst andren Bäumen und Büschen dieses pflanzenreichen Landes. Die Stufen sind neu zurechtgehauen, enge Stellen zwischen den Felsen sind erweitert. So kommt man, wenn man die letzte schmale Felsenpforte überschritten hat, plötzlich in ein wildschönes Hochtal hinan, in dessen Mitte die spärlichen Trümmer der Einsiedelei Santa Anna liegen, und das aufs Neue von gigantischen Felsen umstanden ist – ein doppelt großartiger Anblick, wenn die mächtigen Steingebilde durch ziehende Nebelwolken hindurch sichtbar sind.

Diese Felsen sind rundbäuchig und kegelförmig, oft in dichten Gruppen aneinandergebacken; sie sehen manchmal aus wie Donjons und Bastionen; dann sitzt es wieder wie ein verzauberter Kopf auf der unteren Säule; und oft scheint ein riesiges Profil herüberzudrohen aus diesen grauen, kieseldurchsetzten Monolithen, aus diesen versteinten Termitenhaufen. In einzelnen Ballen wirbelt der Nebelrauch vorüber, als stände jenseits des Montserrat eine Welt in Brand. Grün und grau im Wechsel sind die Farben dieses Hochlandes, das vor Winden geschützt und nur nach Osten offen ist, wo jetzt die Sonne durch die Nebel zu brechen sucht.

Von einem Vorsprung zur Rechten aus entdeckt man noch einmal unten die Klostergebäude; hier war es, wo die dreizehn Einsiedler das *salve regina* zum Heiligtum hinuntersangen. Und hier, auf diesen spärlichen Mauerresten, standen Eremitage und Kapellen von Santa Anna. Weiter oben sind die Trümmer von San Benito; und ganz oben und hinten, ein wahrhaftiges Schwalbennest an scheinbar unzugänglichem Felsen, hängt das Trümmergemäuer der Einsiedelei San Salvador.

Deutlich vernahmen sie den Schall der Klosterglocken; denn dieses Hochtal mit seinen Felsen ist ein Schallfänger. Amseln schmetterten in der Ferne; kleinere Singvögel belebten mit leiseren Stimmen die liebliche Nähe.

Einsiedlerstimmung! Karfreitagszauber!

Eine Hummel hing am Thymian und summte dann mit tiefem Ton von Blume zu Blume, sodass es klang wie unterirdischer Glockenhall, der dem Glockenton des Klosters Antwort gab. Alle Geräusche, auch die Stimmen, erhalten zwischen jenen Felsen volleren Hall und stärkere Bedeutung. Die Einsiedler durften sich kein Haustier halten; sie aßen kein Fleisch; aber ihre Gefährten waren die wilden Vögel, die sich unscheu in der Hütte niederließen und mit dem frommen Manne Freundschaft schlossen. Gebet, Geläut und Vogelschlag klangen zusammen bei dieser *laudatio perennis*, diesem ewigen Lobgesang, der über den Berg ging.

Auf den Trümmern von San Benitos Einsiedelei sitzend, wo eine Steineiche aus den Überbleibseln der Mauer dringt, vernahmen die Wanderer vom tiefen und unsichtbaren Kloster her Kirchengesänge. Zugleich wurde das östliche Land ein wenig nebelfrei und gestattete einen Fernblick auf die spanische Ebene. Drüben aber, am scheinbar pfadlosen Felsensaum, schritt ein Mann mit einem belasteten Maultier langsam zu Tal. Im Übrigen war das ganze Gelände von einer erhabenen Einsamkeit.

»Wir wollen höher hinan«, schlug Ingo vor, »wir wollen uns einen Weg nach San Salvador bahnen.«

Der Fußpfad nach dieser hohen Ruine ist kaum zu sehen und durch Gestrüpp versperrt. Doch oben ist ein gefälliges Höhlengemach in den Felsen eingehauen, ein prachtvoller Sitz, der die Mühe des Aufstiegs lohnt. Die wohnliche Grotte ist durch eine Röhre mit einer höher gelegenen Zisterne verbunden, sodass der Siedler wie aus einem Brunnenrohr Wasser auslassen konnte. Diese Eremiten ließen es sich angelegen sein, zunächst eine Zisterne anzulegen auf diesem nicht wasserreichen Bergland, indem sie durch eingegrabene Rillen Wasser sammelten. Sie ummauerten den Behälter und schützten das wertvolle Nass gegen die Sonnenglut. Auch Spuren eines Gärtchens sind bei San Salvador. Die Wanderer entdeckten blaue Lilien und Goldlack und beschlossen, diese Gaben der hohen Wildnis später den Damen hinunterzubringen. Und welch ein uralt Gemäuer! Schon im Jahre 1272 starb hier oben ein Anachoret, der fünfundvierzig Jahre diese hohe Siedelei bewohnt hatte. Der Blick von hier nach Süden und Osten, über die wechselnd beleuchtete Ebene, fängt gewaltige Schönheit ein. Gegen den Nordwind schützen Felswände. Und durch das Gestrüpp tastete sich Ingo zu einem Pfad, der nach einem neuen Hochtal Ausblick gewährte: nach San Antonio und jenem natürlichen Felsenturm, der Caball Bernat heißt. Ein Falkenpaar umkreiste die Fremdlin-

ge; ein Kuckuck rief aus dem neuen Frühlingstal herüber; Felsen-
rundtürme erhoben sich in unmittelbarer Nähe, Giganten der Urzeit,
verzauberte Gralsritter, die in dieser feierlichen Einsamkeit ein Geheimnis hüten.

»Ist dies der ältesten Götter
Unheimlich erhabenes Haus?«

Stein sprach es vor sich hin, am Eingang der Höhle auf seinem
Mantel liegend, während Bruck Vorräte auspackte.
Der Troubadour hatte die Laute zu Hause gelassen. Sie passte mit
ihrem idyllischen Geklimper nicht mehr in solche großzügige Umgebung. Doch schrieb er sich einen poetischen Gedanken auf, unter
dessen Eindruck er stand.

»Ist dies der ältesten Götter
Unheimlich erhabenes Haus?
Großartige Steingestalten
Schauen herab und hinaus.

Titanen der ältesten Rasse
Belebten titanisch den Stein;
Sie prägten die eigene Größe
Dem großen Gebirge ein.

Sie gaben den Felsen Gesichter:
Da ragten gespenstisch rings
Die gralbehütenden Ritter,
Die Memmonsäule, die Sphinx ...«

»Sie haben mich neulich«, begann Bruck nach einer Weile, scheinbar
ohne Anknüpfung an Gral und Sphinx, »auf dem Festabend in Barcelona verwundert ins Auge gefasst, als Schaller die Worte hinwarf, Sie
möchten sich vor mir hüten, denn ich sei ein Geisterseher. Es war
Scherz von Schaller; aber in Wahrheit verachtet er meine Weltanschau-
ung gründlich, was mich übrigens weder wundert noch ärgert.«

»Ich erinnere mich«, erwiderte Stein. »Wir sprachen ja wohl an jenem Abend auch von Elfen und Nixen?«

»Ganz recht! Sie sagten einmal: Wenn's Elfen gäbe, worauf ich erwiderte: Warum soll's denn die nicht geben?«

»Ja, ich erinnere mich dessen deutlich.«

»Nun gut«, fuhr der Konsul fort und strich mit der ihm eigenen unerschütterlichen Gelassenheit seinen grauen Vollbart, »ich habe meine Verteidigung oder Erklärung aufgeschoben bis zu dieser ruhigen Stunde. Und da Sie mich gestern Abend wiederum verwundert anschauten, als ich vom Magnetismus dieses Berges sprach, bin ich Ihnen nähere Mitteilungen schuldig. Sie sind zwar ein philosophisch und literarisch gebildeter Mensch; aber mir wäre das wohl zu farblos. Ich brauche Tatsachen. Und so war ich zunächst Materialist, bis mich vor etwa zehn Jahren allerlei Erlebnisse zu spirituellen Einsichten zwangen. Heute such' ich keine Beweise mehr für die Unsterblichkeit der Seele, denn sie sind mir in überreicher Fülle gebracht worden.«

»Experimentelle Beweise?«, fragte Stein bedenklich.

»Es ist schwer darüber zu sprechen«, erwiderte der merkwürdige Mann. »Um aus höheren Sphären Mitteilungen zu erhalten, muss man sich vor allen Dingen selber zu höherer Wesensart reinigen und erziehen. Anders ist eine Verbindung mit oberen Mächten gar nicht möglich.«

Der Konsul begann vorsichtig und taktvoll zu erzählen; Stein hörte mit vorurteilsloser Aufmerksamkeit dem älteren Gefährten zu.

»Tatsachen, wie ich sie Ihnen mitteilen kann, sind durch die ihnen innewohnende natürliche Würde und Schönheit erhaben über die sogenannte Debatte, wie ihr ja wohl in Deutschland das Zanken einer größeren Menge nennt, mit nachheriger Abstimmung und Entscheidung durch die Mehrzahl von Köpfen, nämlich von Dummköpfen. Aber mit der sogenannten öffentlichen Meinung oder mit dem sogenannten allgemeinen, freien, gleichen und geheimen Wahlrecht, das in Wirklichkeit eine grobe Vergewaltigung der Gebildeten durch den Pöbel ist, hat die höhere Wahrheit nichts zu schaffen. Leben Sie einmal in Brasilien am Rande des Urwaldes oder in Indien inmitten der Pest oder im Kaukasus unter einer meuchelmörderischen Bevölkerung – und Sie wachsen nach und nach über europäische Mittelmäßigkeit ein wenig hinaus.«

Der Konsul machte eine Pause und fuhr dann fort:

»Es gibt Menschen von einem feinen Magnetismus, die – wie man es von den Dichtern sagt, welche ja wohl auch einst Seher gewesen sind – mehr hören und sehen und fühlen als die gröber eingekörperten Mitmenschen. Diese gefährliche Begabung will natürlich Hand in Hand mit wachsender sittlicher und geistiger Reife ausgebildet sein, sonst treiben solche sensitiven Menschen ins Chaos und wissen sich unter ihren Stimmen und Gestalten nicht mehr zurechtzufinden. Hellsehen und Hellhören, automatisches Schreiben, wobei der Arm durch eine magnetische Gewalt gelenkt wird, Schreiben mit einem sinnreichen kleinen Skriptoskop, welches die Buchstaben bezeichnet, wobei gleichfalls magnetische Beeinflussung die Schreibenden lenkt – von solchen Verbindungen mit der unsichtbaren Welt werden Sie vielleicht schon gehört haben.«

Stein konnte nun denn doch ein unbehagliches Gefühl nicht zurückdrängen; er murmelte nur einiges und verhielt sich abwartend.

»Ich weiß wohl«, fuhr Bruck in Ruhe fort, »die Dilettanten und Querköpfe sorgen dafür, dass dies alles verzerrt und verunreinigt an die Öffentlichkeit kommt. Und die Öffentlichkeit verzerrt das bereits Verzerrte vollends. Die wenigsten besitzen genügend eiserne Zucht und Ruhe, um durch die Verwilderungen hindurchzudringen. Und diese wenigen haben der Masse gegenüber schweigen gelernt.«

Der Konsul fügte abermals eine Pause ein, entnahm dann seinem Rucksack ein Schreibbuch und legte es neben sich. Dann fuhr er fort:

»Auch ich und meine Zugehörigen, einschließlich eines Vetters, entdeckten in uns diese seltsame Veranlagung. Aber wir waren als willensfeste Naturen und klare Köpfe nicht gewillt, uns diese Dinge über unsere Kraft wachsen zu lassen; wir schulten uns, wir sichteten, wir waren im Umgang wählerisch auch in der Geisterwelt. Hierbei wurden wir unterstützt durch Meister und Schutzgeister. Dieser Weg ist keine Tändelei; der Neugierige kommt nicht auf seine Rechnung, sondern wird gefoppt; für uns war es ein langsames Fortschreiten durch Prüfungen zu Missionen, wobei wir wuchsen an Geduld, Selbstlosigkeit und Erkenntnis. So bekamen wir durch unsre geübten Organe hindurch Mitteilungen aus der uns alle durchdringenden und umflutenden unsichtbaren Welt.«

Ingo konnte als klassischer Humanist aus der Fülle seiner Bildung heraus ein Lächeln nicht unterdrücken. Der Konsul sah es und sagte:

»Lächeln Sie ruhig, mein lieber Herr Baron, ich erwarte das gar nicht anders. Nehmen Sie ruhig an, meine Mitteilungen wären meinem sogenannten Unterbewusstsein entschlüpft. In diesem Kasten hat ja alles Platz, auch Götter und Geister.«

Und er sprach bedachtsam weiter:

»Ich habe mir manches in dieses Buch geschrieben und will Ihnen gleich zu Anfang etwas von Elementargeistern vorlesen. Versuchen Sie einmal, von allem, was Sie als fantastisch hierbei stört, abzusehen, und lassen Sie die Mitteilungen durch sich selber wirken!«

Sein braunes Buch mit den harten Deckeln war von Anfang bis zu Ende vollgeschrieben; Brucks Handschrift war klar, groß und fest.

»Da kam einmal zu uns ein kleiner Blumengeist.«

Er blätterte. Stein, dessen Lächeln wich und dessen Fantasie sich zu entzünden begann, stellte eine Frage.

»Nehmen Sie meine Zurückhaltung nicht übel, Herr Konsul: Gibt es denn wirklich solche Naturgeister? Sind es nicht Einbildungen der Dichter?«

»Keineswegs! Diese Elfen, Sylphen, Gnomen und andre Elementarwesen sind so lebendig und wirklich wie Sie und ich. Nur sind sie aus so feiner Substanz, dass sie von gewöhnlichen Augen nicht gesehen werden, so wenig wie die ultravioletten Strahlen. Auch haben sie keine Seele wie wir, kennen weder Leid noch Liebe, weder Tugend noch Sünde. Ich könnte Ihnen in diesem Augenblick sagen, dass dort drüben an der Felswand eine ganze Reihe von Gnomen sitzt, aneinandergereiht wie Äffchen auf der Stange, äußerst putzig und drollig uns Menschen betrachtend – aber das würde ja nicht viel nützen, denn Sie sehen es ja doch nicht.«

Mit verdutztem Lächeln schaute Stein sich nach allen Seiten um.

»Aber ich bitte Sie, Herr Konsul, wo sitzt denn das Völkchen? Wollen Sie mich nicht den Herrschaften vorstellen? Können sich denn aber solche Naturwesen mit uns Kulturmenschen verständigen?«

»In seltenen Fällen und mit bestimmten Menschen. Manchmal löst sich ein einzelnes Wesen aus seiner Gattung, mächtig angezogen von irgendeinem menschlichen Kreise, und sucht bei uns etwas wie eine Seele.«

»Undine! Aber wie kommen sie grade zu Ihnen?«

»Unsre Ruhe zieht sie magnetisch an.«

»Und was wollen sie von Ihnen?«

»Liebe und Lehre.«

Das klang alles ruhig und selbstverständlich.

Ingo hatte die sonderbare Empfindung, als wäre sein bärtiger Nachbar, der neben ihm auf dem Lodenmantel lagerte, auf diesem immer klarer aus den Nebeln sich enthüllenden Gralsberge, ein zeitloser Druidengeist, dem sich nichtige moderne Einwände gar nicht nahen können.

»Einst kam also«, sprach der Konsul, in sein Schreibbuch schauend, »ein allerliebster Blumengeist, der an der Grenze der Menschwerdung stand – denn es kommt bisweilen vor, dass ein Naturgeist als Mensch geboren wird –, wovor sich aber dieses lichte und leichte Wesen fürchtete. Doch drängte es den Geist dennoch zu dem schweren Pfade, denn er konnte ja dadurch höher steigen. ›Oh, der Duft!‹, begann das Geistchen – wir hatten duftende Rosen auf dem Tische stehen – ›wie gemahnt er mich an das, was ich Heimat nannte! Ich bin noch kein Mensch gewesen, das lange Leid hab ich noch vor mir; ein ätherzartes Wesen war ich und soll nun eine üble Masse werden. Mein Dasein floss dahin zwischen Schönheit und Seligkeit, gewiegt vom säuselnden West. Des Himmels Diamanten flocht ich in mein wehendes Haar, süße Zwiesprache hielt ich mit raunenden Bäumen. Duftblaue Weiten umfasste meines Auges Blick, mein Leben floss dahin wie des Baches Welle, der über Blumen geht.‹ – ›Hast du keine Schwestern?‹, fragte ich. – ›Ich hatte Schwestern, selig und glücklich gleich mir; wir tranken den Tau, wir atmeten den Duft, wir badeten im Mondschein, und wir jubelten der Sonne zu. Wir erzählten uns tausend süße Dinge, wir tanzten im Winde, und waren wir müde, so betteten wir uns in Blumen. Aber meine Schwestern sind noch nicht so weit wie ich. Wohl sehe ich sie noch, erkenne sie wohl, aber sie denken nicht mehr mein. Euch hab ich lieb gewonnen, euch beide Menschen im Silberhaar. Nicht oft mehr werde ich auf Flügeln der Winde euch nahen, nicht oft mehr im Sternenschein den Duft meiner Heimatrosenfelder trinken, nicht oft mehr in Sehnsucht meiner Schwestern Stirnen ungesehen umschmeicheln – bald trag' ich Not und Lasten, bald geh ich in Jammer und Weh, bald werde ich ein Mensch wie ihr!‹«

Stein schlug erstaunt und entzückt in die Hände.

»Das ist ja Poesie! Herr Konsul, Sie sind ja ein verkappter Poet!«

»Im Unterbewusstsein?«, lächelte der Konsul. »Was mein Oberbewusstsein anbetrifft, so hab ich nie einen Vers geschrieben.«

»Irgendwo in Ihrem Kreise muss doch das stecken!«

»Das kommt auch, wenn ich einmal nicht dabei bin. Sie meinen also hartnäckig, wir erfinden diese Geistchen? Die Gnomen da drüben an der Felswand lachen und drehen Ihnen lange Nasen. Nun also, lassen Sie sich in Ihrem Wahn nicht stören! Ich will Ihnen nur noch sagen, wie dieses Geistchen ausgesehen hat: Die Gestalt war durchsichtig, das Gesicht ein feines Oval von mattem Weiß, die Haare silberhell wie Mondschein, und zwar selbstleuchtend, die Augen von einem tiefen, fast grünlichen Blau. Oh, sie sind herrlich, diese Gäste aus dem Lande der Schönheit!«

So erzählte der Konsul.

Er sprach von seinen Geisterfreunden wie von lebendigen Menschen.

Er fuhr dann fort und beschrieb andre Naturgeister, die sich zu ihm herangedrängt hatten und um Förderung baten.

»Ach ich kann Ihnen sagen, mein lieber Herr Baron«, sprach der Konsul, und der ernste, kühle Westfale wurde nach und nach sichtlich weich und warm, »durch das ganze Reich der Geister und der unerlösten Natur geht die Sehnsucht nach Erlösung durch Liebe. Sehen Sie, da kam einmal der Geist eines armen Berliner Kindes zu uns, das nach Hunger und Misshandlungen früh gestorben war. Es erzählte uns seine Geschichte, wie es auf den Stufen einer Kirche vor Sehnsucht hinübergeschlummert sei, nachdem es in einer Weihnachtspredigt zum ersten Mal von Liebe hatte sprechen hören. ›Da kam‹, sagte der kleine Geist, ›ein gütiges Wesen zu mir, und ich fühlte etwas ganz Sonderbares von ihm ausgehen, was ich auf Erden nie gekannt hatte. Auf meine Frage nach diesem so unsagbar beseligenden Etwas sagte sie mir, es sei die Liebe; das war so schön, dass ich dafür keine Worte finden kann.‹«

»Wunderbar!«, rief Stein, der in immer wärmere Schwingung geriet. »In den Preis der Liebe, die Sonn' und Sterne bewegt, klingen Goethes Faust und Dantes Commedia aus. Und Novalis ruft in seiner berühmten Abendmahlshymne: Wenige wissen das Geheimnis der Liebe.«

»Ich bin kein studierter Mann«, erwiderte Bruck. »Aber ich weiß
es aus meiner besondren Welt, dass helfende und schaffende Liebe
die Sonne des Kosmos und die Sonne des Menschenherzens ist. Mein
Schutzgeist schärft mir das immer wieder ein.«

»Ich fange an, Ihre Geisterfreunde lieb zu gewinnen.«

»Meine Geisterfreunde sind auch die Ihrigen«, versetzte der Konsul
mit der ihm eigenen ernsthaften Ruhe. »Und es ist kein Zufall, dass
wir zwei hier beieinander auf dem einsamen Gipfel eines spanischen
Berges sitzen. Die heitren Mozart-Elfen, die in Ihnen wirkten, um Sie
nach Barcelona zu locken, haben ihr Werk rühmlich zustande gebracht
und sitzen jetzt dort in den Blumen und freuen sich über unser Gespräch.«

Der Alte lachte behaglich. Stein fuhr herum, von Schauer durchrie-
selt. Er starrte in diese große, fremde Welt, ohne etwas andres zu sehen
als einige schaukelnde Lilien. Fast erschrocken schaute er dann einen
Augenblick dem rätselhaften Mann ins Gesicht. Sollte etwas von des
Troubadours verliebter Schwärmerei für Martha ruchbar geworden
sein?

Doch der Konsul plauderte gelassen weiter.

»Ich kann Ihnen nun auch ruhig anvertrauen, dass wir in unsrem
kleinen Kreise jährlich bestimmte Missionen auszuüben haben, die
uns um die hohe Zeit des Weihnachtsfestes von unsren leitenden
Geisterfreunden erteilt werden. Und zwar Missionen an bestimmten
Gruppen von Geistern, die grade durch unsre Wesensart gefördert
werden können. Sie werden erstaunen, wenn Sie hören, dass etwa eine
Gruppe von Lügengeistern zur Wahrhaftigkeit angeregt werden oder
eine Gruppe verrohender Wesen einen geistigen Impuls erhalten soll.
Es ist oft schwer, mit solchem anfänglichen Unflat zu verkehren, wir
könnten es ablehnen; aber es wäre nicht unser Segen. So führen wir
diese Sitzungen zäh und regelmäßig jeden Sonntag und Mittwoch
durch, bis diese Wesen geläutert genug sind, reine Geister überhaupt
wahrzunehmen. Denn in ihrem traurigen Zustand sind sie blind.«

»Merkwürdig! Merkwürdig!«, murmelte Stein. »Sie lesen also sozu-
sagen den Toten vor? Wie jener schwäbische Prälat mitternachts in
der Kirche Gottesdienst hielt für die Geister?«

»So ungefähr. Nur dass der Ausdruck ›Tote‹ nicht passt, denn die
Bewohner der spirituellen Welt sind lebendig. Anfangs äußern sich

manche höchst naiv. ›Geisterfreund‹, sagte mir da einmal einer, ›ich war sehr schlimm, bin es heute noch. Doch sagtest du neulich, auch wir könnten besser werden. Solange ich noch in jener erstarrten Wüste lebte, kannte ich nichts anderes und hatte keine Sehnsucht nach Besserem. Nun aber sehe ich den Unterschied zwischen mir und euch. Dazu kam ein Hoffnungsfunke, der durch deine Rede in meine Seele fiel. Nun frage ich dich: Ist es wahr, kann aus mir noch etwas werden? Und sage mir noch eins: Was hast du für einen Grund, den Geistern, die dir doch nichts geben können, zu helfen? Hilfst du Menschen auch? Hast du Vorteile, wenn du Menschen hilfst? Hilfst du deiner Frau und sie dir? Liebst du alle Menschen und wirst du auch mich die Liebe lehren? Sie scheint mir das Höchste, doch fühle ich nichts von ihr.‹«

»Die Liebe!«, warf Stein dazwischen. »Immer wieder suchen diese Wesen Liebe! Sie ist offenbar der Magnet, zu dem sich alle hingezogen fühlen!«

»Sie ist der heilige *Gral*«, sagte Bruck mit tiefem Ernst ...

Jetzt hatte sich der Gralsberg aus den Nebeln herausgelöst und lag nun mit seinen Felsentempeln ruhevoll in der buntschimmernden Ebene. Die Wandrer vor ihrer Grotte genossen weltweiten Ausblick. Auf einer blauen Blume in der Nähe funkelte diamantener Tau, als glühte dort das Auge eines Elfchens liebesuchend herüber.

»Fahren Sie fort!«, bat Stein. »Erweitern Sie meine Welt zum Kosmos! Ich möchte ganz in diese Gralsburg eindringen.«

»Gern!«, erwiderte der Alte, um dessen weißgraues Haar der Morgenwind spielte. »Ich bin glücklich, dass Sie mit Teilnahme zuhören. Noch viel von Elementargeistern könnt' ich Ihnen erzählen. Doch mitten in diesen kleinen Dingen steht hier die ernste Mission unsrer Geisterfreundin Santa. Sie hatte zwei Jahre lang eine Sendung auf Erden zu erfüllen.«

»Ein Geist, der als Geist auf Erden eine Sendung hat?«

»Warum nicht? Wie so mancher Mensch seine Sendung hat. Hören Sie Santa selber!«

Feierlich las er mit seiner tiefen, volltönenden Stimme, die gelegentlich zu leisem Pathos neigte:

»»In heiligen Hallen ruhte zuletzt mein Fuß, auf reine Liebe blickte zuletzt mein Auge, in Sphärenharmonie schwelgte mein Ohr. Aus

Gottesgefilden bin ich zur Welt herabgesandt; trostloses Elend, Hass, Neid und Roheit sind es, die mich hienieden erwarten. Gönnt mir ein Plätzchen, wo ich mich erquicken kann! Bereitet eure Herzen, dass ich eine Freude habe! Meine Mission ist schwer, helft sie mir tragen! Der Geisterfreunde nur eine einzige Runde auf Erden darf ich mir zur Erholung wählen; ihr seid es, auf welche meine Wahl gefallen ist. Seid gütig, selbstlos und liebreich, übt euch in Geduld, und ihr bietet mir ein Labsal!‹«

»Wie muss man sich Santas Mission vorstellen?«, fragte Stein.

»Auch das will ich mit Santas eigenen Worten lesen; sie hat sich in Umschreibung, gleichsam in Erzählungsform, darüber geäußert. Hören Sie und versuchen Sie mir zu glauben, dass nicht ich oder eine meiner Damen diese Mitteilung erfunden haben!«

Er las. Und Ingo erging es eigen: Er musste bei Santa immer an Elisabeth denken, die stille Krankenpflegerin.

»Es schweigt der Raum. Unendliche Erhabenheit, zeitlose Ruhe atmet dies tiefe, friedevolle Schweigen. In diese heilige Stille gleitet ein lichtschimmerndes Wesen, ein Gottesgedanke, zu Seele geworden; sein Dasein ist Andacht, Anbetung, selige Ruhe. ›Meister‹, fragt es leise, ›kann es Höheres geben als diesen Frieden?‹ – ›Es gibt ein Höheres‹, sagt die milde, gütige Stimme: ›diesen Frieden den Friedlosen bringen.‹ – ›Friedlose gibt es in Gottes Reich? O Meister, warum hast du mich ihnen nicht längst gesendet?‹ – ›Weil deine Stunde noch nicht gekommen war.‹ – ›Ist sie jetzt gekommen?‹ – ›Sie ist es. Ich sende dich hinab, Santa, zu den Geistern der Abgeschiedenen, die noch an die Erde gebannt und elend sind. Führe sie mir zu! Groß und schwer ist die Aufgabe, größer die Liebe, die sie vollbringt.‹ – Der Lichtgeist schwebt aus der Stille, aus dem Frieden hinab, schwebt durch Sphären, schön wie Träume, und Wirklichkeit wie Gottes Liebe; fächelnde Winde wehen ihr zarte Klänge, leuchtende Blütenkelche hauchen ihr süßen Duft. Und Klang und Duft sind eins, entspringen demselben Born, werden zu Worten, die von erbarmender Liebe reden – von der Liebe Santas, die eine heilige Mission zu den Friedlosen führt. Der Gottgesandten naht sich flehend ein Geist: ›Santa, mein Bruder wurde zum Vatermörder und starb von Henkershand. Erbarme dich, bringe ihm Licht in seine Finsternis!‹ – ›Santa, mein Kind verdirbt, o hilf meinem armen, mutterlosen Kinde, es kann sich nicht trennen von

Erdenlust, von lockender Sünde!‹ – ›Weh, mein alter Vater wurde zum Dieb und gab sich um der Schmach willen selbst den Tod! Santa, hilf! Rette!‹ – Ein dunkler Schatten senkt sich schwer auf des lichten Geistes unbefleckte Reinheit, ein Schatten, der nie war, der nun lange, lange auf ihr ruhen wird. Schneller schwebt sie hinab, immer mehr der heischenden Geister umgeben sie, lange verstummt ist des Windes leise Musik, der Blumen süße Sprache. Sie blickt jetzt auf die Erde: – Menschen und Geister – widerliche, verzerrte Gesichter – wilde Schreie der Getretenen – Flüche vom Bruder gegen den Bruder – Raub am Heiligsten – Elend und Jammer, wohin ihr angstvolles Auge irrt! Der Lichtgeist verhüllt sein Antlitz und weint über die Erde. ›Führe sie mir zu!‹, tönt es herab, die Stimme ihres Meisters. Kraft und Mut scheint diese Stimme ihr zuzuströmen; Santa will ihr Werk der Liebe beginnen. Und sieht ein Weib, unlängst gestorben, noch an der Erde hangend, sieht es schmutzstarrend, mit allen Lastern behaftet, sieht in jedem Zuge des Gesichtes Verworfenheit, sieht in jeder Bewegung des viehischen Geschöpfes sinnlose Trunkenheit, sieht nichts mehr von einem Ebenbild Gottes! Und Santa fühlt, wie kalt und lauernd die Reue naht und größer werden will als die Liebe. Da hört sie aus der Verworfenen einen Schrei, halb Jammer, halb Jubel: ›Mein Kind, mein kleines Kind, hab ich dich endlich wieder!‹ – und sieht das Weib eine elende Dirne an sich pressen mit heißer Zärtlichkeit, sieht es frei von Trunkenheit, sieht es aufgehen in Mutterliebe, durchleuchtet von dem Gottesfunken, der auch in diesem Weibe nicht erstarb! Da beugt der reine Geist sich zu dem elenden Weibe nieder: ›Meine Schwester, ich kann dich lieben.‹ Dann wendet er sein Antlitz noch einmal dem Reich des Lichtes zu, noch einmal grüßen seine leidverklärten Augen das Friedensland: ›Meister, ich danke dir, dass du mir die Liebe gabst!‹ Und gleitet hinab – erdenwärts!«

Der Konsul schloss das Buch. Stein war hingerissen und ergriffen.

»Verstehen Sie jetzt Santas Mission?«, fragte Bruck.

»Das kann nicht erfunden sein!«, rief der Troubadour begeistert. »Das ist Poesie – aber Poesie der Wahrheit! So *muss* es sein, ich fühle das, ich erlebe das! Diese Santa lebt! Erzählen Sie mir doch Genaueres! Ist sie oft zu Ihnen gekommen?«

»Mehrmals, meist gegen Weihnachten; und immer mit Worten des Dankes und der Liebe. Als einmal eine Dissonanz in uns war, anlässlich kummervoller Erlebnisse meiner Tochter, klagte sie nachher, dass sie die Pforte verschlossen gefunden habe. Ihr Abschied hat uns tief bewegt, denn wir hatten sie lieb gewonnen. ›Ich komme heute zu euch‹, sprach sie, ›um Abschied zu nehmen; meine Mission ist beendet, ich kehre in Gottes hellen Tag zurück. Ich werde wieder Licht und Reinheit atmen, mein Ohr wird wieder jene wunderbare Musik vernehmen, die meine stete Sehnsucht war in den Zeiten, da nur hässliche und rohe Töne zu mir drangen. Ich werde wieder von Frieden umgeben sein und die abgeklärte Freude um mich sehen, die auf Erden niemand ahnen kann. Jubelt mit mir, die ihr mich liebt, und denen ich danke für das Heim, das ihr mir geboten. Seid mir gegrüßt! Ich gehe in Tag und Sonne!‹«

»In Tag und Sonne! Wunderbar, liebe Santa!«, rief Stein, sprang auf und schwang die Arme in einem elementaren Bedürfnis nach Entlastung. »Das ist Wahrheit! Das ist die Welt der Seele! Ich fühle diese Santa, die sich da um Leidende bemüht und sich nun wieder erhebt in Tag und Sonne!«

Und wieder trat ihm Elisabeths hehre und entsagungsvolle Gestalt voll in Empfindung und Bewusstsein. War nicht auch sie eine Santa? Jahraus, jahrein im engen Krankenzimmer, während ihr Geliebter schönheitsdurstig durch die weite Welt flog!

»Kommen Sie!«, bat Ingo, in dem allerlei Gedanken aufgewühlt waren. »Lassen Sie uns wandernd über diese hohen Dinge sprechen! Ich bin nicht zum Stillesitzen geschaffen. Wie machen Sie mir die Welt groß! Ich fange an, die Enge nicht mehr zu fürchten, denn überall kann ja ein Fenster nach der Ewigkeit offen sein. Wir wollen auf den höchsten Punkt dieses Berges klettern, nach San Jeronimo, und von dort aus das Weltall umarmen!«

Der Konsul lächelte über seines jungen Freundes Überschwang.

»Dazu brauchen wir nicht nach San Jeronimo«, sprach er. »Denn wir sind überall umflutet und durchströmt von der Ewigkeit.«

Doch brachen sie auf und wanderten.

Der Nebel hatte sich in einzelne weiße Wolken verdichtet, die nun wie Schwäne hoch oben im tiefblauen Himmel dahinzogen, während ihre Schatten über den Berg schwebten. Stein empfand in sich ein brustweitendes Jauchzen, kein Eremitengelüst. Er sang mit feierlich hallendem Bariton Lohengrins Gesang:

»Im fernen Land, unnahbar euren Schritten,
Liegt eine Burg, die Montsalvat genannt;
Ein lichter Tempel stehet dort inmitten,
So kostbar, wie auf Erden nichts bekannt« ...

Ihm war zumute, als hätte er eine Einweihung durchgemacht und ein neues Land betreten.

»Dieser Gralsberg«, sprach er, »soll das Ende meiner Ausfahrt bilden. Ja, nun kommt die Heimkehr und die Einkehr. Ich habe Bausteine gesammelt zu einer Seelenburg. Kann man nicht auf engstem Raum seelische Kraft entfalten? So will ich im Herzen Deutschlands mein Gralsuchen endigen.«

Bruck freute sich, dass seine Mitteilungen so belebend wirkten. Sie vertieften wandernd ihre Unterhaltung; sie blieben den ganzen Tag im Freien, umgeben von einer mittäglich leuchtenden Ebene, an deren östlichem Rande schmal und silbern das Mittelmeer schimmerte. Erst um Sonnenuntergang stiegen sie wieder den Schluchtpfad hinab ins Kloster, mit leichtem Rucksack, doch Herz und Haupt schwer von Bildern und Gedanken.

»Es ist ein Telegramm da.«

»Für mich?«, fragte Stein erschrocken.

»Für uns alle: Schaller will mit seinen Damen, Jung und Alt, morgen heraufkommen, wenn das Wetter gut bleibt.«

»Ach, nur das! Wenn das Wetter gut bleibt? Das ist eine ungewisse Sache; und ich weiß nicht, ob ich so höflich sein werde, hier im Kloster zu warten. Mich drängt es wieder auf den Berg.«

Tatsächlich zog der Spielmann und Gralsucher am andern Morgen allein aus und hatte keine Lust, auf die Mozart-Mädchen zu warten. Ja, mit einem gewissen Zorn schloss er sich ab; er empfand sich von jener Welt als verschmäht.

Das Wetter war unsicher; und so beschloss der alte Herr zurückzubleiben. Doch Ingo versah sich mit Proviant und Mineralwasser und deutete an, dass er am Ende gar in jener hohen Grotte übernachten werde.

Er kletterte einen andern Pfad empor zu den Trümmern der südöstlichen Einsiedeleien San Juan, Santa Katharina und San Onofrio, die in die Ritzen eines umfangreichen rundlichen Felskolosses eingeklebt sind. Diese Felsen sehen aus wie Bastionen und Rundtürme ohne Fenster und Nietungen. Es steht dort ein Kapellchen. Gitter sind an den Türen dieser kleinen Kapellen; man pflegt kleine Münzen hindurchzuwerfen. Und so lagen viele Kupfermünzen, aber auch etliche Peseten, drin auf dem Steinboden zerstreut, ein kleiner Sternhimmel. Ingo warf ein Silberstück hinein und bat den Heiligen – war es Sankt Johannes? –, mitzubauen an des Pilgers künftigem Seelentempel. Er hatte in der Nacht von Elisabeth geträumt; ihr Bild war immer wieder zusammengeflossen mit der Geistergestalt Santas; und er blieb nun dauernd unter diesem edlen Eindruck.

Der Himmel deckte sich leise zu; es wurde geräuschlos eine Decke vor die Sonne gezogen. Die Luft war still und selbst hier oben schwül. Auf dem Platz der Vögel, im grünen Haingebüsch, freundete sich eine nahe umherhüpfende Nachtigall klugen Auges mit dem Wanderer an. Doch Bruck hatte ihm sein geheimnisreiches Buch mitgegeben – ein Zeichen großen Vertrauens, wie die Damen lächelnd betonten; und so lebte er heute mehr nach innen. Am späten Nachmittag drang er über San Benito wieder hinauf, besuchte noch San Dismas und die andren steil über dem Kloster dem Ostwind ausgesetzten Siedeleien und suchte dann wieder die trockene Felsengrotte von San Salvador auf.

In seinem Rucksack lag neben Taschenlaternchen und Taschenrevolver die indische Bhagavad Gita; aber er brauchte heute keines von den dreien. Ihn fesselte des Konsuls Geisterbuch: dieses Fremdenbuch, worin sich seine Gäste aus Geisterland eingezeichnet hatten. Er ließ Namen wie Simonides oder Zoroaster, Mahatma Kut Humi oder Mahatma Morya auf sich beruhen und vertiefte sich in Ton und Inhalt der Mitteilungen selber. Eine ganze Welt jenseits der körperlichen Sinne und des wissenschaftlichen Verstandes tat sich ihm auf. Und plötzlich entdeckte er lose Einzelblätter, bedeckt mit uralter Schrift, die nach Art asiatischer Schriften in krausen Strichen untereinander geschrieben war: eine Geisterschrift. Daneben die Übersetzung:

»Hammar der Herrscher bin ich genannt. Gewaltig war das Reich, das meine Hand regierte, fruchtbar und von wunderbarer Schönheit; mächtig das Volk, das meinem Willen untertan. Dennoch stürzten wir in den Abgrund, der Herrscher, das Volk, das Land, ja der Weltteil, der uns trug. Die Schuld war mein, die Gier, die in meinem Herzen fraß; nicht die Sucht nach rotem Gold: Meine Schatzkammern konnten den Reichtum nicht bergen; nicht der Wunsch nach wonnigem Weibe: Keine Frau meines weiten Reiches wagte je mir nein zu sagen; nicht Rachegedanken der Vernichtung meiner Feinde: Ich hatte nur einen, dessen Macht mir unbekannt war – brennenden Ehrgeiz nach einem Wissen, das kein Mensch zu erlangen fähig wäre außer mir, nach einem Wissen, das mich in Menschenherzen lesen ließe, das mir ermöglichte zu strafen, wie nie ein Kaiser gestraft, nicht Taten, nicht Worte, nein: Gedanken! Das Volk war seines Herrschers wert: Knechtisch sein Sinn, müßig seine Hände, lüstern nach allem Erdengenuss seine Wünsche. Da kam, was unausbleiblich war: die Rache eines, der größer war als ich, durch sein Werkzeug, das ewige Meer. Wir stürzten hinab. Dir aber, niedrig geborenes Menschenkind, bekennt dies heute, den stolzen Nacken beugend, Hammar der Herrscher.«

Und daneben ein zweites Blatt in demselben granitenen Stil:

»Auch ich bin aus fürstlichem Geschlecht und habe in versunkenem Glanz mein Menschenlos erduldet. Jetzt, nach Jahrtausenden, klingt wohl nicht Überhebung aus meinen Worten, wenn ich euch sage: Ich war nicht schlecht, nicht müßig, nicht lüstern nach Erdengenüssen. Dennoch ereilte auch mich die Strafe, weil ich die irdische Liebe der himmlischen voranstellte. Mit Leidenschaft liebte ich Hammar, meinen Herrscher. Der Herr meines Herrn wollte mich nicht verderben und sandte mir einen Lichtgeist, der berufen war, mich zu retten vor dem Zusammensturz. Ich jedoch sagte ihm jauchzend: Mit Hammar unterzugehen gilt mir mehr als eure Himmelsseligkeit! Da brachen Nacht und Verderben über mich herein. Gebüßt ist nun die Schuld, und mit Hammar auf ewig vereint ist Falosa, die nie die Treue brach.«

Klang diese lapidare Kunde nicht wie ein Ton aus der versunkenen Atlantis? Oder aus dem untergegangenen Lemurien? Was für Lebensbeichten in wenigen großzügigen Worten! Wie verschieden von der weichen Santa und den zaghaften Blumengeistern diese heroische Falosa, die nie die Treue brach! Steins Verstand lehnte diese Botschaften ab, seine Fantasie stimmte zu.

»Wenn die unsterbliche Menschenseele«, sprach er, »mehr als einmal auf Erden verkörpert wird: Haben wir vielleicht einst auf jener Atlantis gelebt, Friedel und Elisabeth und ich? Haben wir damals vielleicht *nicht* gesiegt – und sollen diesmal siegen?«

Die Dämmerung begann. Er schnitt mit seinem Messer Gras und Buschwerk zu einem Lager zurecht, hielt plötzlich inne und lachte hallend hinaus, als ihm der Gedanke in den Sinn schoss: Jetzt warten da unten die Mägdlein aus Barcelona! Lass sie warten! Überwunden! Er rollte sich in seinen langen Lodenmantel und schlief in milder Nacht fest und unbehelligt.

Gnomen saßen drollig und treuherzig am Eingang der Höhle und wunderten sich über den Sonderling; es huschten Blumengeister vorüber, Luftgeister machten sich bemerkbar, wisperten, spähten, lachten, tanzten. Dann kamen stärker leuchtende Geistgestalten ehemaliger Einsiedler, verscheuchten die Elementarwesen und wandelten in bedächtigen Gesprächen vor der Grotte hin und her. Die Luft erhellte sich in immer weiterer Strahlung; es sammelten sich in lichten Gestalten Äbte, Fürsten und Könige. Und über dem ganzen Berg begann es zu flimmern. In immer schärferen Umrissen gestaltete sich dort ein kosmischer Kuppelbau aus Gold und Edelstein und durchsichtigem Marmor, von Türmchen und Kapellen umgeben, maurisch im Stil und zugleich romanisch und gotisch, Licht auswerfend in einem ungeheuren Halbkreis; und auf seiner Spitze funkelte rubinrot das Kreuz. Diese Tempelburg ragte durch das Weltall hinauf, strahlend in den Farben aller edlen Gesteine. Sonnen hingen darin wie Ampeln; durch die Kristallwände hindurch glühten viele flammende Pünktchen aus dem unermesslichen, bis in alle Einzelheiten planvoll genauen Wunderbau. Und alle Geister der Natur staunten hinauf; und erlesene Geister der Menschen machten sich auf und wanderten in unabsehbaren, lichtausstrahlenden Zügen durch die Luft himmelan, zu des Tempels mächtigen Bogentoren, wo weiße Gestalten der Verklärten unter Orgelklang und Chorgesang wartend standen. Je mehr Leuchtgestalten einströmten, umso heller strahlte die Tempelburg, umso voller tönten daraus die kosmischen Harmonien.

Dem noch ungereiften Träumer auf dem Gipfel des Montserrat wurde das Bild zu gewaltig. Er stürzte, er tastete nach irgendeiner nahen, warmen Menschenhand. Da umfloss ihn wohlig weißes Gewölk. Aus dem weißen und weichen Gewölk löste sich eine Gestalt; und lächelnd stand an seinem Lager seine Jugendfreundin Elisabeth.

Neben diesem Fantasieleben vernachlässigte der Gralsucher nicht seine wissenschaftlichen Studien.

Er hatte sich die neuesten Schriften über die Gralsage beschafft, kannte die Forschungen des Indologen Schröder und seines Schülers Junk und deutete mit den Sprachforschern den Namen Perceval als Becherfinder – sich selber und sein Suchen mit diesem Parzival verbindend. Denn ihn fesselten auch wissenschaftliche Spürungen nur so weit, als er sie in seelisches Erlebnis umwandeln konnte. Diese Gralsmythe, wobei die Zahl zwölf von Bedeutung scheint, führte den Spielmann zum Durchdenken des Zahlenspiels, das sich in Mythus, Märchen und Symbolik so gern und mit einer gewissen Gesetzmäßigkeit wiederholt: die zwölf Jahresmonate, die zwölf Tierkreiszeichen, die zwölf Apostel, die zwölf Stämme der Israeliten; die sieben Rosen am Rosenkreuz, die sieben Wochentage, die sieben Brüder im Märchen, die Siebenzahl im Rhythmus des menschlichen Lebens, von der Pubertät mit zweimal sieben Jahren bis zum biblischen Normalalter mit der zehnfachen Sieben. Hier ahnte der Musiker Harmonien und geheime Gesetze. Der ganze Kosmos mit seinen Sonnen, Planeten und Kometen schien ihm ein gewaltiger Körper mit genau geordnetem Blutumlauf. Und er landete schließlich, sonderbar genug, bei einer Betrachtung der alten Cheopspyramide, über die er sich einen Aufsatz in seine Gralsschriften gelegt hatte, und ihrer unlösbaren großzügigen Zahlenrätsel.

Das ließ in ihm die Vermutung aufsteigen, dass eine geheime Überlieferung großer Grundgesetze des Lebens durch die Menschheit gehe, bald hier und bald dort in wechselnden Symbolen und Denkformen auftauchend. Kaum war ihm dieser Gedanke wahrscheinlich geworden, so blitzte in seinem rastlos schaffenden Geiste ein Gefühl der Möglichkeit auf, in welcher Weise die vorchristliche und die außerkirchliche Denkrichtung durch diesen Strom der Geheimlehre mit dem Wesentlichen des Christentums versöhnt werden könnte. Ihn hatte das kirchliche Dogma von Sünde, Buße und dem leidigen Marterholz nie im Tiefsten zu erschüttern vermocht; ein Bußetun in Sack und Asche und die breite Ausmalung der Marterungen Christi schien ihm eine Verzerrung der Menschenwürde und des Seelenadels. Nicht zwar die Tatsache der Reuestimmung selber focht er an und noch weniger die Größe der Opfertat auf Golgatha, jener geheimnisvollen

Vermischung göttlichen Blutes mit den Lebensfluten der Erde, wohl aber ihre plastische Herausstellung auf allen Wegen und Stegen. Es gab vielleicht eine derbsinnliche Zeit der Unreife, die das brauchte, wie das Mittelalter seine derben Folterinstrumente; aber ihm schien, als ob hier ein Schematismus die Herrschaft gewonnen habe, ihm schien, als ob die ersten Christen viel mehr den auferstandenen, segnenden, emporziehenden Christus liebeswarm und lebensvoll empfunden hätten. Hier nun, im leuchtenden Symbol des Grals und im anmutig-tiefen Sinnbild des Rosenkreuzes, stellte sich ihm herzliche Ergriffenheit her; sein Schönheitssinn wurde zugleich mit dem ernsten Grundton seiner Seele in Schwingung versetzt. Und so war er verstehend auch mit jenen Mystikern gegangen, die einst gleichzeitig am Rhein entlang religiöse Grundgefühle neu belebt hatten: Seuse, Tauler, Eckehart und Ruysbroeck. Es war poesievolle Frommheit, die bereits in Franz von Assisi unmittelbar die Malerei anregte und Religion mit Kunst versöhnte.

So füllte sich auf dem Gipfel des Montserrat sein Herz mit großen Empfindungen und sein Notizbuch mit Gedanken und Gedichten. So versöhnten sich Spielmann und Gralsucher. Und der Plan eines Buches zeichnete sich in Umrissen an den Horizont: die Versöhnung zwischen Kunst und Religion. Es war kein Aberglauben, dem er anheimfiel, es war Märchenglauben, dessen Bildersprache Wahrheiten einhüllte. Im Übrigen blieb der hochgebildete Idealist seinen Meistern treu: Goethe und dem Johannesevangelium ...

»Sie glauben nicht, wie es mir eine Wohltat ist, mich mit Ihnen aussprechen zu dürfen, Herr Baron«, sagte der Konsul, als Ingo am folgenden Abend unter strömendem Regen und triefendem Lodenmantel wieder in die Korridore des Fremdenhauses eintrat. »Ich habe mich ordentlich nach Ihnen gesehnt. Schaller ist glücklicherweise nicht aufgetaucht; der verschnörkelte Park Güell in Barcelona gefalle ihm besser als der ganze Montserrat, schreibt er; und ich kann auf das Geplauder jener unbedeutenden Frauen und Mädchen, offen gestanden, hier oben gern verzichten. Aber mit Ihnen kann ich mich aussprechen. Und das tut mir wohl, denn ich bin ein einsamer Mann.«

»Dieses Gefühl beruht auf Gegenseitigkeit, lieber Herr Konsul«, erwiderte Ingo mit Wärme. »Und wenn's auf mich ankommt, so bleiben wir hier oben nicht drei, sondern dreimal drei Tage.«

Und so kam es auch. Die vier Menschen freundeten sich in diesen stillen, großen und einfachen Verhältnissen herzlich untereinander an. Das Gespräch war beseelt. Manchmal saßen sie bis weit in die Nacht hinein ohne Licht, in Unterhaltung über hohe oder einfache, aber vom Hohen aus verklärte Dinge, während schwere Wolken über die schweren Felsen zogen und die Gebirgspfade in Gießbäche verwandelten.

Auch jetzt noch fühlten sich die beiden wetterfesten Männer zu einfachen Spaziergängen angetrieben, wobei des Berges nasse Öde groß um sie aufgetürmt lag. So wanderten sie zuletzt nach Santa Cecilia, an der unheimlichen Nordwand des Berges entlang.

Der Konsul erzählte von seinen Fahrten.

»Ich habe auf einem Dreimaster vom Schiffsjungen bis zum Steuermann gedient. Sie machen sich keinen Begriff, wie großartig für mich das Gefühl war, als wir in einer Wolke von Segeln über die südlichen Meere flogen, zumal nach einem Sturm, wenn noch tagelang bei bedecktem Himmel schwere Wogen rollen, überflogen vom Sturmvogel Albatros. Man lernt da gleichsam teleskopisch die Welt betrachten.«

»Hat sich Ihnen, Herr Konsul, vielleicht in den Einsamkeiten des Ozeans Ihre Gabe des Geisterschauens ausgebildet?«

»Das liegt mir doch wohl von meinem westfälischen Vater und meiner schottischen Mutter her im Blute. Ich spreche, wie Sie sich denken können, nicht viel und nicht zu jedermann von dieser Besonderheit. Sehen Sie, es ist ja oft so schmerzlich, wenn mit dem Tode eines lieben Angehörigen die gemeinsame Sprache aufhört. Aber die Menschen, so gern sie vom Reich der Gestorbenen hören möchten, fürchten sich und empfinden es als ein Gespensterland. Oder sie helfen sich mit der bekannten platten Wendung: mit dem Tode sei alles aus. Und doch gibt es auch für den nicht hellschauenden überlebenden Menschen eine Sprache, die drüben verstanden wird: wenn er nämlich Gedanken edler Liebe dem Verstorbenen zusendet. Das wirkt auf den Hinübergegangenen wie eine wohltuende Kraft. Und sehen Sie, mein lieber Herr Baron, hier öffnet sich nun eine Brücke, die jeder Mensch betreten kann, sobald er einmal das Wesen wahrer Liebe erfasst hat. Zwar der fassungslos tobende Schmerz etwa einer Mutter um ihr Kind fördert nicht, sondern beschwert eher den kleinen Geist. Und manche Abgeschiedene sind drüben anfangs ebenso verstört und unglücklich

wie die Zurückgebliebenen, wenn sie unreif und unvorbereitet hinüber-
kommen. Aber die Wissenden und selbstlos Liebenden, die schon im
Erdendasein auf das Übersinnliche eingestellt waren: wie ruhig und
einfach fahren sie an das andere Ufer! Sie winken sich zu und sagen:
Auf Wiedersehen! Der Tod ist ja nur ein Wechsel der Daseinsform
und der Wirkungsweise. Und wenn der überlebende Freund hinüber-
kommt, wird er empfangen von allen, mit denen er hier schon durch
Bande unvergänglicher Liebe magnetisch verbunden war.«

»Ist das also wirklich Tatsache? Kein von Menschen erfundener
Trost?«

»Das ist Tatsache. Wer ins Geisterland schauen kann, der weiß das.
Haben Sie mir nicht von jenem Oberlin erzählt, der sich mit seiner
gestorbenen Gattin unterhielt? Zwiesprache solcher Art kann ich aus
Erfahrung bestätigen. Im Übrigen ist die Kluft zwischen Diesseits und
Jenseits nicht zwecklos. Wir haben hier unsre Aufgabe zu erfüllen,
und jene drüben die ihrige. Es geschieht dies alles nach großen Gesetzen. Aber in allem waltet als oberstes Gesetz die göttliche Liebe und
Weisheit. Das hat der Sendbote von Golgatha verkündet, der von
drüben kam und es wusste. Und von der Wahrheit dieser Botschaft
bin ich bis in das Tiefste durchdrungen.«

So sprach der ungewöhnliche Mann.

Und hier stellte nun Ingo eine bedeutsame Frage, die so einfach
klang und so oft schon die Menschheit aufgewühlt hat:

»Was halten Sie von Christus?«

Des Spielmanns Begleiter schaute, mit einem eigenen, tief ernsten
Blick, ins Weite. Der Ausdruck dieses wetterbraunen Gesichtes wech-
selte. Offenbar wog er nun sorgsam ab, was er sagen wollte.

»Es ist das tiefste Lebens- und Liebesgeheimnis des Sonnensystems.
Wie die Sonne zu den Planeten, so verhält sich dieses hohe Lichtwesen
zu den Seelen der Erschaffenen. Das Kreuz hat die Gestalt eines
Menschen mit ausgestreckten Armen; es ist das Symbol jenes Lebens,
das sich liebend opfert. Das Kreuz ragt durch den Kosmos: es ist die
Weltesche Yggdrasil. Und vor dem Glanze des Herzens, das im Mittelpunkte dieses Kreuzes glüht, erbleichen die Gestirne.«

Der Konsul hatte leise und mit Ergriffenheit gesprochen.

»Verzeihen Sie«, fügte er wie entschuldigend hinzu, »man darf von
diesen Dingen nur in Andacht sprechen. Meine Mitteilungen von

Gnomen und andren Geistern sind Spielerei neben der Gewalt und Größe des Kreuzes oder des Rosenkreuzes.«

Der sonderbare Mann wuchs vor Ingos Augen und schien ein andrer zu sein als zuvor.

»Das Rosenkreuz?«, fragte der Landsmann der heiligen Elisabeth. »Können Sie mir Näheres darüber sagen?«

»Es ist ein Kreuz von dunklem Holz, aus dem im Kranze sieben rote Rosen blühen. Sind Sie niemals Menschen begegnet, aus deren reifem und gütigem Wesen Leuchtkraft ausging? In diesen Menschen glüht das Rosenkreuz. Denn die niedren Kräfte ihrer Natur haben sich verwandelt in die Rosen der Liebe. Die glühenden Wunden sind blühende Blumen geworden.«

»Das ist herrlich!«, rief Ingo. »Demnach ist das Kreuz die Materie oder die Natur – und die Rosen sind das Geistige oder Ewige, was daraus erblüht?«

Nun blieb der Konsul stehen. Er war unbedeckten Hauptes, da er fast immer ohne Hut ausging, auch bei kühlem Wetter.

»Und sehen Sie«, sprach er mit Kraft und Feuer, »das eben ist der andre Weg zum Erfahren der Unsterblichkeit. Sie brauchen nichts von meinen Geistern zu wissen, Sie brauchen nicht an sie zu glauben. Aber wer einmal das Wesen wahrer *Liebe* erlebt hat, der spürt und weiß, dass diese Seelenkraft unvergänglich ist. Ihm braucht die Ewigkeit der Menschenseele nicht bewiesen zu werden, denn er *erlebt* sie. Wir Seher bestätigen ja nur, was schon als Ahnung und Gefühl in jeder erwachten Menschenseele sicher verankert ist. Oder glauben Sie, dass durchleuchtete und liebende Menschen noch nach Beweisen für die Unsterblichkeit umhertasten?«

»O nein!«, erwiderte Ingo mit vollem Verständnis. »Denn das Unsterbliche ist ja in ihnen aufgeblüht.«

»Aufgeblüht!«, rief der Seher. »Das ist das Wort! Aufgeblüht! Und nun setzen Sie statt der leuchtenden Rosen den leuchtenden *Gral* – und Sie *haben* das Geheimnis!«

So war Ingo auf eine neue Höhe geführt worden.

So verstanden sich Jungmann und Meister ...

Der Einsiedlerberg Montserrat bedeutete für den Wanderer Läuterung und Einkehr. Ingo räumte in seinem Herzen den Platz frei für einen Tempelbau.

Nicht Zerknirschung in Sack und Asche lag seiner männlich-elastischen Erscheinung, der ein Mozartzopf nebst Galanteriedegen recht artig gestanden hätte, wohl aber schlichte Erkenntnis und reines Empfinden dessen, was bisher versäumt und was künftig aufzubauen war. Das Rätsel der Sphinx scheint ja so schwer und furchtbar und ist doch nichts weiter als die klare, nahe, mutige Einsicht in Wesen und Würde unsrer unsterblichen Menschenseele.

Ein tief empfundener Brief ging an Frau Friedel hinaus; ein herzlicher Gruß an Elisabeth; warme, gute Worte an Bruder und Vater. Und als ihm sein Freund, der Schriftsteller, aus nordischen Studien heraus eine Ansichtskarte sandte, ein Waldbild von Birken und Tannen, ergriff den Pilger das Heimweh nach Orgelton und Tempelstille des innig geliebten deutschen Waldes. Stand noch die Tanne vor dem alten Thüringer Herrenhause?

Die vorletzte Nacht auf dem Montserrat war wieder voll Schwermut. Wie viel gute Arbeit hatte der Wanderer auf all der Irrfahrt versäumt! Als er sich nach seiner Gewohnheit mit raschem Schwung zu Bett warf und in die Wolldecke hüllte, streifte er die halbvergessene Laute. Es klang ein Ton in die schmucklose Zelle. Da empfand er sein Leben wie ein wehmütig Märchen, dessen irrender Held immer im Zauberkreise umherwandert.

»Es war einmal ein Dümmling, der lief von Heimat und Jugendfreundin fort und rannte in wunderlichen Windungen hartnäckig einem verschleierten Frauenbild nach. Und als er endlich die ersehnte Gestalt erreicht hatte und ihr den Schleier vom Angesicht riss – wen sah er? Seine Jugendfreundin!« ...

In unerwarteter Wendung wies ihm das Schicksal den Heimweg.

Denn am neunten Tag kam eine Karte aus Genf.

Dieser Kartengruß erregte des Spielmanns Fantasie bedeutend.

Wallace und Leroux, seine Bekannten von der Riviera, schickten diese unvermutete und aufstörende Botschaft. Sie hatten sich in Genf mit Freiin Elisabeth von Stein-Birkheim bekannt gemacht und sandten nun gemeinsamen Gruß.

Jetzt war es mit Ingos Sammlung zu Ende. Mit einem Schlage sah er seinen Pfad erhellt. Elisabeth in Genf?! Und bei Wallace und diesem koketten Leroux?! Er wurde unruhig. Lebenshunger durchglühte wieder den gesunden und kräftigen jungen Mann.

Schon am nächsten Nachmittag, immer rasch in seinen Entschlüssen, saß er auf der Bahn, nach einem herzlichen, ja innigen Abschied von den Freunden, und fuhr über Barcelona wieder nach Norden.

8. Am Genfer See

O ihr seid stark und wisst es nicht,
Denn stark ist nur der Liebe Band.

Droste-Hülshoff

Elisabeth von Stein-Birkheim saß mit ihrer Mutter am Fenster eines Genfer Hotels.

Die edlen Profile der aristokratischen Damen hoben sich in der Beleuchtung des späten Nachmittags deutlich hervor. Beide Langköpfe glichen einander in der graden Stirn und Nase und ebenso in der Knotung der schweren Haare. Nur war die alte Dame silberhaarig, die junge dagegen von einem matten Rotblond; und dem bleichen, etwas gelblichen Antlitz der zurückgelehnten Kranken entsprach auf der andren Seite die zartrosige Gesichtsfarbe der immer grade sitzenden Elisabeth.

Sie hatte aus einem Roman des Franzosen Romain Rolland vorgelesen, der sich durch sonnige Stimmung abhebt von den üblichen Erzeugnissen dieser Art. Aber die Damen hatten dabei festgestellt, dass ihr Französisch ziemlich verblasst war; Elisabeths lange und feine Hand hatte mit störender Häufigkeit das Taschenlexikon befragen müssen. Nun griff sie wieder zu ihrer Stickerei und gestand ihrer Mutter, dass sie sich jetzt erst wieder auf vertrautem Boden fühle.

In lässlichem Geplauder gingen einige Minuten vorüber. Dann schlug Frau von Stein plötzlich ein Gespräch an, das scheinbar ohne Zusammenhang mit dem Vorausgehenden in der Luft hing.

»Ich muss mich immer wieder verwundern«, sprach sie in ihrer vornehm gedämpften und ziemlich kühlen Art, »wie es dieser Fantast

Ingo so lang im Ausland, in Frankreich oder wo er sich sonst herumtreibt, aushalten mag. Er scheint doch von der hübschen Trotzendorff mehr als schicklich engagiert zu sein.«

Die betagte Dame sprach mit einer etwas dünnen, spröden, vor Alter und Gebrechlichkeit leicht zitternden Stimme; und sie sprach sehr langsam und bedächtig, fast ein wenig geziert.

Elisabeth gab zunächst keine Antwort; denn da war eine wehe Stelle, die bei der leisesten Berührung empfindlich schmerzte.

Dann aber äußerte sie leichthin:

»Lass du ihn nur ganz ruhig auf seinen Meeren fahren, Muttchen! Er wird sich schon einmal wieder an Land finden.«

Ihre Stimme war um manche Grade voller und herzlicher als die ihrer eingefallenen, vertrockneten Mutter, obwohl sich im zurückhaltenden Ton beide Damen glichen.

Dann schwiegen sie wieder. Frau von Stein zog die Decke fester um die Knie, faltete die Hände und schloss ein wenig die Augen. Auf der Straße fuhren die Wagen; jenseits des Hafens schimmerten bläulich die beglänzten Alpen. Doch der breite, weiße Montblanc, der sonst wie ein Weihnachtsland zwischen den Gipfeln des Môle und des Petit-Salève herüberschimmert, blieb heut' im Duft verborgen.

»Ich verstehe nicht«, spann die Mutter nach einem Weilchen hartnäckig den Faden weiter, »wie er sich so auffallend an die Trotzendorffs anschließen konnte. Ihnen zuliebe hat er sich in Weimar die Wohnung eingerichtet und ist auf dem Gute überhaupt nicht mehr zu sehen. Alle Welt spricht davon, und dieses Verhältnis ist auch ganz und gar nicht zu billigen, das wirst du mir nicht bestreiten, Elisabeth.«

Elisabeth bestritt es nicht. Sie nahm sich zur Antwort Zeit und sagte nach einer besinnlichen Pause:

»Nun, Mama, es ist aber schließlich doch wohl zu begreifen. Unter seinen Verwandten und früheren Freunden ist er mit seinen poetischen und musikalischen Interessen so gut wie gar nicht verstanden worden, das wirst du doch zugeben. Und dann – Frau von Trotzendorff ist eben eine Künstlernatur, die ihn versteht. Auch die beiden Knaben hängen sehr an ihm, und Richard ist von Kopf zu Fuß ein Edelmann.«

»Das ist ja wohl wahr«, nickte die Freifrau. »Dieser Major von Trotzendorff ist ein Gentleman, ein nobler Charakter, das muss man gelten lassen. Aber es ist doch nicht schicklich, dieses ganze Verhältnis;

der Gatte sollte minder tolerant sein. Nein, nein, du redest mir das nun einmal nicht aus! Dieser Ingo ist überhaupt sonderbar; ich habe ihm nicht vergessen, wie er einmal über den preußischen und pommerschen Adel demokratisch abgeurteilt hat. Das sind Anwandlungen, die in seine Familie ganz und gar nicht passen. Ich bitte dich, am offenen Tisch zu behaupten, einem richtigen ostelbischen Junker sei ein Kalb wichtiger als ein Dichter! Wie kann ein Sohn aus altem Hause so unfair über Standesgenossen urteilen! Aber so ist er!«

»Wenn er aber nun recht hätte, Mama?«

»Elisabeth!«

»Im Ernst, Mutti: Wofür hat zum Beispiel Ingos Bruder Interesse? Für Hunde, Jagd, Pferde, landwirtschaftliche Ausstellungen – und was noch?«

»Ja gewiss – aber – er ist doch nun einmal Landwirt! Gewiss, ich gebe ja zu, Ingo ist ein intelligenter Mensch. Aber wie weit hat er es denn gebracht mit all seiner Intelligenz? Und weil er es zu nichts gebracht hat, droht er nun zu verbittern und zieht sich von den natürlichen Lebensgewohnheiten seines Standes ins Ausland zurück. *Voilà, ma chère!* Das bestreite du mir einmal, wenn du's vermagst! Er hätte Offizier werden oder sich dem Staatsdienst widmen sollen. Solche Talente gehören in die Nähe Seiner Majestät, er wäre da sicherlich ein großer Mann geworden.«

»Hast du in der Nähe Seiner Majestät schon einmal große Männer gesehen?«

Es zuckte ironisch um Elisabeths Mundwinkel; sie war sonst sehr gehalten, sehr höflich und herzlich, sehr konservativ. Aber mitunter brach eine sinnlich-wohlige Laune aus diesem gesunden Mädchen heraus, dessen Lebensgeister einst in verliebten Stunden wachgeküsst worden und nun seit Langem nur der Krankenpflege zugekehrt waren. Und in solchen Stimmungen kamen, immer noch fein und dezent, aber recht merklich, Kobolde und Neckgeister über die ehemalige Schwester vom Roten Kreuz. Es gelüstete sie dann, gerade ihre allzu sehr auf das Schickliche bedachte Mutter in die Enge zu treiben.

»Elisabeth, ich weiß wirklich nicht, wie du mir heute vorkommst«, wehrte sich Frau Mathilde von Stein. »Du weißt doch ganz gut, was ich mit dieser Bemerkung sagen will. Ich habe ja absichtlich dem Gespräch eine Wendung gegeben, die dir angenehm sein muss. Stein ist begabt, er könnte ebenso gut wie ein anderer etwa Generalintendant der Königlichen Schauspiele sein, das will ich damit nur sagen.«

»Hältst du die Generalintendanten der Königlichen Schauspiele für große Männer?«

»Aber es sind doch Leute von Titel und Rang! Stein hat doch gewiss ebenso viel Verstand!«

»Glaubst du, dass zum Generalintendanten Verstand gehört?«

»Ja aber – hör' mal, Kind, du willst mich heute ärgern!«

Elisabeth sprang lachend auf, legte den Arm um ihre Mutter und küsste sie in einem närrischen Anfall ordentlich ab.

»Muttichen, kleines, du hast ja keine Ahnung, wie es draußen in der Welt zugeht! Aber auch gar keine Ahnung hat unser kleines, dummes Muttichen!«

Die Baronin ärgerte sich, zupfte sich wieder zurecht, und die Baroness nahm ihre Stickerei wieder auf.

»Über diesen Ingo von Stein werd' ich mich mit dir schwerlich jemals verständigen, Elisabeth«, schloss die alte Dame etwas verdrießlich die Unterhaltung über diesen Gegenstand. »Du hast ja schon als Kind immer zu ihm gehalten. Und heute noch stellst du dich wie ein Engel mit dem Schwert neben ihn, sobald man diesen absonderlichen Herrn ein wenig zu kritisieren wagt. Und dabei hat er doch wahrlich nicht schön an dir gehandelt.«

»Lass das, Muttchen!«

Eine stärkere Röte stieg in Elisabeths Schläfen empor. Sie presste die Lippen aufeinander, entschlossen, auf das Gespräch nun nicht mehr einzugehen. Die Mutter kannte diesen Zug und schwieg. Und so hatte sie Zeit, an den Geliebten zu denken, den diese Unterhaltung wieder heraufbeschworen hatte. Sie ertappte sich plötzlich auf der sinnlich-süßen Vorstellung, wie innig und närrisch er doch zu küssen und zu kosen verstand, nicht nur ihren Mund, auch ihre Ohrläppchen und andre Lieblingsstellen, wenn er einmal so recht in der Narrheit drin war. Ihr selbst war eine passive, aber zähe Sinnlichkeit eigen; sie presste ihn in ihre starken Arme, als wollte sie ihn nie mehr fortlassen, und ließ mit Wonne seine fantasiereichen Koseworte über sich herabrieseln, als hätte sich der Himmel geöffnet und Jupiter besuchte seine Geliebte in Form eines Goldregens. Der Geliebte war oft stürmisch, doch niemals roh; aber oft auch zornig, weil »der Stein nur Stein umarme«!

Und da wurden ihre Gedanken düster und wurden sehr beschattet. Denn hier fing das Leid ihrer Trennung an. Sie war gegenüber seinen sturmhaft-närrischen Einfällen und Zärtlichkeiten zu schwerfällig, zu unerfinderisch, während ihm Genialität aus allen Poren sprühte und dann unbefriedigt und verdrossen wieder erlosch.

Dies alles, oft schon durchdacht, zog wieder einmal durch Elisabeths reifes und tiefes Gemüt.

In einem der letzten Briefe hatte er ihr damals geschrieben, er sei in der umgekehrten Lage als jener griechische Bildhauer: »Während jener Glückliche die schöne Statue lebendig geküsst hat, wirst Du unter meinen Küssen immer mehr zur schönen Statue.« Oh, sie wusste diese Briefstellen auswendig! »Hast Du je um Deinen Geliebten gekämpft? Hast Du nicht immer bequem gewartet, bis er zu Dir kam? Hast Du je eine kühne, meinetwegen unschickliche Fahrt gewagt, wenn Du ihn in seelischer Not wusstest?« So stand in jenen letzten Briefen. »Du bist reinlich und ruhig, höflich und herzlich; aber Dir fehlt Fantasie und Philosophie, Du bist schwer, statt schwungvoll.«

»Ja, das ist alles wahr«, dachte Elisabeth in immer erneuter Beschämung. »Und was ich ihm nicht geben konnte, das hat ihm dann jene Frau gegeben.«

Es stieg ihr siedend heiß das herbste und letzte seiner Zornworte in der Erinnerung empor; auf sein letztes Buch, das er ihr mit langem Brief gesandt, hatte sie nur in der ihr eigenen konventionellen Kürze geantwortet: das Buch wäre recht »nett«, und sie danke schön dafür. Da brauste er aber heftig auf. »Ich sende Dir mein Herzblut – und Du findest es nur nett?! Abscheulich Wort! Pfui, schäm' Dich!«

Ja, sie schämte sich. Elisabeth schämte sich bitterlich. Das war sein letzter Brief gewesen. So hatten sie sich verloren. Weil sie zum Mitfliegen zu lässig und oberflächlich war. Aber inzwischen hatte Elisabeth in Pommern drei aufrüttelnde Lehrjahre durchgemacht. Jetzt glaubte sie Ingos Bücher und Briefe zu verstehen; und sie gab ihm recht in allem, sich selber die Schuld aufbürdend und für ihn betend jede Nacht ...

Es pochte.

Der Oberkellner trat ein, überreichte einen Blumenstrauß nebst Briefchen und entfernte sich wieder.

»Gewiss wieder von dem reizenden jungen Franzosen«, meinte die Mutter. »Das ist ein wirklich charmanter Mensch.«

»Ja, von Leroux. Er sendet dir die Blumen, Mama, und mich lädt er zu einer Kahnfahrt ein.«

»Tu das, Kind, geh ein wenig an die Luft! Du tust mir sogar damit einen Gefallen, denn ich möchte recht gern ein klein wenig ruhen, es war heute reichlich viel Lektüre.«

So machte sich denn Elisabeth zurecht und war Weib genug, in ihrem Zimmer verhältnismäßig lang vor ihrem Spiegel zu stehen. Sie war nach der Grübelei wieder in jene lebensheitre Stimmung zurückgeschnellt und in ihrem kribbelnden Blut beinahe zu Streichen aufgelegt.

Der mattleuchtende Vollmond stand schon über dem Gipfel des Môle und wetteiferte vorerst machtlos gegen die stark hereinschimmernde, das ganze Land beherrschende Abendröte. Der junge Pariser war entzückt, dass die Baroness auf seinen Vorschlag einging. Sie wanderten miteinander den Quai du Montblanc entlang, nahmen am Hafendamm ein Boot und fuhren hinaus.

Veilchenfarben glänzten Luft und See. Die ölige Fläche war von zauberhafter Glätte; lange Furchen blieben hinter Schwänen und Nachen weithin eingegraben in die schweren, stillen Wasser. In diesen bezaubernden Farben ruderten die beiden jungen Menschen durch die unbewegte Flut und spürten auch in sich den alles belebenden Mai.

René Leroux war eine eigenartige Mischung von Kindskopf und kultiviertem Pariser. Er entbehrte bei aller muntren Treuherzigkeit nicht ganz des koketten Raffinements. Da sich die beiden sympathischen Herren als Freunde Ingos eingeführt hatten, so war rasch ein vertraut-höfliches Verhältnis zu den deutschen Damen hergestellt, die ziemlich neugierig waren, Näheres über den abenteuernden Verwandten zu hören. Die kränkelnde Freifrau brauchte viel Ruhe; Elisabeth war also dankbar für diesen willkommenen Anschluss, der sich in den besten Formen der Gesellschaft vollzog.

Das große deutsche Mädchen hatte auf den etwas jüngeren Franzosen sofort einen unwiderstehlichen Eindruck gemacht. Er war elektrisiert. Wie reif! Wie ruhig! Wie edel in der Bewegung! Wie hübsch die Büste, das Haar, der ganze schlanke Bau, der an jene herrlichen Statuen am Südportal des Straßburger Münsters erinnerte: Kirche und Synagoge! Er konnte seine schwarzen Augen kaum von ihr abwenden. Es ist sogar zu vermuten, dass er mit dem Namen Stein erst dann auf Fischfang ausging, als ihm diese Trägerin des Namens auch als Weib angenehm aufgefallen war; an sich hätte ihn eine Verwandte Ingos vermutlich kaum interessiert. Doch blieb er bei aller Verliebtheit doppelt ehrerbietig; und besondere Höflichkeiten verschwendete er klugerweise an die Mutter. Er lauschte sich in die Interessen der Damen hinein; er war es, der ihnen die Romanreihe »Jean Christophe« empfohlen hatte; er fühlte sich belebter und vornehmer im Bannkreise Elisabeths. Und es war bei ihm ein ehrliches Empfinden, kein Täuschungsversuch; er war von der eher herben als eigentlich schönen, doch äußerst anziehenden und eindrucksvollen Erscheinung des thüringischen Edelfräuleins hingerissen.

Das Weib Elisabeth merkte dies. Und das Weib blieb nicht gleichgültig, nicht unberührt. Wie viel Lebenshunger war in ihr angestaut! Und so antwortete irgendetwas in ihrem Organismus den sinnlichen Strahlungen des heißverliebten Franzosen ganz von selber. Denn die Sehnsucht nach Ingo brach immer wieder aus geheimen Quellen empor, überflutete Adern und Nerven und ließ die volle Brust zu eng werden. Dann kam sie sich wie eine unbenutzte Kraftfülle, wie verschmähte Gesundheit vor; und der Verdruss des Wartens und Alleinseins bäumte sich auf Augenblicke in ihrer edlen Natur hochauf, ohne dass sie sich dagegen wehren konnte. Es waren Wallungen, die nicht dem Willen zugänglich waren, Wallungen der rätselhaften weiblichen Natur.

So war es auch heute.

Leroux hatte das Herz voll von sinnlicher Schwärmerei für das vor ihm sitzende, mit Kraft geladene junge Weib, das er hier über den leuchtenden Genfer See ruderte; und es schien nur einer Berührung zu bedürfen, so sprühten elektromagnetische Funken aus diesem Kraftbehälter weiblichen Reizes. Er schaute sie flammend an, sie senkte den Blick; dann lachte er wieder unbefangen und radebrechte das drolligste Deutsch, und sie lachte mit. Unauffällig veranlasste sie ihn, von seinem Zusammensein mit Ingo zu erzählen. Der helle Pariser wusste darüber wenig zu sagen, aber er erfand nach Kräften hinzu, um ihr Freude zu machen. Dann kam er auf sich selber zu reden; und im Handumdrehen war er mitten in der flüssigsten französischen Liebeserklärung, die sich zu heißen Worten steigerte. Er trug ihr schlankweg seine Hand an. Er sei ein Sohn aus reichem und gutem Hause, er würde Deutsch lernen, auswandern, nach Kanada, nach dem Monde, sogar nach Thüringen, wenn sie ihn wolle, denn er liebe sie leidenschaftlich. Und er warf die Ruder in den Kahn und ergriff ihre Hände, die in der lauen Flut gespielt hatten.

Jetzt erschrak Elisabeth denn doch über diese andringende Glut; aber sie entzog ihm die Hände nicht. Sie verglich nur blitzhaft die stürmische Werbung dieses Ausländers mit der Teilnahmslosigkeit ihres ehemaligen deutschen Geliebten. Solche Gefühle kannst du erregen, dachte stolz das Weib in ihr, und Ingo hat dich verschmäht! Ach, das kurze Leben! Missachtet und verlassen am Wege liegen zu bleiben, – o wie bitter! Und hier lockt berauschende Leidenschaft! Hier lockt das Feuer eines hübschen jungen Mannes und will deine Kühle hinwegschmelzen und bietet dir seine Küsse und sein ganzes Sein und Haben an! … So saß Elisabeth mehrere Minuten in der beginnenden Maienmondnacht, äußerlich mit abweisendem Gesicht ins Wasser schauend, aber die Hände in ihres Bewerbers heißen Händen und überschüttet von den Liebesworten des lebhaften Kelten.

In solchen Sekunden hängt eines Weibes Schicksal an einer geringsten Bewegung, an einem Nichts. Aber Elisabeth strömte auch in dieser bedenklichen Stunde, wo ihr Blut für männliche Werbung empfänglich war, eine natürliche Reinheit aus. Es war in ihrem Antlitz so gar kein Zug schwächlichen Entgegenkommens, dass der Bedrängende nicht wagte, über das Schickliche hinauszugehen. Sie entzog ihm endlich die Hände, strich über die Stirne und schaute ihn mit fernen Blicken an. Die Bezauberung wich.

»Es ist eigentlich nicht liebenswürdig von Ihnen, Herr Leroux«, sprach sie, und es war wieder der ruhige Ton ihrer Mutter, »dass Sie mich da ganz unvermutet auf einer Kahnfahrt mit so ernsten Dingen überfallen. Das müssen Sie über Nacht einmal ruhig überlegen. Ich nehme an, dass Ihr Wunsch, mir Angenehmes zu sagen, Sie fortgerissen habe. Wir wollen nicht mehr hierüber sprechen. Es wäre ja schade, wenn wir uns diesen schönen Abend stören würden. Nicht wahr?«

Und sie hielt ihm lächelnd und nun wieder ganz überlegen die Hand hin, die er sofort nervös und lachend schüttelte; worauf er elastisch zu den Rudern griff und ausrief: »Verzeihen Sie mir, aber der Abend und Ihre Nähe berauschen mich!«

»Der Abend? Es ist ja Nacht! Nun schnell zurück! Wir sind ja da fast zu dem Park Monrepos hinübergetrieben und sicherlich wohl schon halbwegs nach Coppet geraten! Flink! Oh, sehen Sie nur, die Lichterreihe von Genf! Und sehen Sie dort: der Vollmond. Und hier der feurige Drache, der Dampfer! Nur flink weiter, sonst ängstigt sich meine Mutter!«

So fuhren sie in die Lichter zurück, die in großem Halbkreis um den Genfer Hafen stehen. Und der gewandte Franzose suchte unter doppelt lauten und heitren Gesprächen seine Niederlage zu verbergen ...

Ingo von Stein war von Barcelona, nach flüchtigem Besuch bei Schaller, direkt nach Avignon durchgefahren.

In der wohlbekannten Papststadt wurde Rast gemacht; die spanischen Eindrücke verlangten hier noch einmal Verarbeitung. Jetzt stand er einsam auf dem *Rocher des Doms* oberhalb der Rhone, wo er einst mit Friedel von jenem Mädchenphantom geplaudert. Und ihm war, als wären Jahre, nicht Wochen, seit seinem letzten Aufenthalt in Avignon an ihm vorübergerauscht und hätten ihre Spuren hinterlassen. Baumwipfel schienen vor der Aussicht hinweggeräumt, der Blick wurde frei, Jugendland tat sich abermals auf; Cousine Elisabeth stand am Parktor und winkte dem gereiften Pilger; und sie traten ein in das Freiland maßvoll beruhigter Schönheit und Weisheit und Liebe.

Wunderlich war es, wie er sich nun nach Elisabeth sehnte! Diesem Drange frischweg folgend, fuhr er vom reizvoll ummauerten kleinen Avignon über die offene große Handelsstadt Lyon immerzu das Rhonetal hinauf nach der ernsten Calvinistenstadt Genf und stieg dort in demselben Gasthof ab, in dem die Damen und ihre beiden jungen Begleiter wohnten.

Gerade als Leroux und Elisabeth das Boot betraten, zog Ingo im Hotel seine erste Erkundigung ein. Ja, diese Gäste wären hier, gab man ihm Bescheid, aber außer der leidenden alten Dame alle ausgegangen. Wohlan, so wusch er sich denn auf seinem Zimmer und trat dann gleichfalls hinaus in die Zauberfarben dieses unvergleichlichen

Maienabends. Allen Damen am rosig hellen Ufer spähte er unter den Hut: Ist sie dies? Oder jene dort? Nach den seltsamen Fahrten dieses Frühlings überwältigte ihn das Verlangen nach deutschen Lauten, nach thüringischen Gesichtern, nach fester Erdenwirklichkeit. Und hier also, unter diesen Menschen, die sich in verklärender Beleuchtung am Strand ergingen, irgendwo unter diesen Menschen musste auch Elisabeth sein. Es gab also hier eine lebendige Seele aus Fleisch und Blut, die er *sein* nennen durfte! *Seine* Elisabeth! Die ihn heute noch liebte wie vor fünfzehn Jahren, als sie ihm unter dem Herbstgold thüringischer Buchen den ersten Kuss der Liebe gab!

Er ging aufmerksam spähend am Strand entlang bis zum Park Monrepos.

Auch auf die Boote, die reinlich abgezeichnet auf silberner Flut schwammen, richtete er sein scharfes Auge. Es bemächtigte sich seiner ein feines Fieber besorgter Unruhe. Wo ist sie? Ausgegangen mit Wallace und Leroux? Oder nur mit einem der Herren – und mit wem?

Die Boote beobachtend, blieb er mit plötzlichem Erschrecken stehen: Die hohe Dame dort im Nachen mit dem starken Haar und dem graden Wuchs – war sie das nicht? Er spähte lang in die sinkende Nacht hinein; sie hatten die Ruder eingezogen, sie hielten sich an Händen. Allein das war wohl schon die dritte oder vierte Dame, die er heute Abend für Elisabeth gehalten hatte. Er lachte sich selber aus und kehrte ins Hotel zurück.

»Noch nicht zurückgekommen?«

»Bedaure, nein.«

»Aber es ist ja Nacht.«

»Herr Wallace kommt immer spät zurück, denn er malt im Gebirge. Herr Leroux und Fräulein von Stein haben wahrscheinlich wieder eine Kahnpartie gemacht.«

»So, so!«

Er schwieg einen Augenblick, biss sich auf die Lippen und warf dann die Worte hin:

»Sagen Sie weiter nichts, dass sich jemand nach den Herrschaften erkundigt hat. Es wird sich ja morgen alles finden. Schicken Sie mir den Kellner auf mein Zimmer, ich werde oben eine Kleinigkeit essen.«

Der umhergetriebene Troubadour schlief in dieser Nacht keine Stunde.

Doch sein Tagebuch füllte sich mit peinvollen Gedanken.

Aus Steins Tagebuch

Von Lord Byrons großzügigem Pathos, von Shelleys Himmelsflug, von Voltaires Diabolik und Rousseaus dumpf-ungestümem Freiheits- und Liebesdrang sind an diesem Genfer See noch Strömungen in der Luft ...

Es ist Nacht: Zeit der Dämonen. Zeit der Sonnenferne, Zeit der Mondherrschaft. Es ist Nacht: Gespenster- und Verräterstunde! In der Nacht verriet Petrus den Herrn; als der Hahn krähte, als die Sonne wieder alles Leben beleuchtete, erwachte sein höheres Ich zum Bewusstsein der niedrigen, sonnenfernen, gottfernen Tat ...

Teile der Nacht sind in uns allen. Unbetretene Schluchten, luziferische Mächte, Dämonen des Abgrundes. Und Diabolik oder Koboldwesen und Nixentum steckt auch in jedem naturstarken Weibe ... Elisabeth ist naturstark ... Freilich, das edle Weib beherrscht die Dämonen; sie werden dann Freunde und dienen der stolzen Herrin. Aber das schwache Weib? Das lässliche und passive Weib? ...

Ich bin furchtbar allein! ...

O mein Gott, wie grauenhaft bin ich allein! ...

Zum ersten Mal in meinem einsamen Leben wahrhaft mutterseelenallein! ...

Klammre dich nicht an ein Weib, mein Herz! Ein Weib kann nicht geleiten, kann nur begleiten, wenn du selber stark bist. Sie kann den Lebenskampf erleichtern, aber nicht bedeuten, nicht dir ersparen; sie kann Reizmittel sein, nicht Nahrung. Nahrung aber müssen Mann und Weib aus übersinnlichen Sphären holen. Wenn dir dahin der Pfad versperrt ist, wenn du nimmer glaubst an Sitte und Gottheit – dann allerdings ist Geschlechtslust dein niederträchtiger Ersatz – und Zerrüttung das Ende!

Das ist des Lebens Tragik: Bei innigster Liebe und reinster Absicht in entscheidenden Stunden ganz allein zu sein! Es gibt Stunden, die dir den Atem benehmen, wo du mit niemandem sprechen kannst, auch nicht mit dem besten Freunde. Das muss allein durchgekämpft werden. Beiß Zähne zusammen! Kämpf' es durch! Sprenge die Rinde! Neue Kraft formt neue Lebensrinde! Und nicht bitter werden, nicht bitter! Es ist wie ein Sterben, denn du musst dich von etwas Geliebtem trennen. Doch morgen bist du hindurch – und die Wunde wird vernarben – und du bist stärker als zuvor ...

Ich spüre die Geisterfreunde vom Montserrat, ich spüre die Jungfrau von Lourdes. Habt Dank! Bald bin ich vollends in eurem unbekannten Lande, wo es nur Liebe gibt, nur Treue ...

> Als der Vollmond über den See hing,
> Als die tückisch bewegliche Welle
> Ruhigen Lichtes lag, nur leise blinzelnd –
> Dacht' ich, wie diese falsche Woge
> Tückischen Sturmes fähig sei,
> Schneeweiße Fäuste ballend,
> Ein zornig Weibchen – das gestern
> Zärtliche Geliebte war.

> Traue der Welle nicht, Wandrer!
> Trau' nicht dem Weibe!
> Ach, mich quälen Wahnsinnsgedanken,
> Da ich der Süßen misstraue,
> Die mir so lieb war!
> Denn keine Treue wohnt in der Welle,
> Ach, keine Treue im Weib! Denn im Kusse,
> Insgeheim, in dunklen Tiefen,
> Denkt sie des andren!
> Ach, wer will eines Weibes Gedanken gebieten!
> Wer den ewig beweglichen Wellen! ...

Es ist Gift in meinem Blut! Es sind Dämonen in diesem Zimmer! Dieses Genf ist voll von Dämonismus! Ward nicht da draußen eine Kaiserin ermordet? Ja, das ist es! Bin ich nicht vorhin über die Stelle dieser schwarzen Tat gegangen? Sie ward mitten ins Herz getroffen von jenes Mörders Stilett, es floss kein Tropfen Blut, sie hat immer im Leben Reinlichkeit geliebt. Ruhelose, du bist viel gewandert: Wandernd stiegst du in Charons Nachen! Ihr Lieblingsdichter war der zerrüttete Heine, ein Verwandter des größeren Byron, der den Gefangenen von Chillon besungen hat – Freiheitsucher, denen Europa und die Erde zu eng war! Weiße Schwäne schwammen am Ufer, wo sie getötet ward; und die weißen Berge schauten machtlos dem schwarzen Frevel zu ...

Leben, du bist erschütternd kurz! Elisabeth, die du jener Kaiserin Namen trägst, wir wollen einander gut sein! Meine Elisabeth, wir wollen uns treu sein! Vergib, Elisabeth, denn ich bin dir selber zuerst untreu geworden! Und du hast recht, es mir zu vergelten. Vergelten?! Du – und vergelten?! Du bist ja frei, du bist durch nichts an mich gebunden! Es hat mich nur einen Augenblick erschüttert, dass du nun doch einen andren liebst. Sei glücklich – aber sei nicht unvornehm, meine Vornehme! Freunde sollen aufeinander stolz sein können: Ich will stolz sein auf meine vornehme, keusche, stolze Freundin Elisabeth, auch wenn sie einem andren gehört. Wohl bin ich dem Glück nach-gejagt, auch jetzt noch, aber das Glück hat mich gefoppt auf allen Wegen ...

Euer Plan ist verloren, ihr ewigen Götter,
Wenn ihr wähntet, ich würde als Heil'ger wandeln,
Den harten Blick empor auf das Ewige richtend,
Bußpredigend wandeln durchs reinere Deutschland!

Nein! Mich überwältigt der Drang nach Liebe!
Jene, die mich in fernen Kindertagen
Aufgeweckt und mein Blut zum Singen brachte –
Wieder such' ich sie heiß und suche Liebe!

Wieder muss ich hinab, hinab zu Menschen!
Noch nicht bin ich zum Aufstieg auf den Gralsberg
Reif genug – und werd' es im nächsten Dasein
Redlich büßen – doch heute – – Liebe! Liebe! ...

Die flüchtige Auskunft eines Kellners, ein Blick auf einen Kahn, eine dumpfe Angst und Ahnung – es genügt, mir eine Fiebernacht zu schaffen! Ich glaubte mich im bequemen Besitz, ich ward herausge-schreckt. Nun kannst du spüren, mein Herz, wie zäh und fest meine

Jugendfreundin mit mir verwachsen ist! Nun, da du verlierst, nun weißt du, was du besessen! ...

Bin gealtert, leidgeschüttelt
Und ergraut an beiden Schläfen –
Liebste, doch noch einmal möcht' ich
Dass wir uns im Walde träfen.

All die süßen Liebesworte,
Die ich dir vor sieben Jahren
In dein schweres Haar geflüstert,
Solltest du aufs Neu' erfahren.

Wenn der Knabe küsst, so ist es
Wie das Schilf im weichen Winde –
Doch des Mannes Kuss vergleich' ich
Starkem Sturmgebraus der Linde.

Warst du dort die Honigblüte,
Dran ich wie ein Falter naschte,
Oder warst du mir die Waldfee,
Die ich leichten Sprungs erhaschte –

So ersehnt jetzt Mannesvollkraft
Eines starken Weibes Fülle,
Und es trennt die reifen Gatten
Weder Bänglichkeit noch Hülle ...

Wunderlich wechselnd ist eines fantasiereichen Menschen Empfindungsleben.

Als Ingo von Stein nach geringem Schlafe am andren Morgen auf roten Teppichen die Hoteltreppe hinunterstieg, war er über sich selber erstaunt, wie spannkräftig er dennoch dem neuen Tag entgegenschritt, als wäre der Gedankenspuk dieser eifersüchtigen Nacht gar nicht gewesen.

Es war zwischen sieben und acht Uhr, als er ins Frühstückszimmer trat.

»Noch niemand unten?«

»O nein! Erst gegen neun Uhr pflegen die Herren zu erscheinen; und die Damen nehmen das Frühstück auf ihrem Zimmer.«

Er trank seinen Kaffee und trat hinaus in den köstlichen Duft eines wolkenlosen Morgens. Nach rechts, über die Brücke, in den englischen Garten. Auch dort irgendwo waren Boote zu vermieten; er nahm sich einen schlanken Nachen und ruderte aus dem Hafen hinaus in den glatten See, der flimmerte von Morgenduft und Morgenlicht.

Hatte des Nachts eine mittelalterliche Stimmung von Hexen und Dämonen spukhaft über ihn Macht gehabt, so ward er jetzt umflutet vom taghellen Schönheitsrausch des alten Hellas. Wie kraftvoll schön die Welt! Wie anstrahlend Luft und See! Ein starkes Naturschauspiel entfaltete sich unmittelbar vor seinem Nachen: Ein großer Schwan, von Maienbrunst getrieben, verfolgte stürmisch ein Weibchen; mit den Flügeln klatschend, rauschend, flog er dahin, fiel auf offenem See über das flüchtende Weibchen her, schlug den Schnabel in Hals und Rücken des unter ihm schwimmenden Vogels – und unter starkem Schreien kämpften sie schwimmend den uralten Kampf der Geschlechter, sodass Federn flogen und der See aufrauschte. Mehrere andre Schwäne umkreisten mit erregt gesträubten Flügeln den immer wieder unterbrochenen und immer wieder aufgenommenen Kampf. Leda und der Schwan! Das sinnlos berauschte Männchen verfolgte das weibliche Tier über den halben See hinüber; leicht schwimmende Federn bezeichneten die Fluchtlinie. Das Bild passte in die Kraft, den Farbenglanz und die Größe der Landschaft. Der See schimmerte grün-bläulich, fast violett; die Häuserreihe von Genf warf das Morgenlicht zurück; und dahinter erhob sich die ernste Schneelandschaft der Juragipfel.

Dem Troubadour verdichtete sich der wildschöne Kampf des Schwanes um sein Weib zum Sinnbild für ihn selber. So gedachte auch er um sein Ideal zu kämpfen – aus allen Irrfahrten heraus um das ganz bestimmte einzige Weib, das ihn von Kind an geliebt hatte.

Er zog die Ruder ein, ließ sich treiben und redete mit den Nixen des Genfer Sees.

»Nixen der Flut und der Forste, ich bitte, bleibt mir auch ferner
Freundlich gesinnt, wie so oft in der Heimat, im Thüringer
Walde!

Ja, verdoppelt die Gabe! Denn zwiefach will ich nun werden,
Und es fürchtet mein Weib ein wenig die Rache der Nixen,
Die ich immer so herzlich geliebt wie die Wunder des Waldes.
Doch ich erzähle der Bangen, wie gut ihr seid und wie hilfreich,
Und bald wird sie euch lieben und wird sich freuen, zu schauen
So viel schöne Gesichtchen, so schöne Gewänder und so viel
Köstlich melodischen Lebensgesang, der nachts um das Haus
    weht
Und des Schläfers Gedanken und Sorgen verwandelt in Wohllaut.
Singt auch der Meinen! Singt meiner Gattin! Und was sie an
    Kummer
Oder an Krankheit geschaut und gepflegt – verwandelt es, Geister,
Singend in Töne der Freude! Und habt sie lieb, wie ihr mich
    liebt!«

Dann ruderte er hafenwärts, erstand die schönsten Blumen und
schritt in das Hotel zurück.

Oben warf er sich in seinen dunkelgrauen Gehrock und schrieb auf
seine Visitenkarte, die er mit den Blumen hinüberschickte, er bitte
um die Ehre, den Damen von Stein seine Aufwartung zu machen.
Nach Leroux und Wallace hatte er sich vorerst gar nicht erkundigt.

Vor den Zimmern der Damen im Korridor auf und ab gehend,
wartete er pochenden Herzens auf Antwort. Es war ihm völlig unge-
wiss, wie man ihn aufnehmen, ja ob man ihn überhaupt empfangen
würde. Als er noch wartend stand und sich bereits mit der Einbildung
abzufinden suchte, dass man seinen Besuch überhaupt nicht annehmen
würde, kam von unten ein Kellner und brachte ihm einen eben ange-
kommenen Brief. Er erkannte Trotzendorffs feste Handschrift. Doch
hatte er eben nur Zeit, den Brief einzustecken. Denn die Tür tat sich
auf – und raschen Schrittes trat Elisabeth heraus.

»Ingo!«

Sie ließ die Visitenkarte fallen und stürzte mit ausgestreckten Händen auf ihn zu, über und über erglühend und in diesem Augenblick
wahrhaft schön. Er ergriff ihre beiden Hände mit den seinen, und so
standen sie sich einen Augenblick gegenüber und schauten sich mit
bebenden Herzen an. Es war einer der schönsten Augenblicke seines
ganzen Lebens. Alles, was ihn gequält hatte, fiel von ihm ab, als sie

sich hier Auge in Auge gegenüberstanden. Der Gralsucher hatte die überwältigend beseligende Empfindung: Ich bin am Ziel!

Aber sie befanden sich auf offenem Korridor, fremden Blicken ausgesetzt, und so beherrschten sie sich rasch.

»Aber wie kommst du denn hierher?«, rief Elisabeth.

»Dich und deine Mutter zu begrüßen; das ist doch ganz einfach!«

»Mama ist sprachlos vor Staunen, sie macht sich eben im Schlafzimmer fertig. Komm nur herein in unsren Salon!«

Und sie traten ein.

Das Stubenmädchen, ein niedlicher Racker, der den Vorgang neugierig beobachtet hatte, hob Steins zu Boden gefallene Visitenkarte auf und ging damit trällernd und schnalzend an das andre Ende des Stockwerks. Dort lag Leroux noch immer in den Federn, obwohl es über zehn Uhr war; seine Schuhe standen vor der Türe. Der Pariser pflegte das Mädchen gern zu necken, sie gab ihm die Neckerei zurück: Sie legte die Visitenkarte quer über seine Schuhe und erzählte dann kichernd den Kolleginnen, wie zärtlich der neue Herr von den Damen auf Nr. 10 empfangen worden sei. »Der sticht den Pariser aus – wetten wir?«

Frau Baronin Mathilde von Stein-Birkheim war mit der ganzen Vornehmheit ihres Wesens, das Spitzentuch über Kopf und Schultern, die große Brosche mit dem Bild der Großherzogin am Halse, in den Salon getreten und hatte, auf ihren Krückstock gestützt, stehend den offiziellen Besuch ihres überaus höflichen Neffen entgegengenommen. Dann nahm sie Platz und lud zum Sitzen ein. Sie war sonst wenig entzückt von Ingo; es war für sie schwer, zu dem unberechenbaren Menschen ein Verhältnis zu finden. Noch im Herausgehen wusste sie nicht recht, ob sie den vermutlich ganz verwilderten Troubadour nicht gleich wieder kühl entlassen solle. Jedoch die bejahrte Dame hatte eine Eigenschaft, die in diesem Falle überwog: Sie war ein wenig neugierig. Und da Ingo mit wahrhaft ehrfurchtsvoller Höflichkeit ihre Hand küsste und in unverwilderten Formen eine ritterliche Begrüßungsrede hielt, war sie zunächst beruhigt und begann ihm umständlich ihre Krankheit zu erzählen. Dann sprach man vom Leidenslager seines Bruders. Und dann geriet das Gespräch ins Stocken; denn alle drei dachten an eine dritte Kranke, deren Namen aber niemand nennen mochte.

Während bei dieser gemessenen Unterredung Baronin und Ingo einander gegenüber saßen, stand Elisabeths hohe Palmengestalt am Lehnstuhl ihrer Mutter. Sie hatte den Arm um die Lehne gelegt, leicht geneigt, und schaute, sofern sie sich nicht zur Mutter herabbeugte, um eine Angabe zu bestätigen, fast unverwandt den Geliebten an, so strahlend von einem stummen Glück, dass dem Wandrer einmal über das andre ein warmer Schauer über das Herz rann. Himmel, wie edel und reif dieses Gesicht, wie ebenmäßig diese Gestalt! Wie gütig, warm und wonnig diese Augen! Und wie hilflos-kindlich dieses Lächeln des Glückes, das sie offenbar gar nicht zurückdrängen konnte! Nicht mit einem Wort beteiligte sie sich unmittelbar an der Unterhaltung; darin war sie sich treu geblieben. Und als sich Ingo erhob, um sich nach diesem ersten Besuch wieder zu verabschieden, hatte sie buchstäblich außer den jubelnden Eingangsworten keinen einzigen Satz an ihn gerichtet.

Ingo zog sich zurück und lief ein wenig durch die Stadt, nach der Rousseau-Insel und hinauf nach dem inneren Genf. Und es muss gesagt werden, dass er vor jedem Schmuckladen stehen blieb und die aufgereihten Trauringe liebäugelnd betrachtete. Es gibt in Genf viele Schmuckläden. Er wählte lang, trat endlich ein und erstand sich zwei Ringe. Er kannte den Umfang ihres Ringfingers: Er entsprach genau seinem eigenen kleinen Finger. Mit den gediegenen Goldreifen in der Tasche setzte er beflügelt und entschieden seine Wanderung fort, kreuz und quer durch die ehrwürdige Stadt, doch blind für die Außenwelt.

Die Damen pflegten, wenn die Baronin sich besonders wohl fühlte, unten zu essen, und zwar zusammen mit Ingos Freunden Wallace und Leroux. Ersterer war wieder abwesend; Leroux begrüßte den Baron mit auserlesenen Liebenswürdigkeiten; alle vier setzten sich an einen besondren, blumengeschmückten Tisch. Elisabeth war in weißem Kleide, trug am Gürtel einige von Ingos Maiglöckchen und war in ihrer süßen Verzauberung einer Braut nicht unähnlich. Am Halse des, wie immer, hochgeschlossenen Kleides hing ein Goldkreuz mit rubinrotem Herzen: ein Schmuck, den Ingo immer geliebt hatte.

René Leroux war aufgeregt; Ingo mit seinen gesunden Nerven benahm sich gefällig, heiter und glücklich. Doch allmählich fielen ihm, während er von seinen Reisen erzählte, die Blicke auf, womit der Franzose, sobald er sich unbemerkt glaubte, beinahe bang und flehend

Elisabeths Augen suchte. Es lag etwas wie ein Werben, ja wie eine geheime Verständigung in diesem Augenspiel. Elisabeth freilich, züchtig und bräutlich und mit leuchtenden Glücksfarben vor ihrem Teller sitzend oder am Weine nippend, schien gar kein Auge für ihn zu haben. Immerhin bemerkte Ingo, wie sie einmal, Lerouxs zudringlichem Blick begegnend, unwillkürlich errötete. Auch suchte der Pariser mehrmals eine gedämpfte Privatunterhaltung mit Elisabeth anzuknüpfen. Die alte Dame in ihrer freundlichen und etwas steifen Würde spürte nicht, was für Fäden zwischen den drei übrigen Tischgenossen hin und her spielten.

»Ingo hat nach meinem Dafürhalten recht sehr gewonnen«, bemerkte sie oben leutselig. »Er scheint mir rücksichtsvoller zu sein als früher, wo er manchmal doch recht vorschnell war im Aburteilen. Und klug! Ich muss schon sagen: wirklich klug! Aber der andre, der unruhige junge Mann aus Frankreich, fängt an, mir nachgerade auf die Nerven zu fallen. Es ist zwar ein wohlerzogener Mensch von guter Kinderstube, aber es wäre passender gewesen, dass er mir oder dem Baron zugehört hätte, statt immer dich in eine Unterhaltung verflechten zu wollen. Es war korrekt, dass du ihm abgewinkt hast. Eine so zersplitterte Tischunterhaltung macht mich nervös … Wir werden um vier Uhr auf unsrem Balkon Kaffee trinken, nicht wahr, Kind? Wenn ich noch schlafen sollte, kannst du ja den Baron empfangen und so lange unterhalten.«

Ingo hatte mit Leroux noch einige Zigaretten geraucht und sich dann auf sein Zimmer zurückgezogen. Hier durchdachte er, ziemlich gedämpft nach dem Freudenausbruch des Vormittags, seine unangenehmen Beobachtungen.

Dann las er Trotzendorffs männlichen Brief.

»Mein alter Ingo!

Nach einem langen ersten Empfang (Audienz) bei unsrer Hoheit bin ich soeben nach München zurückgekommen, wo es meiner lieben Frau nach schmerzlichen Tagen zum Glück besser geht, und setze mich sofort hin, um dir zu schreiben. Deine häufigen treuen Kartengrüße sind eingetroffen, ebenso zu unsrem Erstaunen Deine Drahtnachricht von Deiner Reise nach Genf. Du bist doch immer der alte Sausewind, liebster Junge! Was Teufels treibst Du denn nun plötzlich in Genf? Was überhaupt so lange in romanischen Ländern? Mir ist das Herz wieder aufgegangen, als ich deutsche Sprache um mich her vernahm. Na also, nun zur Sache! Wir haben in jener fürstlichen Unterredung auch über Dich gesprochen, Alter. Ich bin ins Zeug gegangen, dass die Schwarten krachten. Dein Buch Heroismus (Du hättest es schlicht und deutsch Heldentum nennen sollen) ist unter hoher Befürwortung (Protektion) nach Berlin gegangen und soll an höchster Stelle gewürdigt werden, besonders der Abschnitt über Friedrich den Großen. Und dann: In den nächsten Monaten kommt Seine Majestät nach der Wartburg. Dort, an geschichtlich bedeutsamer Stätte, wirst Du dem hohen Herrn vorgestellt. Ein Mann wie Du darf nicht ziellos in der Welt herumlaufen, Du hast vaterländische Pflichten, Freiherr von Stein! Verstanden? Wir werden bis dahin überlegen, wo wir Dich an den rechten Platz stellen: Kunstakademie, Hoftheater, Staatsdienst, Gesandtschaftsposten – irgendwo müssen wir Deine geistige Kraft verwerten. Du hast mich zwar oft gehänselt wegen meiner angeblichen Vereinsmeierei: Sprachverein, Flottenverein, Pfadfinder, Jugendwehr und so weiter – lass gut sein, Junge! Das sind rüstige Dinge und eines rechten Mannes würdig. Und ich fühle mich nun einmal bis ins Mark als Mitglied der vaterländischen Gemeinschaft und unsres deutschvölkischen Arbeitsgebietes. Also, lieber Freund, kurz und gut: Im Herzen Deutschlands ist Dein Platz! Und drum verdirb mir meine Bemühungen nicht und stell' Dich zur Verfügung, wenn von höchster Stelle ein Ruf an Dich ergeht. Deutschlands Weltlage im Herzen Europas ist ernst. Wer weiß, wie bald Angelsachsentum, Slawentum und Romanentum sich über uns herstürzen werden! Oder wer weiß, was von innen her gebraut wird! Da wird dann auch viel Faules hinweggefegt werden, was dem Ernst und der Größe der Zeit nicht mehr gewachsen sein kann. Du hast, wie der alte Joseph in Ägypten, in aller Stille Vorratshäuser gebaut; dann, wenn die Nöte kommen, sollst Du Deine Kornkammern auftun. Drum halte Dich bereit!

Deutschen Gruß, lieber Freund!

Dein Richard.«

Ingo gedachte dieses treuen und tapferen Mannes mit warmer Herzensbewegung. Er sah im Geist den breitschultrigen Verfasser dieses Briefes am Schreibtisch sitzen, den angegrauten Schnurrbart und das militärisch kurze Haupthaar über das Papier gebeugt; er sah ihn, wie er dann zufrieden ans Bett seiner Gattin trat und mit markiger Stimme den Brief vorlas, denn zu all solchen Erzeugnissen holte er ihren Segen ein; und er sah, wie sie lächelnd und lobend beistimmte.

»Er ist ein prächtiger Vertreter eines tatkräftigen Bismarck'schen Deutschtums«, dachte Ingo. »Aber ohne Romantik. Eine Gralsburg zu bauen ohne Hilfe eines Vereins, wäre für Trotzendorff ein Wahn (in Klammern: Chimäre) oder eine Einbildung (in Klammern: Ideologie oder Illusion). Und ein Mann von geistiger Bedeutung hat nach Richards staatstreuem Empfinden das Höchste erreicht, sobald er in amtlicher Stellung steht mit Titel und Orden. Ihm ist der römische Staatsbegriff in Fleisch und Blut übergegangen; aber die freie Genialität der Griechen, der Sinn für Schönheit, Anmut, Geschmack? Mystik ist ihm ebenfalls verdächtig, Musik ein allerdings sehr angenehmes Geräusch, ohne dass er in ihre seelische Tiefe dringt. Kurz, Trotzendorff hat Stiefel, aber keine Flügel.«

Das ungefähr waren Ingos Gedanken über diesen in seiner Einseitigkeit tapfren und treuen Charakter, der aus altpreußischer Zucht hervorgegangen war.

Und doch musste er sich sagen, dass dieser Soldat eine richtige Empfindung gegenüber Ingos Schwärmerei ehrlich aussprach.

»Ich drohe mich in der Tat zu verflüchtigen, ich gehöre nach Deutschland, in festes Wirken, wenn auch nicht in staatlich abgestempelten Formen. Da hat er recht. Doch ob der realistische Deutsche dem Idealisten Führer sein kann? Schwerlich! So wenig wie der Körper dem Geist. Nur ein Mahner. Kein Kaiser darf Dichter kommandieren. Sie sind beide gleichwertige Fürsten. Ich achte den Reichskörper – aber mein Gebiet ist die Reichsseele.«

So wappnete sich hier, in aller Freundschaft, ein Deutscher gegen den andren – echt und selbstständig beide, und doch erst in Gemeinschaft und Ergänzung ein harmonisches Ganzes.

Dann ging er hinauf zu den Damen.

Er traf Elisabeth allein. Sie strahlte von innen einen eigenartigen Zauber aus, sie war liebreizend und glückselig. Als er eintrat, legte sie den Finger auf den Mund und deutete nach der Nebentüre.

»Mutter schläft noch«, sagte sie leise.

Er war beglückt, sie allein zu sprechen, behielt ihre Hand in der seinen und setzte das Gespräch mit gedämpfter Stimme fort:

»Sind wir wirklich wieder einmal allein nach so langen Jahren? Es kommt mir noch immer wie ein Traum vor, dass wir uns gegenüberstehen.«

»Mir auch, Ingo.«

»Und sag' mir, Elisabeth, denkst du noch genau so wie in der Kindheit?«

Sie wandte den Kopf, schaute befangen nach der Nebentüre und sah dann wieder ihn an, innig und seelenvoll, aber stumm, als wollte sie sagen: Sprich hier nicht darüber, aber lies in meinen Augen, du lieber Mann!

Sie setzten sich in die offene Balkontüre und unterhielten sich mit gedämpfter Stimme. Ingo erzählte vom Montserrat und konnte sich nicht enthalten, auch des Konsuls zu gedenken und von des ungewöhnlichen Mannes wunderbaren Enthüllungen Andeutungen zu geben.

Doch hier spürte er bald ein feines Widerstreben.

»Man hört jetzt viel von solchen Ideen«, sagte sie. »Kommt diese Bewegung nicht aus Amerika und England oder gar aus Indien?«

»Gewiss, ja, aber Bruck ist ein unabhängiger Mann.«

»Oh, es ist gewiss sehr interessant. Aber genügt schließlich nicht das Bibelwort: Was kein Auge gesehen und kein Ohr gehört, das hat der Herr bereitet denen, die ihn lieben?«

Ingo musste unwillkürlich lächeln. Das war sie noch immer, seine gute Elisabeth!

»Gewiss genügt es! Es genügt ja auch, in Deutschland den Acker zu bauen«, sprach er. »Wozu also Amerika entdecken? Wozu den Nordpol suchen? Wozu gar mit Luftschiffen das höchst unsichere Element der Luft befahren wollen? Man könnte ja am Ende einmal herabfallen! Nicht wahr, Spießbürgerchen?«

Sie lachten beide.

»Da hast du recht, Ingo! Baue du nur Luftschiffe, aber flieg uns nicht wieder fort! Übrigens auch ich interessiere mich lebhaft für Geister«, fügte sie schalkhaft hinzu, »aber für verkörperte!«

Hier wurde angeklopft, und das niedliche Stubenmädchen brachte einen Blumenstrauß mit einem Briefchen in geschlossenem Kuvert, gab die Sachen an Fräulein von Stein und verschwand.

»Bei euch ist ja die reine Blumenausstellung!«, scherzte Ingo. »Was hast du denn da für einen Verehrer?«

»Harmlos! Sieh selber nach!«

»Darf ich wirklich? Kein Geheimnis?«

»Vor dir hab ich kein Geheimnis.«

»Wirklich nicht, Elisabeth?«

Er hatte das Briefchen in der Hand, das sie ihm ungeöffnet gereicht hatte; und als sie so, den Blumenstrauß aus dem Papier wickelnd, vor ihm stand und ihn mit ganzer Treue und Klarheit ansah, konnte er nicht anders: Er legte den Arm um ihre Schulter, und sie sahen sich ganz nahe einige Sekunden innig in die Augen. Ein Glücksstrom überrieselte ihn abermals: Ich bin am Ziel!

Dann tat sie die Blumen ins Wasser und trug die Vase auf die Brüstung des Balkons, wo bereits der Kaffeetisch wartete. Er aber öffnete das Kuvert, das Lerouxs Visitenkarte enthielt – und las Folgendes:

»Ich bin rasend vor Eifersucht. Gestern im Nachen war ich zwar toll vor Liebe, doch auch Sie waren nicht gleichgültig. Auch Sie lieben mich, sagen Sie mir deutlich, dass Sie mich lieben! Tragen Sie eine meiner Rosen als Antwort! Ich bete Sie an.«

Ingo stand und starrte diese leidenschaftlichen Worte an. Dann fluteten und brausten plötzlich wieder die Angstzustände der Nacht über ihn herein. Also doch! Seine Elisabeth – dort im Kahn – also doch!

Auch Leroux wähnte sich offenbar »am Ziel«! Denn sonst hätte er diese Sprache nicht gewagt!

Er sagte keine Silbe.

Mit unnatürlicher Ruhe steckte er die Karte in das Kuvert und legte das Briefchen auf Elisabeths Schreibmappe.

Die Mutter trat jetzt ein. Er bot ihr den Arm und führte sie an den Kaffeetisch. Und es wurde eine unsäglich einsilbige und unsäglich steife Kaffeestunde.

Elisabeth, in ihrem stillen, großen Glück, merkte anfangs gar nichts von des Freundes Verstimmung; sie schob seine Schweigsamkeit denselben Gefühlen zu, von denen sie selber durchdrungen war. Sie sprach heute reichlicher; sie zitierte Stellen aus seinen Werken; und ihre Mutter machte lächelnd die Bemerkung:

»Oh die, die kann deine Bücher auswendig, Ingo!«

»Wirklich, liebe Tante? Was Sie sagen!«

Er schaute in das strahlende, offene, durch kein Wölkchen getrübte Gesicht seiner glücklichen Geliebten; und tiefes Weh wallte in ihm empor. Der beklemmende Schmerz machte ihm fast jede Unterhaltung unmöglich. Auch sie nicht treu! In einem Winkel ihres Wesens auch sie kokett! Trägt jenen artigen Burschen im Herzen – und verbindet damit die wieder erwachten Jugendgefühle! O Weib, Weib!

Und er raffte sich auf und sprach von Trotzendorffs Brief und dass er wahrscheinlich recht bald nach München müsse. Man hatte den Namen Trotzendorff bisher vermieden; jetzt teilte er geflissentlich mit, dass die kranke Frau von Trotzendorff in einem Münchener Sanatorium liege.

Elisabeth wurde schweigsam.

»Ich hatte nur das Bedürfnis«, schloss er höflich und kühl, »Ihnen, liebe Tante, meine Aufwartung zu machen und mich nach Ihrem Befinden zu erkundigen. Es war mir äußerst angenehm, dass ich Sie beide getroffen habe. Weiter fesselt mich nichts mehr hier in Genf; ich kenne den See schon; und Sie gehen ja wohl auch bald nach Montreux. Wundern Sie sich also nicht, wenn ich plötzlich nach München und dann nach Thüringen zu meinem Bruder verschwunden bin.«

Elisabeth blickte stumm in ihre Tasse. Ihr Herz krampfte sich zusammen. Nach München! Also doch wieder zu jener Frau!

»Du bist und bleibst ein rechter Zugvogel, lieber Ingo«, sagte die Tante und war offenbar nicht wenig verlegen, wie sie das Gespräch fortführen sollte. Denn die beiden schweigsamen Menschen unterstützten sie darin ganz und gar nicht.

So hob sie denn dieses trübselige Kaffeestündchen auf, und Ingo verabschiedete sich. Elisabeth suchte ratlos, ängstlich, bittend seine Augen; sie suchte ihn mit der ganzen Innigkeit ihrer Blicke noch einmal festzuhalten; er spürte, wie ihre Hand zitterte, als sie die seine krampfhaft festhielt – aber er wich ihren Blicken aus. Es war in ihm eine tiefe Trauer und ein schmerzlicher, fast bissiger Entschluss. In der Form der größten Höflichkeit nahm er Abschied; und die große, weiße, goldverzierte Salontüre fiel hinter ihm zu.

»Diese Waldeck'sche Linie der Familie Stein hat entschieden einen Stich ins Verrückte«, grollte die sonst so gehaltene Edelfrau, als sie mit ihrer todbleichen Tochter wieder allein war. »Wirst du nun aus diesem Menschen klug? Da überfällt er uns, scheint die alten Beziehungen wieder anknüpfen zu wollen – und läuft sofort wieder davon! Ich muss doch einmal gleich an Tante Adelheid nach Weimar schreiben, dass sie ihm den Kopf waschen soll! Auf sie gibt er wenigstens noch etwas, auf uns gar nichts. Auch der französische Herr wird mir unangenehm; und der Engländer nimmt überhaupt keine Rücksicht. Ich will dir etwas sagen, mein liebes Kind: Wir zwei bleiben wieder allein! Hörst du, Elisabeth? Das alles regt mich auf.«

»Ja, Mutter, wir zwei bleiben wieder allein ...«

Der Duft und Dunst, am Morgen noch von der Sonne durchglüht, hatte sich jetzt immer mehr zu Gewitterwolken verdichtet. Die Sonne war verschleiert. Es war eine fahle, schwüle Stille. In der Ferne, nach Lausanne zu, bildete sich ein schwarzes Gewitter und schüttete am Abend Regenmassen über Berge, See und Stadt.

Ingo, rasch und lebhaft in seinen Entschlüssen, packte augenblicklich seine Sachen. Während dieser Arbeit beruhigte er seine leicht erregbare Fantasie. Und seine natürliche Herzenswärme trat wieder hervor.

Er setzte sich hin und schrieb der Geliebten einen kurzen Abschiedsbrief:

»Meine gute, liebe Elisabeth! Wenn auch unser Bund zerbrochen ist, so wollen wir doch versuchen, als Kameraden dankbar aneinander zu denken. Ich will Dir also sagen, dass ich Dir nicht grolle. Denke auch Du gut von mir! Offen will ich Dir mitteilen, dass ich euch zufällig im Kahn beobachtet habe und auch während des Mittagessens nicht blind war; das Briefchen gab dann den Ausschlag. Elisabeth, werde glücklich! Doch bleibe unsre vornehme, gütige, edle Elisabeth, die wir um dieser Eigenschaften willen alle so sehr achten und lieben – und die ich, das darf ich wohl sagen, auch in allem Wechsel immer geliebt habe. Leb wohl, liebes Mädchen! Ingo.«

In der Nacht, während Elisabeth in ihre Kissen weinte und vergeblich das Taschentuch zerbiss, um ihre nahe schlafende Mutter das Schluchzen nicht merken zu lassen, saß der ruhelose Ingo im Schnellzug, um über Zürich nach München zu fahren.

Am andren Morgen troff ein mächtiger Maienregen über das Genfer Gebiet.

Elisabeth schritt im Regenmantel unter dem Schirm durch die Stadt, um einige Besorgungen zu machen.

Die Gewitternacht hatte in ihr einen Plan gereift. Nachdem sie ihrer Mutter verhärmtes Gesicht gesehen, die ihres Kindes Weinen recht wohl gehört hatte; nachdem sie noch gestern Lerouxs unseliges Briefchen gelesen und Ingos traurig-lieben Abschiedsgruß empfangen hatte; nachdem sie in der Nacht noch einmal alles durchgelitten, was in ihren langen Herzensbund mit Ingo immer wieder störend eingegriffen hatte: gab es für ihre sonst so spröde Natur kein Wanken mehr. Sie beschloss, um den Geliebten zu kämpfen.

Sie ließ unter diesem trostlosen Regen, der auf ihren Schirm klopfte, durch nasse, öde Straßen wandernd, im Geiste vorbeiziehen, was ihren Bund mit Ingo hemmen könnte. Ihre eigene passive Natur? Die war doch wohl ein wenig besser geworden. Leroux? Ach, den hatte sie heute Morgen kurz und kühl abgewiesen. Jene ferne Frau? Ja, da war es! Immer wieder jene Frau, die ihr so überlegen war, so schön, so geistvoll, so musikalisch – – – jene Frau Friederike – – –

»Wenn sie ein Herz hat«, sagte sich Elisabeth und gab sich alle Mühe, die Tränen zurückzupressen, »darf sie sich nicht mehr zwischen uns beide stellen. Ich will zu ihr fahren und ihr alles sagen.«

9. Weimar

Wer etwas Treffliches leisten will,
Hätt' gern was Großes geboren,
Der sammle still und unerschlafft
Im kleinsten Punkte die höchste Kraft.

Schiller

Fräulein Adelheid von Stein-Birkheim stand mitten in ihrer häuslichen Welt voll künstlerischer Schönheit, die sie sich in ihren siebzig Lebensjahren aufzubauen verstanden hatte. Sie stellte eben das grüne Kännchen beiseite, aus dem sie ihre vielen Blumen zu begießen pflegte. Die Wände ihrer Wohnung waren bis oben hin mit schönen Gemälden, Familienporträts und Bildnissen befreundeter und wertvoller Menschen, deren Dasein sich irgendwie mit dem ihrigen versponnen hatte, ausgeziert. Und selbst auf den kleinen Tischen standen Fotografien zwischen den auserwählten Büchern, die sie immer im Handbereich hielt.

Draußen leuchtete der jungkräftige Sommer bis in alle Winkel und Höfe des geweihten Städtchens. Rings um Weimar flossen sanfte Höhen und mildes Himmelsblau reizvoll ineinander; es war ein duftiger, die Konturen verwischender, traumhafter Tag. Hinter Belvedere blühte der wilde Rosenstrauch, an dem einmal, abseits von einer steifen Gesellschaft, Ingo seine geliebte Elisabeth überströmend geküsst hatte. Und im Park von Tiefurt stand noch immer auf einem weißen Sockel das neckische Wort: »Mozart und den Musen.«

Die greise Dame pflegte auf ihrem Balkon Meisen, Finken und andere Singvögel zu füttern. Sie schaute hinaus und dachte lächelnd: »Ich bin auf den Singvogel neugierig, der mich heute besuchen wird.« Dann ging sie ihren Hantierungen nach, in gewohnter klassischer Ruhe, nichts überhastend und doch frei von Kleinlichkeit.

Nicht lange darauf tönte die Klingel. Das Mädchen kam herein und brachte eine Besuchskarte: Ingo Freiherr von Stein-Waldeck. Der Spielmann hatte, die Treppe zu Tante Adelheid heraufsteigend, seinen Zustand mit lächelnder Wehmut empfunden: Wie leicht bepackt, wie geläutert, wie gesäubert von allen Beschwerungen stieg er doch jetzt diese wohlbekannte Treppe wieder empor zu der Greisin, die ihm in ganz Weimar am nächsten stand! Und drinnen ereignete sich ein drolliger Zufall. Fräulein Adelheid suchte gerade ein Buch, als ihr die Karte überreicht wurde. Da fiel mit Geräusch ein Goethe-Band herunter und blieb aufgeschlagen liegen. Sie warf einen Blick auf die Seite und las die Worte aus der »Pandora«:

»Dort! Er taucht in Flutenmitte
Schon hervor, der starke Schwimmer;
Denn ihn lässt die Lust zu leben
Nicht, den Jüngling, untergehn.«

»Willkommen in Deutschland, lieber Ingo! Willkommen in Weimar!«, rief sie, als sich der Neffe über ihre Hand beugte. Sie zeigte ihm die Stelle, und beide deuteten des Altmeisters Wort in guter Stimmung als ein freundlich Vorzeichen.

»Sie waren ja immer der Meinung, Ingo, dass Weimar und Wartburg Deutschlands Herz bilden, geografisch und geistig. Also willkommen im Herzen Deutschlands!«

Tante Adelheid war eine hochgewachsene Frau von aufrechter Gangart und pflegte weite, lässliche Kleidung zu tragen. Ein längliches Gesicht, eine mehr hohe als breite Stirn und nach den Schläfen etwas herabgezogene, oft prüfend halbgeschlossene Augen nebst schmalem Mund gaben ihr ein Gepräge sachlicher Klarheit. Es fehlte diesen Zügen nicht an Güte, doch auch nicht an deutlichem Freimut.

»Und jetzt sagen Sie mir einmal vor allem: Wo stecken Sie denn so lange Zeit, Sie Ausreißer? Fast zwei Jahre waren Sie nun nicht in Ihrer Weimarer Wohnung! Und Ihr gemütliches Heim da oben am Horn geht in Spinnweben unter, wenn ich nicht Frau Tellbach von Zeit zu Zeit Feuer unter die Sohlen mache.«

»Nun, die gute Frau hat ja alles ganz ordentlich instand gehalten«, erwiderte Ingo lächelnd. »Ich danke Ihnen für Ihre Aufmerksamkeit.«

»Das wollt' ich ihr auch geraten haben«, versetzte Tante Adelheid. »Und wo kommen Sie denn jetzt her? Aus dem Ausland natürlich!«

»Sie schwärmen ja wohl immer noch für alte deutsche Nester wie Rothenburg und Hildesheim, nicht wahr, Tante Adelheid?«, scherzte Ingo. »Und ich habe beide Städte noch immer nicht gesehen, entschuldigen Sie tausendmal!«

»Natürlich! Echt deutsch! Läuft in der Welt herum und kennt sein eigen Vaterland nicht!«

»Zunächst komm' ich übrigens von einem Krankenlager«, erwiderte er ernst.

»Ihr Bruder, nicht wahr?«, nickte sie bedenklich. »Ja, da steht es allerdings nicht grade gut. Sie sind ja kein Kind mehr, Ingo, und ich kann Ihnen also ruhig sagen, dass ich einen der Ärzte gesprochen habe, die Ihr Bruder konsultiert hat. Die Sache ist aussichtslos.«

»Das hab ich auf den ersten Blick gesehen«, seufzte Ingo. »Er hat sich zum Erschrecken verändert. Dieser wilde, kühne, raue Bursche von ehedem – und jetzt ein Gerippe!«

»Ihr alter Vater tut mir noch besonders leid. Er hat nur die zwei Söhne; und der eine läuft in der Ferne herum, der andere – er ist ja wohl nur ein Jahr älter als Sie? – stirbt als Junggeselle hinweg. Wie soll das mit dem schönen Gut werden!«

»Das muss natürlich ich übernehmen.«

»Muss, sagt er! Und seufzt dazu, der Gutsbesitzer! Ja freilich wär's notwendig, obschon Sie's ja schließlich verpachten und als Sommersitz einrichten können. Aber das ist ja das Unglück, dass Sie vor praktischer Arbeit zurückscheuen. Für Sie selber, Ingo, wird es heilsam sein, wenn Sie sesshaft werden. Nur sollte man Ihnen keine Wirtschaft anvertrauen, ohne links einen guten Verwalter und rechts eine gute Frau neben Sie zu setzen.«

»Na, na, na, auch Sie unterschätzen also meine Energie, Tante Adelheid!«

»Wenigstens in wirtschaftlichen Dingen.«

Ingo sprang auf.

»Himmel noch einmal, wie falsch ihr mich alle beurteilt! An einem einzigen Tage bin ich in diese Werktäglichkeiten eingelebt – jawohl – und am zweiten Tag läuft der Apparat von selber – und am dritten Tage lass' ich den Mechanismus laufen und widme mich den wertvollen Gütern des Daseins: der Ideenwelt. Der Unterschied zwischen meinem angeblich realistischen Bruder und mir, dem angeblichen Romantiker und Sausewind, besteht nicht darin, dass ich diese äußerlichen Dinge nicht beherrschen könnte – spielend beherrsch' ich diese Banalitäten, spielend, sobald ich nur will! Unterschätzt doch nicht einen geistig raschen Menschen! Sondern der Unterschied besteht darin, dass er und seinesgleichen in diesen wirtschaftlichen und sportlichen Durchschnittsfragen steckenbleiben, ja dass sie dies für das Leben selber halten! Und so füllen sie ihr Dasein mit nichtigem Geschwätz über Düngersorten, über Züchtung von Pferden, Hunden und Kälbern, über Prämien bei Geweihausstellungen und Preise bei Wettrennen – Dinge, die mich mordsmäßig langweilen. Nein, Tante Adelheid, in diese Mauern der Standesinteressen sperrt ihr mich nicht mehr ein! Aus dieser Welt bin ich ausgerissen. Und Sie geben mir einen Ehrentitel, wenn Sie mich als Ausreißer begrüßen.«

»Potztausend!«, lachte Tante Adelheid. »Da hab ich ihn einmal in eine allerliebste Ansprache hineingeärgert! Setzen Sie sich ruhig wieder her, Ingo. Sie wissen, dass ich ein offenes Wort ganz gut vertrage, aber Aufregung und Überspanntheit nicht liebe.«

Ingo setzte sich wieder und bat um Verzeihung; er habe, fuhr er fort, auf dem Gut während der wenigen Tage so viel versteckte Vorwürfe von Basen und Gevattern ausstehen müssen, dass nun sein angesammelter Unmut wider seinen Willen ausgebrochen sei.

»Am verständigsten war mein Vater«, schloss er. »Der klopfte mir auf die Schulter und meinte nur kurz: ›Lass sie reden, Junge, ich glaube dich besser zu kennen!‹ Während der ganzen Fahrt von Waldeck nach Weimar sah ich diesen braven alten Herrn vor mir in seinem weißen Bart und seinem leider unentbehrlichen Stock, wie er mich hinkend an den Wagen begleitete und mit seinem schlichten ›Mit Gott!‹ entließ, aufrecht, ein alter Soldat und doch von weichem Gemüt, die beiden Doggen neben ihm – ein Edelmann von altem Schrot und Korn!«

»Bravo, Ingo! Geben Sie mir mal die Hand, lieber Junge! Und nun sagen Sie mir: Wie geht's Frau von Trotzendorff in München?«

»Ich muss Ihnen gestehen, Tante Adelheid, ich habe sie seit einer Reihe von Wochen nicht mehr gesehen. Von Genf wollt' ich nach München fahren, blieb aber in Zürich bei einem befreundeten Schriftsteller und fuhr dann über Heidelberg nach Thüringen.«

»Und das halten Sie aus?«

»Warum nicht?«, versetzte er und legte ziemliche Kühle in seinen Ton. »Ich erhalte ja durch Trotzendorff regelmäßige Nachricht.«

»Durch Trotzendorff? Nicht durch sie?«

»Sie liegt zu Bett. Es ist keine gefährliche, aber langwierige Sache.«

»Na, man kann doch aber schließlich auch im Liegen Bleistiftbriefe und Füllfedergrüße senden, das weiß ich am besten, wenn mich Herzschwäche an den Diwan fesselt. Es fällt mir auf, dass Sie so die Fühlung mit Ihrer intimsten Freundin verloren haben.«

Tante Adelheid schaute mit forschenden Augen in Ingos gleichmütig ernstes Gesicht.

»Freundschaft und Freiheit gehören zusammen«, bemerkte er allgemein und schaute durchs Fenster. »Nur in Freiheit ist Freundschaft möglich. Wenn der eine Teil den andren mit List oder Gewalt festzuhalten oder abzusperren sucht, so ist das bereits eine verlorene Sache. Man kann weder Glück noch Freundschaft erobern oder erzwingen: derlei hohe Dinge sind Göttergeschenke.«

»Da haben Sie recht, Ingo«, erwiderte Tante Adelheid, und ein weicherer Ton glitt in ihre Stimme. »Das kann ich Ihnen aus eigener Erfahrung bestätigen.«

»Wie geht's denn unsrer Exzellenz?«, fragte Ingo sofort. Die Frage schloss sich leicht an das Vorausgegangene an. Denn auf der andren Seite des Stockwerks wohnte der teuerste Freund dieser durch viele hohe Freundschaften ausgezeichneten Greisin. Und sie erzählte von der Tätigkeit und Geistesfrische dieses harmonischen Edelmannes, der gleichfalls schon dem siebzigsten Lebensjahre zusteuerte, aber doch noch fleißig in seiner Kunst der Malerei und Architektur tätig war, dankbar für ein reiches Leben, den Tod nicht fürchtend, Schönheit in seinen Zimmern um sich ausbreitend und durch stille Wohltaten manchen Mitmenschen fördernd. Es war für Ingo jedes Mal eine Erhebung, wenn er bei diesen abgeklärten Alten zu Gast war, die er scherzend Philemon und Baucis zu nennen pflegte.

»Lieber Ingo«, sagte Fräulein Adelheid und nahm seine Hand, »nun lassen Sie mich alte Frau einmal ein paar offene Worte sagen. Ich habe da einen Brief bekommen von Mathilde aus Genf. Nun sagen Sie mir: Was haben Sie denn eigentlich in der kurzen Zeit Ihres Aufenthaltes in Genf schon wieder mit Elisabeth gehabt, dass dieses durch und durch brave Mädchen aus heimlichen Tränen nicht mehr herauskommt?«

Ingo erbleichte.

Dann schoss eine jähe Blutwelle in sein Gesicht zurück, als er nun so vor Tante Adelheids prüfend ruhigen Blicken gefesselt auf seinem Stuhle saß.

»Wieso denn?«, fragte er tonlos.

»Sie haben in Ihrem Verhältnis zu Elisabeth immer vor uns andren Versteck gespielt; und auch sie selber hat in ihrer verschwiegenen Art nie ein Wort darüber geäußert. Es ist ein merkwürdiges und im Grunde seelisch einsames Mädchen; sie hat in tieferen Dingen keine einzige Vertraute – nicht einmal mich«, setzte sie lächelnd hinzu, »die ich doch so gern Beichtmutter bin. Uns schien damals zwischen Ihnen beiden ein heimliches Verlöbnis zu bestehen – nun, man hat so dies und jenes beobachtet. Aber dann entferntet ihr euch wieder voneinander. Das mag ja nun sein, wie es will, aber man kann doch in Güte aneinander denken und auch nach aufgehobener Verlobtheit oder Verliebtheit einander Freundlichkeiten erweisen, besonders einem so vortrefflichen Menschenkinde wie dieser selbstlosen, viel zu viel nur für andre lebenden Elisabeth. Einem solchen Kindergemüt Tränen auszupressen – Ingo, darauf kann kein Segen ruhen!«

Ingo war bestürzt.

»Tante Adelheid«, sprach er endlich, »Sie sprechen nur von Elisabeth und was ich ihr etwa angetan haben könnte. Für mich als Mann schickt es sich wohl nicht, von etwaigen eigenen Leiden zu sprechen und von dem, was ich selber gelitten habe durch Elisabeths sprödes, unergiebiges Naturell. Das ist eben Schicksal. Da kann ein Dritter schwerlich hineinschauen.«

»Danke!«, erwiderte Fräulein von Stein kaltblütig. »Sie setzen mir also den Stuhl vor die Türe. Nun, immerhin habe ich in den letzten Jahren tiefer in das Wesen dieser edlen Mädchenseele hineingeschaut als wahrscheinlich ein gewisser anderer, der im Ausland Studien machte. Sie haben zu viel an der Peripherie gelebt, Ingo. Aber leidende und liebende Menschenherzen gibt es auch in der Heimat; Heroismus und Größe gibt es auch im Inland. Man braucht kein Spießbürger zu werden und kann doch mit seinen Mitbürgern in Herzensfühlung bleiben – nämlich als ein Schenkender, lieber Ingo. Ich appelliere also an Ihre Großmut, wenn sonst andres Sie nicht bei uns festhalten kann, bei uns hier in Ihrem deutschen Vaterland. Hier ist der Punkt, mein Herr Neffe, auf den ich hinauswill. Reisen Sie, heimsen Sie Garben in Ihre Scheunen – dann aber muss der Zeitpunkt kommen, wo Sie Ihre Frucht dreschen und in die Mühle bringen. Eine Menge Freunde haben Sie sich draußen erworben – aber Sie sind im Begriff, alte Freunde zu verlieren, und darunter die wertvollste von allen, diese innerliche Elisabeth!«

Ingo sprang abermals auf. Wie immer, wenn ihn etwas stark bewegte, schritt er im Zimmer auf und ab, die Hände auf dem Rücken, den Kopf gesenkt.

»Sie haben recht! Tante Adelheid, Sie haben tausendmal recht! Und doch – und doch – –«

Tante Adelheid nahm inzwischen, mit der ihr eigenen Bedächtigkeit, die Brille aus dem Futteral, setzte sie auf und suchte unter einem Stoß von Papieren einige zusammengebundene Briefe hervor.

»Während Sie im Ausland Forschungsreisen machten, haben wir im Inland beinahe eine schwere Tragödie erlebt. Hier habe ich neulich die Briefe geordnet, die mir Elisabeth vom pommerschen Gut geschrieben hat, wo ihre Schwester Mela verheiratet ist. Sie kennen diese Mela: genial und unberuhigt, das hitzige Gegenteil der sanften und etwas apathischen Elisabeth. Nun, ich will keine Einzelheiten ausplaudern. Nehmen Sie einmal an, eine solche heißherzige Frauennatur – und Mela hat entschieden einen Zug ins Große, das müssen Sie zugeben – eine solche leidenschaftliche Natur wird von ihrem Mann, der nur Jäger, Landwirt und Politiker ist, wenig verstanden, erhält aber einen umwälzenden Eindruck von einem andren, einem romantischen Nachbarn. Eine nervöse, reizbare Schwiegermutter macht die Situation noch schwieriger; drei allerliebste Mädchen vermögen die schwüle Lage nicht viel zu bessern. Die Sache droht zur Katastrophe zu kommen, mit Duell, Ehrengericht und Skandal – und da steht nun Elisabeth mitten drin! Das Mädchen hat die Hölle durchgemacht. Aber, ich hätt' es ihr nicht zugetraut, sie hat es fertiggebracht! Sie hat wieder Harmonie geschaffen. Der andre ist zur See gegangen – und der Gatte wurde durch schwere Erkrankung seiner Frau, wo es auf Tod und Leben ging, mit der Nase auf seine Pflicht gestoßen, sich mehr um Weib und Kinder zu kümmern. Das Beste hat Elisabeth getan, diese nicht blendende, aber so willensstarke und taktvolle Elisabeth. Sie war die Vertraute von allen zugleich; sie hat oft auf der Schwelle ihrer Schwester gewacht, als das extravagante Frauenzimmer drauf und dran war, Mann und Kinder zu verlassen. Bis dann die Klärung kam und die Krankheit für Mela eine Krisis zur Selbstbesinnung wurde. Sehen Sie, Ingo, so wird zu Hause in aller Stille gekämpft – und ich bitte auch Sie, dies alles diskret zu behandeln – in aller Stille, Ingo. Und Sie sitzen inzwischen in England oder Italien und schreiben ein Buch über Heroismus.«

So sprach Tante Adelheid und las dann in ihrem besinnlichen und etwas trockenen Ton einige Stellen aus Elisabeths Briefen vor. Ingo zog erstaunt und bewundernd die Brauen hoch und hörte mit Ehrfurcht zu. Dann aber stützte er das Kinn in die Hände, versank ins Brüten und verweigerte weitere Gefolgschaft. Denn er sah plötzlich die flimmernde Fläche des Genfer Sees, einen Nachen darin und zwei Menschen Hand in Hand.

»Sie hat mit Anspannung aller Kraft dieses Versöhnungswerk zustande gebracht«, dachte er, »hat Kranke gepflegt und für die Mutter gesorgt. Da lief ihr ein hübscher junger Mann über den Weg – und die Natur des Weibes brach wieder heraus.«

Er beschwor diese Bilder nicht weiter, sondern schüttelte den Kopf und erhob sich, um Abschied zu nehmen.

»Liebe Tante«, sprach er, »Sie fragten vorhin, was ich denn eigentlich mit Elisabeth gehabt habe. Uns hat immer nur das eine getrennt: ihre passive Natur. Um diese Menschen hier kämpft sie und lindert Not und Gefahr; ich habe jedoch nie bemerkt, weder früher noch jetzt, dass sie auch nur einen Finger gerührt hätte, um für den Geliebten oder den Freund zu kämpfen. Vielleicht ist das nicht Weibes Art, werden Sie mir antworten? Nun, mag sein! Aber ich bin des männlichen Titanenkampfes satt. Ihr alle fühlt nicht, wie ich gerungen habe. Meine Studien sind mein Herzblut. Sei's denn! Mögen mich die Götter im Schlaf nach Ithaka bringen! Ich bin am Ende meiner Glücksjagd.«

So brachen sie dieses Gespräch ab.

»Steckt vielleicht ein bisschen Egoismus in Ihrer Glücksjagd?«, sprach die Greisin beim Abschied. »Verstehen Sie mich übrigens nicht falsch, wenn ich einer Natur wie Ihnen den Ausgleich durch die Ehe anrate. Ich warne sonst vor diesem Institut. Ich selbst bin als Unvermählte so glücklich gewesen, dass ich mein Leben gleich noch einmal von vorn anfangen möchte. Geschlechtsduselei neigt ja dazu, das unvermählte Fräulein geringer zu achten. Du lieber Himmel, wie viel versimpelte Ehefrauen sind mir über den Weg gelaufen! Da imponiert mir denn doch ganz anders die stolz und still durchgeführte Selbstständigkeit einer Einsamen. Anfangs ist es nicht immer leicht; lächelt man freundlich, so vermutet Bosheit, man lächle, um zu gefallen und einen Mann zu fangen; später, so nach und nach, glaubt man uns, dass man aus selbstloser Herzensfreundlichkeit lächeln kann, und dann beginnt man, uns ohne alle Nebengedanken liebzugewinnen. Aber dieser Weg ist nicht für jeden. Einer Elisabeth möcht' ich einen Gatten – und einem Ingo eine Gattin wünschen. Adieu, mein Lieber!«

Ingrimmig füllte Ingo die nächsten Stunden mit Besuchemachen aus. Er war in zorniger Stimmung und wusste gar nicht, weshalb. Schillerhaus, Goethemuseum, Bibliothek, Theaterintendantur wurden aufgesucht. Das blühende Städtchen übte jedoch nach und nach seinen beruhigenden Zauber aus. Er empfand mehr und mehr das seelische und geistige Eigenwesen der weimarischen Kultur: nach Fernfahrten eine Hochschule der Verinnerlichung zu sein.

»Fort mit den egoistischen Sentimentalitäten!«, sprach er aufmunternd zu sich selber, als er durch den klassischen Park schritt. »Wieder an geistige Arbeit! Keine Glücksjagd mehr! Und so bleib' ich eben allein, verzichte auf persönliches Glück und schaffe für andre!«

Eine wonnige Erinnerung durchrieselte ihn, als er am römischen Hause hinunterschritt und am Felsen jene Bitte an die »heilsamen Nymphen« las: »Und dem Liebenden gönnt, dass ihm begegne sein Glück!« … Hier war er einmal im weißen Mondschein bis Mitternacht mit Elisabeth im Park spazieren gegangen, in einer jener gesteigerten Lebensstimmungen, wo wandernde Kameraden, gemeinsam Schönes genießend, in Eins zusammenzufließen scheinen. Er spürte wieder ihren atmend lebendigen Körper. Sie hatten Weimars Schönheit, durch ihre eigene gegenseitige Liebe verklärt, mit allen Poren in sich eingesogen. Ach, und der Spielmann brauchte nun einmal lebenswarme Menschen weit mehr als selbst das gelehrteste Papier!

Der Park war erfüllt von einem undeutlichen sommerlichen Wipfelsausen, das groß und geheimnisvoll den schreitenden Gralsucher umgab. Das Goethehäuschen enthüllte sich weiß aus dem dichten Grün. Wolkenschatten flogen über Wiesen und Ilm. Anschwellend, ihn überbrausend und wieder verwehend kamen Geisterstimmen, bis sich endlich eine ruhig tiefe Stimme vom Geräusch der andren löste und vernehmbar an sein Ohr klang:

> »Was zu wünschen ist, ihr unten fühlt es;
> Was zu geben sei, die wissen's droben.
> Groß beginnet ihr, Titanen! Aber leiten
> Zu dem ewig Guten, ewig Schönen,
> Ist der Götter Werk: Die lasst gewähren!«

In denselben Tagen erlebte Frau von Trotzendorff in München eine Stunde der reinsten Glückseligkeit.

Die Leidende hatte sich anfangs dem Tode nahe gefühlt. Da ihr Seelenbau wesentlich aus Fantasie und Gefühl zusammengewoben war, so empfand sie Glück und Schmerz eindringlicher als andre Sterbliche. Jetzt ging ihre Lebenskurve wieder aufwärts.

Die Stimmung eines genesenden Menschen, besonders nach schmerzlichen Fiebernächten, ist von angenehmer Mattigkeit und Milde. In dieser weichen Ruhe ist er für Güte zwiefach empfänglich. Er will nicht mehr titanisch erzwingen; er lässt sich lächelnd von Gesunden beschenken und hat als ganze Gegengabe nur Blick und Händedruck des Dankes. Der Wille hat seine Grenzen erkannt gegenüber der Übermacht des Schicksals. Als Schiffbrüchiger treibt er aus den Strudeln der Krankheit zu Lande, seines nackten Lebens froh und gewaltsam befreit von vielem Lebensballast. Denn die Götter sind mächtiger als die Titanen.

Die genesende Mutter hatte auf ihrem Leidenslager die Freude erlebt, nach langen Schmerzenswochen zum ersten Male wieder ihre beiden Kinder sehen zu dürfen. Sie saß in den hochgebauten Kissen des Bettes und hatte rechts und links je einen der Knaben im Arm, herzige Flachsköpfe von sieben und neun Jahren, die in ihren neuen Jäckchen und verklärt vom Jubel entzückend aussahen und die geliebte Mutter fast erdrückten vor Zärtlichkeit. Der Arzt mit seiner zierlichen Frau und Trotzendorff waren selber bewegt und hatten alle Mühe, Kurt und Helmut zur Besonnenheit anzuhalten. Der Jüngste hatte die Knie ins Federbett gestemmt und wischte der Mutter mit seinem kleinen Taschentuch die Freudentränen ab; der andere zeigte ihr Hefte und selbstgefertigte Zeichnungen; und sie selber riss immer wieder beide an sich: »Hab ich euch denn noch? Darf ich denn noch bei euch bleiben, meine süßen Jungen? Habt ihr denn eure Mutter noch lieb?!«

Man musste die Erschöpfte nachher allein lassen. Das Wiedersehen hatte sie angegriffen.

Sie lag wohl eine Stunde lang mit geschlossenen Augen und gefalteten Händen in der feinen, gedämpften Beleuchtung des reinlich weißen Krankenzimmers.

Noch war ein Nachleuchten dieses langentbehrten Glückes in den abgezehrten Zügen, als ein Besuch gemeldet wurde.

»Ein Fräulein von Stein lässt fragen, ob die gnädige Frau zu sprechen sei«, meldete die Schwester.

»Fräulein von Stein? Am Ende gar – Elisabeth von Stein?!«

Frau Friederike fuhr hastig empor. Sie bat die Pflegerin, nachzusehen, ob an ihr und um sie her alles in Ordnung sei, ließ das Tageslicht noch mehr dämpfen und schaute mit Herzpochen nach der Türe.

Gleich darauf stand Elisabeth im Zimmer. Nach kurzem Zaudern schlug sie den hellen Schleier zurück und trat mit raschen Schritten und ausgestreckter Hand an das Bett heran.

»Ich hörte von Ihrer Erkrankung«, sprach sie rasch herunter, denn sie hatte diese Einführungsworte gradezu auswendig gelernt, »und da ich mit meiner Mutter durch München zurückfahre, wollte ich mir die Freiheit nehmen, mich nach Ihrem Befinden zu erkundigen.«

Da stand nun also das Edelfräulein, im silbergrauen Kleid mit weißen Handschuhen, die stattliche Haarkrone samt Hut vom Schleier umwunden, Aug' in Auge mit ihrer Feindin – mit der Frau, die ihr einst den Geliebten genommen hatte. Ihre Hand, die sie nur zu leichtem Druck gereicht hatte, zitterte; das Herz des spröden und herben Mädchens pochte heftig. Die beiden Frauen sahen sich einige Augenblicke an; doch keine las zunächst, was im Herzen der anderen vorging.

»Das ist lieb von Ihnen, dass Sie mich besuchen«, erwiderte die Kranke mit Fassung. »Nehmen Sie Platz, liebes Fräulein von Stein. Wir haben uns seit Jahren nicht gesehen. Sie finden mich heute in einer ziemlich matten Stimmung – nein, bleiben Sie nur sitzen, Ihr Besuch ist mir sehr willkommen! – aber ich bin trotz aller Mattigkeit glücklich, sehr, sehr glücklich. Ich habe soeben Besuch gehabt. Raten Sie, von wem!«

Ihre Augen leuchteten. Sie war so voll von ihren Kindern; und Elisabeth war so voll von Ingo. So senkte Letztere unwillkürlich die Blicke und wandte den Kopf zur Seite, als sollte ein Schlag gegen sie geführt werden. Es waren nur wenige Sekunden; aber diese Gebärde nervöser Angst war so ausdrucksvoll, so sprechend, dass die Leidende sofort das Missverständnis erriet. Und ein jähes Mitleid zuckte in der seelenvollen Frau empor.

Statt zu sagen, wer hier gewesen, streckte Frau von Trotzendorff in plötzlicher Herzlichkeit die Hand aus, ergriff Elisabeths Rechte, nahm sie in beide Hände und sagte innig, mit dem so gern bei ihr überwallenden Gefühl: »Mein liebes, liebes Fräulein Elisabeth!«

Dann beeilte sie sich, von ihrem Besuch zu sprechen:

»Meine Kinder sind hier gewesen! Meine süßen Jungens sind hier auf diesem Bett herumgekrabbelt! Denken Sie doch nur! Zum ersten Male seit langen, langen Leidenswochen hab ich Kurt und Helmut wieder gesehen! Ach, ich bin fast gestorben vor Glück. Bei mir – ich bin ja nun mal so ein weichselig Geschöpf! – sitzen ja die Tränen so locker, im Glück und im Schmerz.«

Und sie tastete nach dem Taschentuch und betupfte sich die wieder feuchten Augen.

Elisabeth sagte aufatmend einige Worte, dass sie das nachfühlen könne.

»Nicht wahr«, fuhr die Kranke fort, »Sie haben ja auch so viel Freude an Kindern, obwohl nur eine Mutter ganz ermessen kann, was es heißt, auf Tod und Leben zu liegen und wochenlang seine Kinder nicht sehen zu dürfen – mit dem Gefühl, dass man vielleicht sterben muss, ohne dieses anvertraute Gut zum Edlen erziehen zu dürfen! Ach, meine liebe Elisabeth, das goldige Lachen der Kleinen und ihre rührenden Zärtlichkeiten! Spüren Sie nicht, wie noch überall hier in der Luft ein Lachen nachklingt? Sehen Sie, da hat nun Helmutchen richtig sein ganz zerknülltes kleines Taschentuch liegen lassen, womit er mir die Augen getrocknet hat, der kleine Knirps. Ich habe nachher hier eine Stunde lang still gelegen und gebetet – ich darf Ihnen das wohl sagen –, so innig zu Gott gebetet, er möge meine Kinder zu braven Männern erwachsen lassen und nicht an ihnen heimsuchen, was etwa – was etwa die Mutter verfehlt hat.«

Jetzt begann sie in ihrer großen Schwäche wirklich zu weinen und suchte sich mit Helmuts winzigem Taschentuch vergeblich die rinnenden Tränen zu stillen.

Elisabeth streichelte ihr die Hand und sprach einige beruhigende Worte.

»Ich war nämlich viel schwerer krank, als mein Mann und Ingo ahnten – –«

Da war der Name heraus. Sie hatte sich die Wortverbindung »mein Mann und Ingo« derart angewöhnt, dass auch jetzt die Namen gemeinsam von der Zunge glitten. Sogleich aber ward es ihr bewusst, wer an ihrem Bette saß. Sie zögerte einen Augenblick und setzte dann hinzu: »Es hat nämlich niemand gewusst außer dem Doktor und seiner Frau Hermine, die eine Jugendfreundin von mir ist, wie schwer krank ich war. Ich darf wohl sagen, ich habe dem Tod ganz nahe ins Auge geschaut. Und das ist heilsam. Ich ließ mein ganzes Leben an mir vorüberwandern und gelobte Gott, fortan meiner Pflicht zu leben – und – und wenn möglich niemandem mehr weh zu tun.«

Sie brach ab und drückte Elisabeths Hand. Dann sprach sie gefasster weiter:

»Sie waren in Genf? Und haben dort Ingo gesehen?«

»Nur ganz kurz.«

»Geht's ihm gut? Ist er heiter?«

»Ich wollte Sie dasselbe fragen. Ist er nicht hierhergekommen?«

»Nein.«

»Nicht hierhergekommen? Er wollte von Genf hierher zu Ihnen fahren.«

»Nein, er ist in Thüringen. Und es ist gut so. Ich wollte ihn auch gar nicht hier haben. Selbst nicht Richard, niemanden, denn – wissen Sie, manche Dinge muss man eben allein durchkämpfen. Aber Sie – ja, grade Sie habe ich mir oft herbeigewünscht.«

»Mich?«

»Ja, Sie, liebe Elisabeth. Sehen Sie, wenn man so wie ich dem Tode nahe war, da wird man einfach und wahrhaftig. Wie viel Fantasterei hat mein Leben unstet gemacht! Und wie fest und gütig sind Sie Ihren Weg gegangen, Sie Gute!«

Elisabeth war verlegen. Sie kannte den Gefühlsüberschwang dieser künstlerischen Frau; sie wagte daher nicht zu entscheiden, wie weit diese Gefühle echt und von Dauer waren. Diese Salondame hatte so viel Talent, ihre Gefühle in Worte zu fassen; und sie selbst, Elisabeth, war so wortarm. Sie war hierhergekommen in dem dumpfen Drang, mit dieser Frau um Ingo zu ringen; es war das erste Mal in ihrem Leben, dass sie einen Schritt für sich selber tat. Freilich war in ihr das Mitleid mit der Kranken gleich nach den ersten Sekunden hochgestiegen, und sie wusste nun gar nicht, wie das Gespräch weiterführen.

»Es ist sehr gütig von Ihnen«, sagte sie, »in dieser Weise zu mir zu sprechen. Ich muss allerdings gestehen – ich habe – früher – –«

Sie stockte.

»Sie haben früher andere Urteile über Sie aus meinem Munde zugetragen bekommen, nicht wahr!«, half ihr Frau von Trotzendorff nach.

»Ja, da haben Sie leider recht. Leider! Ich habe oft vorschnell geurteilt und oft sehr rasch nach meinen Neigungen gelebt; und Sie sammelten derweil Ihre Kraft in der Stille. Doch inzwischen, hier auf dem Krankenlager, habe ich grade über Sie viel nachgedacht. Ach, was ist unser ganzes Salon- und Konzert- und Gesellschaftswesen doch für ein eitles Blendwerk ohne Wärme! Aber Naturen wie Sie haben auch Musik – doch in den Tiefen der Seele, liebes Kind. Und so bleibt etwas Behütetes, etwas Keusches, eine jungfräuliche Kraft in Ihnen. Und darum sind – trotz alledem – grade Sie die einzige, die er jemals geliebt hat!«

Da war es heraus. Elisabeth senkte den Kopf. Diese Frau berührte ohne Weiteres das Geheimnis von Elisabeths Liebe. Noch kämpfte die Schüchterne ein Weilchen, dann schlug sie die Augen auf und schaute der Kranken voll ins Gesicht.

»Da Sie so offen sprechen, Frau von Trotzendorff, will auch ich Ihnen mit gleichem Vertrauen begegnen. Ich habe nie jemanden gehasst, das kann ich wohl sagen, denn solche Gefühle liegen nicht in meiner Natur. Auch nicht Bitterkeit. Und doch – ich hab in den letzten Jahren – ich muss es Ihnen gestehen – die Empfindung nicht loswerden können, dass ich eine Feindin habe, die mir unsäglich weh tat. Nicht eigentlich Sie selbst, denn Sie konnten das ja nicht so wissen – aber die Verhältnisse – es ist nun einmal so gekommen. Und ich selber war schuld daran, ich habe nicht das Talent besessen, ihn in würdiger Weise festzuhalten. Aber wenn mich jemand unterstützt hätte – jemand, der so viel mehr Geist und Gewandtheit besitzt als ich – jemand wie Sie, statt sich zwischen ihn und mich zu stellen – – ich sagte mir oft, Gott hätte an solchem guten Werk mehr Freude gehabt. Als ich dann später in eine ähnliche Lage geriet, wo eine Ehe bedroht war, da habe ich mit ganzer Kraft an der Aussöhnung gearbeitet. Und es war Segen auf meinen Bemühungen. Wenn wir alle einander helfen würden, es wäre so schön zu leben! Stattdessen bereiten wir einander Schmerzen.«

Elisabeth senkte das Haupt, sodass man ihre zusammengepressten Lippen nicht sah. Sie hatte dieses Bekenntnis, das ihr schwerfiel, mit ergreifender Schlichtheit gesagt. Und die Kranke nickte und tastete dann wieder nach Elisabeths Hand, mit der Linken die feuchten Augen trocknend.

»Sie haben in allem recht, Kind. Ich gebe Ihnen Wort für Wort recht. Nur das *eine* kann ich vielleicht zur Entschuldigung anführen: Auch ich habe viel gelitten.«

»Aber Sie hatten Mann und Kinder – ich hatte nur ihn!«

Hart und trotzig flog das heraus. Es war das erste Mal im Leben, dass Elisabeths scheuer Mund derart um ihr Recht auf Ingo kämpfte. Es ließ sich an, als sollte nun erst der eigentliche Kampf beginnen. Doch wie es kam, wussten sie hernach selber nicht: Plötzlich hielten sich die beiden Frauen in den Armen, küssten sich und weinten beide.

Und sagten dann kein Wort mehr von diesem Mann und dieser Sache. Vielmehr erwachte jetzt in Elisabeth die zugreifende Krankenschwester; sie machte ein Trinkwasser zurecht, reichte es der Ermatteten liebevoll und ordnete ihre Kissen; streichelte ihr dann zart über die Wangen, als sie mit geschlossenen Augen lag, und küsste sie abermals.

»Denken Sie gut von mir, liebe Frau von Trotzendorff!«, sagte sie innig. »Und sagen Sie Ingo, dass er mir nicht grollen soll!«

Elisabeth wollte sich entfernen, aber ihre Hand ward festgehalten.

»Und mir verzeihen Sie, Elisabeth! Und Ingo – Sie *müssen* ihn festhalten, recht innig fest! Denn Ihnen gehört er, Ihnen hat er immer gehört, Ihnen ganz allein!«

Elisabeth ging.

Die Frau, die hinter ihr zurückblieb und sofort in wohltätigen Schlummer sank, war sehr müde, aber auch sehr glücklich.

Trotzendorff, Bruck und Ingo, drei stattliche Männer, ritten von Weimar nach Tiefurt.

Der Konsul war auf dem Heimweg in Weimar abgestiegen, um seinen Freund und Genossen vom Montserrat zu besuchen.

Der Sommermorgen umgab die drei Reiter mit lebendigen Tönen und Farben. Der Äther war klar. Durch die alten Bäume des Webicht funkelte die Sonne; aus den Gräsern antwortete funkelnder Tau. Ein Wandrer sang ein Schubert'sches Müllerlied; die Vögel in Gärten und Waldung lärmten nach Herzenslust; und fern zur Linken, am Ettersberg entlang, sauste die Eisenbahn.

Wie sie auf ruhigen Pferden meist gemächlichen Schrittes, manchmal in gelindem Trab dahinritten, boten die drei Männer ein kräftiges Bild: rechts und links die breitgebauten älteren Herren auf braunen Tieren mit weißen Fesseln, in der Mitte der schlanke Ingo auf schlankem Fuchs. Konsul Bruck, den Arm in die Seite gestemmt, war nicht unähnlich einem Farmer, der mit Würde und Behagen durch seine Pflanzung ritt; der Major, mit vorschriftsmäßig eingezogenen Ellenbogen und in straffer Haltung, war auch zu Pferd und in Zivil vor allen Dingen Soldat.

Zunächst hatte man von äußeren Dingen gesprochen, von deutscher Luft und Landschaft.

»In Heidelberg ist mein Herz wieder warm und hell geworden«, erzählte der heimgekehrte Spielmann. »Ich kam in gedrückter Stimmung an. Aber da oben auf dem Heidelberger Schloss, um mich her den jungen Sommertag – unvergleichlich schön!«

»Nicht wahr?!«, frohlockte der kerndeutsche Trotzendorff. »Scheltet auf Scheffel, so viel ihr wollt, ihr Modernen, und verdammt den Tonsetzer des ›Trompeter von Säckingen‹ in Grund und Boden! Schon recht! Aber singt einmal, singt sein Alt-Heidelberg – und er behält recht! Hol's der Deuwel, da werde sogar ich ein Dichtersmann!«

Und sofort klang es in Ingo, und er sang in den Morgen:

»Alt-Heidelberg, du feine,
Du Stadt an Ehren reich!
Am Neckar und am Rheine
Kein' andre kommt dir gleich!«

»Das kann man nämlich nicht zitieren, meine Herren, das muss man singen!«

Man war wieder in Deutschland.

Und nach und nach lenkte sich durch Trotzendorff das Gespräch vom lyrischen Deutschland zum politischen hinüber.

»Verfluchte Sackgasse, unsre Politik! Die sich in das Wort zusammenfasst: Feinde ringsum! Käm's doch endlich zum Krachen! Ich fürchte, dass wir mit diesen diplomatischen Hinauszögerungen die rechte Stunde des Losschlagens verpassen. Denn um den europäischen Krieg kommen wir doch nicht herum. Und dabei fehlt in unsren deutschen Rüstungen die Straffheit. Allgemeine Wehrpflicht? Auf dem Papier! Aus siebzig Millionen ließe sich mehr herauspressen! Sehen Sie doch nach Frankreich hinüber, wie das den letzten Mann heranholt und sogar die farbige Armee aus Afrika! Auch Maschinengewehrkompanien fehlen uns noch; der Artillerie fehlt ein Einheitsgeschoss; zu wenig Einzelflieger – und so wäre manches auszusetzen. Ich fürchte, der deutsche Michel muss im nächsten Krieg erst nach Jena, ehe er nach Leipzig marschiert!«

»Und im Innern?«, warf Bruck herüber.

»Die Sozialdemokratie? Je rascher und gründlicher die Auseinandersetzung, umso besser!«, klang es vom Major zurück, in seinem etwas nasalen, doch festen Ton, den er sich auf dem Kasernenhof angewöhnt hatte.

»Vielleicht besinnt sich dann nach solchen Erschütterungen Deutschland auf seine wahre Aufgabe«, meinte der Konsul.

»Worin bestände diese Aufgabe? Doch wohl in der Heranzüchtung einer strammen Menschenrasse?! Ich habe neulich wieder einmal eine größere Parade mitgemacht – Donnerwetter, es ist doch ein großartiges Schauspiel! In Tausende von Menschen gesetzmäßige Bewegung zu bringen, dass alles klappt wie ein Uhrwerk – was für Arbeit! Und Drill! Und Zucht! Großartig!«

»Schon die alten Römer leisteten hierin Großartiges«, bemerkte der Konsul bedenklich. »Ich meine aber mehr Deutschlands seelische Aufgaben unter den Völkern Europas. Darin sind wir verarmt und bedeuten kein führend Volk mehr.«

»Sie meinen die Zersetzung der Religion?«

»So ungefähr. Hier hat der nervöse moderne Intellekt unser Gemütsleben tief geschädigt. Wenn man dieses Weimar so betrachtet – sollte man für wahr halten, dass es erst hundert Jahre her sind, seit sich hier so schöne und große Wahrheiten dichterisch offenbart haben?«

»Na, mein wertester Herr Konsul, in Deutschland haben wir unsren Schiller und Goethe noch immer im Bücherschrank. Im Übrigen sind wir jetzt im Zeitalter Bismarcks und haben eiserne Aufgaben zu lösen.«

»Auf Kosten der Seele?«

»Was heißt Seele!«

»Was Seele heißt?«

»Die Seele braucht doch vor allen Dingen einen gesunden Körper, Zucht, Strammheit.«

»Nach meiner Ansicht ist die Nahrung der Seele vor allem andren die Liebe«, erwiderte der Konsul. »Liebe und Weisheit und Schönheit. Bei dem ungeheuren Wettrüsten zwischen Ständen und Nationen züchtet man aber nicht die Liebe, sondern das Misstrauen.«

»Den Willen!«, rief Trotzendorff. »In jeder Armee und in jedem Staatswesen ist Willensschulung das Oberste.«

»Es kommt aber doch wohl darauf an, *was* man will, nicht wahr? Der Wille muss doch wohl ein Ziel haben? Und im Willen der modernen Völker sehe ich das Ziel, den Nachbarn möglichst zu übervorteilen. Die Nationen sind Konkurrenten; aber sie sollten Brüder sein.«

»Nimmt sich auf dem Papier vortrefflich aus!«

»Bitte, ist Hauptforderung der christlichen Religion. Und meines Wissens wird diese Religion in Europa amtsmäßig gelehrt.«

»Mein lieber Herr Konsul, alle Achtung vor Ihren persönlichen Erfahrungen im Ausland! Aber aus Ihren Reden hör' ich die Schalmei der Friedensfreunde. Und da pfeif' ich nicht mit. Sobald wir Deutschen abrüsten, sind wir morgen zerdrückt. Feinde ringsum!«

»Ja, so sagt jeder! Und so zwingt jeder den andren zum ewigen Wettrüsten, statt dass man sich zum europäischen Staatenbund verbrüdert.«

»Zukunftstraum!«

»Mag sein! Doch wirft man Preußen vor, dass es nicht das Talent habe, moralische Eroberungen zu machen. Wie wär's, wenn nun Reichsdeutschland diese feine Kunst ausbilden würde? Sobald man aus dem Ausland gern in unsren heiligen Hain kommen würde, um von uns Göttliches zu lernen, würde sich jenes Wort, das Sie vorhin riefen, verwandeln in ein ›Freunde ringsum!‹«

»Seien Sie froh, dass Preußen nicht weichlich ist! In die schlappe deutsche Wirtschaft hat Preußen Zug gebracht. – Na, schweigsamer Ingo, und was sagst denn du dazu?«

Ingo glaubte beide Freunde zu verstehen. Er hatte parteilos zugehört. Aber dann war er ins Träumen geraten über seine persönliche ungelöste Angelegenheit. Er hatte zum ersten Mal wieder seit Wochen einen Brief von Frau von Trotzendorff erhalten; und in diesem Schreiben war, zu seiner freudigen Verwunderung, Elisabeths Besuch ausführlich und liebevoll erzählt.

»Prophete rechts, Prophete links!«, antwortete er lächelnd. »Ich bin noch nicht reif genug, um mitzureden. Wenn ich mich aber richtig einschätze, so wird mein unermesslich Reich der stille Gedanke werden, nicht deine laute Politik, Richard. Mit andren Worten: die Reichsseele, nicht der Reichskörper!«

»Recht so!«, bekräftigte Brucks Bass. »Grade darin sollten jetzt die besten deutschen Geister ihre Hauptaufgabe erblicken.« Er strich den breiten Graubart und fügte die rätselhaften Worte hinzu: »Ich habe gehört, dass einige berufen sind, einen reineren Lebensbegriff zu offenbaren.«

»Erinnerst du dich jenes Gespräches an der Riviera, Richard?«, fuhr Ingo fort. »Wir sprachen vom Untergang der Titanic. Man mag heute das grauenhafteste Unglück in der Zeitung lesen – und schon nach wenigen Tagen ist der Eindruck wieder verwischt. Neue Nachrichten rasseln täglich über unser Gehirn und die feineren Organe hinweg. Wir haben weder Kraft noch Zeit, diesen Massenandrang zu verarbeiten. Es bleibt ein Nervenreiz, es bleibt Papier, wir lesen es nur, wir erleben es nicht. Seelenlos rollt der Apparat des modernen gesellschaftlichen Mechanismus über die einzelne Seele hinweg. Ob Tausende irgendwo verunglücken oder Zehntausende, es ist ebenso belanglos; der Apparat läuft weiter. Das ist es, Richard, wogegen ich als Ausreißer und Flüchtling ankämpfe; ich will meine Seele nicht zermalmen lassen. Ich muss oft an Schaller und Marx denken; sie sind wie jener Schatzgräber: Er gibt dem Teufel die Seele und erhält dafür Sachen. So hat unser moderner Mechanismus eine Überfülle von gewiss schätzbaren Sachen eingeheimst, auch Kunstsachen und Literaturwerke, aber die Seele verloren.«

Der Major schüttelte zu dieser Philosophie schweigend und missbilligend den Kopf.

Bruck aber lenkte die Unterhaltung ab:

»Da Sie von Marx sprechen: Ich traf in München, in jener Gesellschaft für Geistesforschung, die sich ja grade um das innere Wesen des Menschen bemüht, Ihren englischen Freund Wallace. Sie entsinnen sich, dass wir auf dem Montserrat von solchen großen Fragen gesprochen haben?«

Der Montserrat! Wie sonor klang dieser Name des spanischen Felsenberges in das idyllische Weimar! Der Montsalvat! Der Heilige Gral, das Rosenkreuz, der Ausblick in Kosmos und Erdendasein – – es war ihm, dem dankbaren Schüler weimarischer Kultur, als wäre etwas in ihm dort auf dem Montserrat über Weimar und Wartburg hinausgewachsen.

»Ah, Wallace! Ein ruhiger und besonnener Mensch! Wir könnten von den Engländern lernen.«

»Und sie von uns«, brummte Trotzendorff.

»Wir waren«, setzte der Konsul hinzu, »dort in München viel mit Doktor Marx zusammen –«

»Marx?!«

Ingos Fuchs wurde unruhig und begann zu tänzeln.

»Ebenfalls Mitglied«, bemerkte Bruck.

»Der kleine Kommerzienrat?! Schallers Freund?«

»O nein, der nicht!«, lachte der alte Herr. »Sein Bruder, ein stiller und sympathischer Gelehrter. Sie wissen ja, dass ich die modernen Israeliten nach zwei Gesichtspunkten einteile: Spinozisten und Mammonisten. Dieser jüngere Marx ist ungefähr das Gegenteil von jenem Mammonisten.«

»Na, auch über diese Rasse dürften unsre Ansichten auseinandergehen«, warf der Major herüber.

»Lässt sich wohl denken«, versetzte Bruck. »Aber mit preußischem Kommando wird auch hier nichts entknotet werden.«

Ingo suchte zu vermitteln.

»Ich fürchte manchmal, dass unser allzu laut gewordenes Deutschland durch Demütigungen hindurch muss, um sich wieder auf seine stille europäische Aufgabe zu besinnen. Es ist etwas Nervöses und Überreiztes in dieser ganzen Zivilisation. Und nun willst du mich auf die Wartburg schleppen, Richard, willst mich dem höchsten Repräsentanten dieser modern-deutschen Entwicklung vorstellen und in dieses jetzige Getriebe einfangen –«

»Ich zähle sogar bestimmt darauf, lieber Ingo! ›Der Mann muss hinaus ins feindliche Leben‹, sagt Schiller.«

»Er sagt aber auch, lieber Richard: ›In des Herzens heilig stille Räume musst du fliehen aus des Lebens Drang‹!«

»Unsinn! Er sagt aber auch: ›Rastlos vorwärts musst du streben, nie ermüdet stille stehen‹ – das hat mir mein alter Oberst unter sein Bild geschrieben.«

»Schon recht! Er sagt aber auch: ›In die Tiefe musst du steigen, soll sich dir das Wesen zeigen.‹«

Die drei Reiter lachten über dieses schlagfertige Tennisspiel mit Schillerworten.

Der Soldat Trotzendorff war noch nicht geneigt, Frieden zu schließen, obwohl das Schiller-Gelände seiner Generalstabskarte ziemlich dürftig skizziert war.

»Außerdem hat Schiller gesagt«, rief er schneidig: »›Wer immer strebend sich bemüht –‹«

»Halt, Bataillon! Das sagt nun allerdings Goethe!«

»Und fügt hinzu«, half Bruck: »›den können wir erlösen‹ – *wir*! Nämlich die ewigen Schicksalsmächte, Herr Major!«

»Mystik, meine Herren! Sie wissen, da pfeif' ich nicht mit! Ich sage nur so viel: Der Deuwel hole die Nation, die nur noch Halleluja singt und nicht mehr die Wacht am Rhein!«

Sie brachen lachend ab. Bruck war taktvoller Weltmann genug, von seinen Geheimkammern nur dann eine Tür aufzuschließen, wenn er einen Gralsucher in der Nähe witterte.

»Herzensjunge«, schloss Trotzendorff in seiner frischen und freimütigen Art, »dein Philosophieren nützt nun alles nichts. Auf die Wartburg sollst du mir doch – und wenn ich dich auf einem Wartburgesel eigenhändig ans Burgtor führen muss!«

»Nun, ich hoffe wieder heil herunterzukommen.«

»Jawohl, einen Orden im Knopfloch und einen Hoftitel in der Tasche! Ein gemachter Mann, auf den ganz Deutschland schaut!«

Der Konsul hielt sein Pferd an. Er hatte, bei aller großartigen Seelenruhe, ein natürliches Gesprächstalent: Ging mit Aufmerksamkeit auf einen Gegenstand ein, ließ höflich, aber schlagfertig eines Gegners Einwand an sich herankommen und trachtete zuletzt nach Abrundung. Um diese war es ihm auch jetzt zu tun. Er reichte dem Major mit einem reizenden Muskelspiel seines verwetterten Gesichtes die Hand.

»Lieber Herr Major, ich bekenne mich hiermit als geschlagen. Sie sind doch von uns dreien der größte Idealist!«

... In Ingo spannen die Gedanken weiter. Er liebte beide brave Deutsche rechts und links; und doch spürte er, dass er mit einem wesentlichen Teil seines Herzens zur stilleren Partei gehöre: zu dem Gefährten vom Gralsberg.

Und er sah in plötzlicher Fernschau seinen eigenen Park der Zukunft, belebt von Steinbildern großer Männer, verschönt durch goldene Sprüche der Poesie und Weisheit. Die Möglichkeit, als Gutsbesitzer an der Scholle haften zu müssen, erschien dem Weltwanderer nicht mehr schreckhaft, vielmehr in neuem und schönem Lichte. Die weiße Tempelsäule auf dem Sonnenhügel, wo er am Rande Europas bei unreifen Mädchen Schönheit gesucht hatte, sah er aufgerichtet mitten in einem deutschen Park. »Auch die Scholle lässt sich weihen, auch die Enge zur Welt erweitern. Wenn nur – wenn nur lebendige Liebe erwärmend und verschönend mithilft – lebendige Liebe!« Jetzt trat seine künftige Freifrau aus dem Herrenhause, von der Dogge begleitet, schritt durch den anmutvoll belebten Park und trug etwas von dem Reichtum ihrer Welt hinab zu Kranken des Dorfes ...

»Was träumst du, Ingo?«, fragte Richard.

»Was ich träume?«

Ingo sah sich erwachend um. Die Parklandschaft von Tiefurt lag vor ihnen ausgebreitet. Der Spieltrieb schöpferischer Geister hatte einst diesem ganzen weimarischen Gebiet Frohsinn aufgeprägt.

»Ich träume davon, wie dieses weltberühmte Weimar äußerlich so klein ist und hat doch im kleinsten Punkte die höchste Kraft gesammelt. Ich träume davon, dass auch das Herz nur ein kleiner Punkt ist: aber der Mittelpunkt des Menschen.«

10. Kaisergespräch auf der Wartburg

> Eins nach außen, schwertgewaltig
> Um ein hoch Panier geschart,
> Innen reich und vielgestaltig,
> Jeder Stamm nach seiner Art!
>
> *Geibel*

Die Fahnen der festlichen Stadt Eisenach und der Wartburg hingen ohne die mindeste Bewegung schlaff an den Stangen herab.

Die Luft war schwül und schwer. In abenteuerlicher Färbung stand der dunstig heiße, einem Gewitter entgegenbangende Sommertag. Die westlichen und nördlichen Horizonte drohten blauschwarz herüber. Von der Rhön her funkelte Wetterleuchten; ein zweites Wetter ballte sich über der goldenen Aue.

Waren rings auf fantastischen Wolkenbergen Batterien aufgefahren?

Bedrohten sie die Wartburg, den Herzpunkt deutschen Geistes?

Malte sich in den Lüften ein Zukunftskrieg um die besten Güter der Nation?

Major von Trotzendorff sah schwarz genug in die Zukunft. Aber der heutige Tag war für ihn ein Festtag. Denn er hatte es durchgesetzt: Sein Freund, der unsesshafte Weltfahrer, stellte sich zu einer höfischen Audienz!

»Was schwebt dir denn eigentlich dabei vor, mein alter Freund und Gönner?«, hatte der Spielmann gutmütig gefragt.

Und den kräftigen Schnurrbart mit zwei Bürstchen bearbeitend, hatte der Major vielsagend geantwortet:

»Na, mein Junge, das wird sich schon alles finden. Ich denke, gewissen Hoftheatern wird eine geistige Auffrischung nicht schaden. Was?«

Ingo stand am Fenster des Hotels in Eisenach, wo er abzusteigen pflegte. Hier, in diesem nämlichen Zimmer, hatte er vor fünf Jahren gewohnt, als er mit Elisabeth und ihrer Mutter einige Tage in der Wartburgstadt weilte. Es waren noch Tage der Liebe gewesen, einer vornehm verschwiegenen Liebe. Inzwischen hatte ihn unklare Sehnsucht durch die Lande gerissen; inzwischen hatte er in rascher Folge England und Italien, dann Riviera, Lourdes, Montserrat, Genfer See erlebt und war nun auf dem Wege zur Selbstbesinnung.

Er hatte drei Briefe in der Tasche: von Elisabeth, von Frau Friederike, von Schaller, der ihn kurz und launig zur Hochzeit einlud.

Am leidenschaftlichsten und tiefsten empfunden war der Brief seiner Elisabeth. Sie ging mit kurzer und stolzer Wendung über Leroux hinweg; sie erzählte ihren Besuch bei der Kranken in München, die jetzt wieder am Fenster saß; sie bat ihn, nie an ihrer einzigen, ersten und letzten Liebe zu zweifeln. Und sie, die spröde, bat um seine genaue Adresse; sie werde sofort zu ihm reisen und Auge in Auge Schmerz und Misstrauen zerstreuen, denen er ohne ihre Schuld zum Opfer gefallen.

In ungewohnter ernster Kürze schrieb Frau Friederike:

»Es ist Zeit, lieber Ingo, dass wir alle unsren festen Platz wählen. Ich habe ein Vorgefühl, wenn ich Richards Briefe richtig deute, als ob unsrem ganzen Europa eine Titanic-Katastrophe bevorsteht. Da fällt alles Schwärmerische und Unechte ab, und es bleibt bestehen Wahrhaftigkeit und Liebe, jene Liebe, die zugleich Güte und Treue ist. Lass uns zusammenhalten wie bisher, lieber Freund, aber Elisabeth soll mit in unsrem Bunde sein. Messe Dir Dein Land ab, richte Dein Haus ein, Deine Lehr- und Wanderjahre sind vorüber. Und bleib gut Deinem Kameraden Friedel!«

Ingo schaute in die fahlen Horizonte, in die Heerscharen, die dort um Deutschland gelagert schienen.

Dann wandte sich sein Blick zu dem üppig-starken Baum- und Graswuchs, der von allen Seiten Hainstein und Wartburg in schimmernder Schönheit umgrünt. Wie weich und voll die Wipfel, wie anschmiegsam die Wiesen, und schlank darüber der Bergfried mit dem Kreuz!

Die Fenster des Pallas mit den edelgeschwungenen romanischen Bogen standen offen. Die Burg war jetzt gefüllt mit Uniformen und hohen Zivilisten. In jenem Mittelbau dort, vor dem Sängersaal, waren die schön getäfelten, behaglich-vornehmen Gemächer des Kaisers und des Großherzogs belebt. Unter den geladenen Gästen wandelte mit dem weimarischen Burgherrn Seine Majestät der deutsche Kaiser.

Major von Trotzendorff, ganz Uniform und geschwellte Mannesbrust, holte den Freund ab.

Eine halbe Stunde später bewegten sie sich selber im Farbenspiel des festlichen Gewimmels.

Im zweiten Burghof, wo Waldgrün die Farbe der Landschaft bestimmt, stand alles im Zeichen der Jagd. Fast jedermann trug Weidmannsuniform. Der Verkehrston war bei aller Gehaltenheit ungezwungen, wenn auch gedämpft durch die lästige Gewitterschwüle.

Baron von Stein-Waldeck kannte einige von diesen Hofleuten. Als erster schüttelte ihm sein alter Freund, der schlanke und hagere Oberburghauptmann mit dem meist etwas ironischen Weltmannsgesicht, die Hand. Eine weimarische Exzellenz stand in der Nähe, an Gestalt und Schnurrbärtchen dem verstorbenen Karl Alexander nicht unähnlich. Dann sah man den deutschen Kaiser neben des Großherzogs gedrungener Gestalt zwanglos im inneren Hofe plaudernd wandeln, auch sie beide in der prächtig sitzenden Gewandung der Jagd.

Was mögen die beiden hohen Herren plaudern?

Ingo wurde aufmerksam.

Er schenkte den übrigen Gruppen nur wenig Beachtung, sondern beobachtete unauffällig die beiden Fürsten, in deren Nähe sich der schlanke Coburger mit einigen Jägern scherzend unterhielt.

Ingo hatte Freude an dem malerischen Bilde. Er war keine unsoldatische Natur; ein Kaisermanöver, das er seinerzeit mitgemacht, hatte er mit der leidenschaftlichen Teilnahme eines Strategen verfolgt, zäh und stramm auf seinem Artilleriepferd allen Strapazen gewachsen. Der Verfasser des »Heroismus« hatte Instinkt für Männlichkeit.

Die Fürsten schauten nach den nahenden Gewittern; sie mochten über Jagd und Wetter gleichgültige Worte wechseln. Vielleicht aber quollen auch tiefere Gedanken aus des Kaisers Seelengründen empor und verlangten Aussprache und durch Aussprache Klärung und nach der Klärung tatkräftige Überwindung? ...

Des Spielmanns Fantasie begann zu arbeiten. Er sah vor sich Pallas, Dirnitz und Bergfried aufragen; er empfand heimatlich nahe die Hügelungen der thüringischen Tannenberge. Landgraf Hermann der Freigebige war wiedergeboren: Er lustwandelte dort im Hof als deutscher Kaiser. Ingo selber fühlte sich als Walther von der Vogelweide; vaterländische Treue und dichterisches Empfinden klangen in ihm zusammen; wie jener Walther zog auch er ohne Lehen durch die offene Welt. Und seine Fantasie hörte den Kaiser sprechen ...

Der Kaiser – so sann er – knüpft in seiner Unterhaltung vielleicht an sein bevorstehendes Regierungsjubiläum an. Er sieht sich rückschauend auf den Bänken des Casseler Gymnasiums, wo er durch gewissenhaften Fleiß Achtung und Liebe seiner Lehrer erringt; er verlebt zwei unvergessliche Jahre als Borusse; er empfängt als Soldat in jeder Waffe eine gründliche Ausbildung; er tritt als Oberster des Leibhusarenregiments der Üppigkeit im Offizierskorps entgegen; er gibt als Familienvater an der Seite einer edelgestimmten Hausherrin das beste Beispiel strenger Pflichterfüllung und harter, einfacher Lebensweise; er sucht als Kaiser durch warmherzige soziale Fürsorge und durch Betonung der sittlichen und religiösen Fundamente des Volkstums gesunde Verhältnisse zu schaffen; die Marine empfängt durch ihn einen ungemeinen Ansporn, denn er hat von der Mutter her »Seeblut« in den Adern; ein spannkräftiges, schlagfertiges Heer soll seinem Volke vor allem den Frieden erhalten, den Platz an der Sonne – – so schaute Ingo, der Sohn aus königstreuem, altem Adelshause, auf das Leben des Monarchen, der hier in seiner unmittelbaren Nähe stand.

Und sprach der Kaiser in seiner raschen, elastischen Weise vielleicht Folgendes?

»Wir sind in besondrer Zeit. Die Völker sind durch die Schwingungen eines ungeahnten Weltverkehrs wie nie zuvor miteinander in Fühlung und Reibung gekommen. Da ist Gefahr für das Ererbte. Das Alte scheint in diesem Andrang von heftigen Gegenwartseindrücken minderwertig – die Seele überhaupt. Nicht wahr: Was ist denn etwa einem amerikanischen Geldfürsten die ruhmreiche Geschichte dieser Wartburg? Sie ist Duft und Höhendunst im Vergleich zu den soliden Massen und Maßstäben seines lauten Neu-Amerika. In welchem Größenverhältnis mag ihm ein Thüringer Landgraf erscheinen im Vergleich zu den Millionären des Pelzhandels oder der Goldminen, der Kartelle, Reedereien, Lloyds? Ich habe meine Vorliebe für Amerikas energischen Pulsschlag bekundet. Ganz gewiss! Ich liebe Tatkraft, aber ich bin bedenklich wider die selbstbewusste Diesseitigkeit jener Zivilisation. Uns Deutschen fehlt es wahrlich ebenso wenig wie jenen an zugreifender Kraft; das hat schon unsre Hansa samt Reichsstädten und das haben die Staufen- und Sachsenkaiser glänzend bewiesen, und das beweisen wir heute abermals auf allen Gebieten, vom Lloyd bis zum Zeppelin, Gott sei Dank! Aber wir haben noch eine andere, eine feinere, eine tiefere Mission; wir haben den bedeutenden Errungenschaften der Gegenwart die bedeutendste hinzuzufügen: Wir haben die neugestaltete Gegenwart zu *beseelen*. Das ist es, was ich auf häufigen Reisen suche und noch nicht finde. Wir müssen, wie wir unsre eisernen Kriegsschiffe mit gepanzerter Faust hinaussenden, auch die weißen Tauben des Glaubens an das Göttliche im Menschen über die verarmte Erde ausfliegen lassen. Manchem tüchtigen Manne zu Weimar und auf der Wartburg hat Gott die Fahnenstange des Idealismus in die Hand gedrückt. So soll's bleiben. Das Schwert werden wir geschliffen behalten; die irdischen Verhältnisse zwingen uns dazu. Beides miteinander zu verschwistern: weltweite Horizonte und Kraft der inneren Beseelung, modernes Bewusstsein und historische Ehrfurcht, Tatkraft und Gemüt, wissenschaftliche Unbefangenheit und religiöse Tiefe – sieh, darin erkenn' ich meine kaiserliche Aufgabe. Das scheint mir die Aufgabe der Zeit.«

Der Großherzog fühlte vielleicht – so fantasierte Ingo weiter – dass der Kaiser nur zu einem ungewöhnlichen Monolog, zu einer Herzenserleichterung großen Stils diese Stunde gewünscht hatte. Der junge Fürst beschränkte sich daher wohl auf leise und leichte Bemerkungen über Dinge der nahen Außenwelt. Der Monarch ging darauf ein, wie um auszuruhen und seine fernschweifenden Gedanken in die Nähe zurückzurufen. Bald aber versandete dieses Zwischengespräch. Und der Großherzog schaute stumm, die Hände auf dem Rücken, über den wildreichen Wald hin, in welchem er so gern seiner Lieblingsbeschäftigung oblag.

Der Kaiser mochte, kraft jenes Fluidums, das sich zwischen zwei Sprechenden nach und nach auszubilden pflegt, den stillen Wunsch des fürstlichen Weidmannes erraten.

Und in Ingos Fantasie fuhr er fort:

»Auch ich kenne kein frischeres Vergnügen, abgesehen von einer Segelregatta, als in der Rominter Heide vom Jagdwagen ins taunasse Heidekraut zu springen oder im ›Hiligen Forst‹ der Westmark einem balzenden Auerhahn sprungweis auf den Leib zu rücken. Herzhafter Kampf! Ich hab in meinem Jägerdasein mehr als siebzigtausend Stück aller Arten von Wild geschossen; und es mag manchem vorkommen, als wäre das der Weidmannslust fast zu viel. Aber ich arbeite rasch und stark und brauche rasche, starke Entspannung. Man müsste freilich ein Genie sein, um alles vom Kern aus zu überschauen: ein Genie der Sammlung ... Da steckt vielleicht das Geheimnis dessen, was wir brauchen ... Sammlung, Verinnerlichung ... Wir verlieren uns zu sehr ins Detail; wir müssen in der auflösenden Zweifelsucht der Gegenwart erst wieder den Zentralpunkt finden und von dort aus neue Ideale schaffen, ohne Untreue gegen die alten. Schweres Werk! Und von uns Zeitgenossen ungelöst. Wahrlich, eine Massenattacke mit Kavallerie zu reiten, ist leichter. Und wie macht man mir mein Amt schwer! Wie untergräbt man Ehrfurcht und Autorität! Wie nörgelt man an meinen gradaus und ehrlich gegebenen Anregungen herum! ... Hier ist meine tiefste Sorge: Nicht nur meine Autorität, nein, Autorität überhaupt gilt diesem aufgeregten, unstet-nervösen Geschlecht als ein unmodernes Gefühl. Adel jeder Art ist hart in Bedrängnis.«

Der Kaiser schritt lebhaft ein paar Schritte hin und her. Das ungeheure Gewölk verdichtete sich in blauschwarze Ballen. Ein ferner Donner rollte; ein Wind lief ihm voraus.

»Manchen treuen Willen erkenn' ich. Aber auch mein Bürgertum ist zu wenig großzügig. Sie sperren sich in zopfige Parteiworte ein. Macht weit und unbefangen eure Herzen und Köpfe! Einigt euch zu großem Kulturbegriff, positiv gestimmte Männer und Frauen jeder Konfession und Partei! Es gilt einen Kampf um Deutschlands innerstes, heiligstes Gemüt ... Ich bin mit Bewusstsein evangelischer Kaiser; aber ich habe für warmherzig religiöse und gut deutsche Katholiken denselben Handschlag bereit. Es muss in die dumpfe, zaghafte Religiosität überhaupt mehr durchwärmender Lebensodem kommen.«

In voller Gemütsbewegung schritt der Kaiser auf den hallenden Steinen hin und her und brach dann plötzlich ab. Er nahm des Großherzogs Hand.

»Du weißt, ich stehe gern auf unsren schwimmenden Burgen, den Kriegsschiffen, und halte Schiffsgottesdienst. Nun wohl, betrachte diese programmatische Aussprache als einen Gottesdienst auf deiner Landburg, deren Kapitän und Kommandant du bist. Nimm meine Worte als den Grundriss eines Regierungsprogramms. Gott helfe uns! Deutschland hat Feinde innen und außen.« ...

So malte sich Ingo des Kaisers Unterhaltung aus. Er empfand Zuneigung zu diesem Herrscher, dem das parlamentarische Gezänk entschieden Unrecht tat, den es nicht schlichtmenschlich genug beurteilte, dessen Übereilungsfehler eng verwachsen waren mit seinem hilfsbereiten Naturell, mit seinen lebendigen Tugenden und Kräften ...

»Wenn ich selber mit ihm spreche« - - -

Jetzt wurde der fantasierende Spielmann, der zwischen belanglosem Geplauder gestanden hatte, unterbrochen. Mächtige Stöße des Gewitterwindes scheuchten die gesamten Gruppen der Hofgesellschaft in das Innere des Gebäudes ...

Sie schritten jene Steintreppe hinan, über die einst der Sänger Heinrich von Ofterdingen, unterlegen im Sängerkrieg, knirschend davongegangen war ... Dampfte nicht noch der Hof von der derben Zecherlust des niedren Volkes, während drin im Wortekampf adlige Harfe wider Harfe klang, ein Turnier des Geistes? Ja, damals Spielmann zu sein! Da war alles Worteprägen noch von urwüchsiger, gebräunter Kraft, denn die Sänger waren Freiluftmenschen, Höhenwanderer von Burg zu Burg, umpfiffen vom Waldwind! ... Wie hatte sich Ingo, der thüringische Freiherr, in jenes Staufenzeitalter eingelebt, in den Minnesang, in die Gralsage, in die Geschichte der Troubadours! Er selber war einst auf dem Rennstieg mit seinem Knecht geritten, hatte gestern vor schönen Frauen auf der Burg gesungen, ehegestern unter einer Dorflinde bei dörperlichem Tanz zur Laute gespielt, hingerissen vom wilden Hoppaldei und Troialdei – und war dann wieder im einsamen Wald unter Tannenzapfen und Eichhörnchen weitergezogen, um in irgendeiner rauchigen Gebirgsschenke zu übernachten ...

Das ging dem Spielmann großzügig durch Herz und Kopf. Und jetzt trat der Generalintendant der Königlichen Schauspiele heran. Trotzendorffs große Stunde war gekommen: Noch nicht der Monarch selber, aber dieser hohe Beamte und Hofmann wünschte durch den Major nunmehr den Baron und Schriftsteller Ingo von Stein-Waldeck kennenzulernen.

Auch diese Vorstellung vollzog sich in bequemen und unbefangenen Gesellschaftsformen, gleichsam nebenbei und zufällig. Doch hatte Ingo die fatale Empfindung, dass er auf seine etwaige Verwendbarkeit hin ausgehorcht werden sollte; und das goss dem freien Wandersmann ein paar Tropfen Ironie in seine Antworten.

»Sie haben ja wohl einmal ein Drama geschrieben, mein lieber Herr Baron? Nun, das ist ja in jungen Jahren eine – wie soll man sich da ausdrücken – nicht ganz ungewöhnliche geistige Übung des gebildeten Deutschen. Nicht wahr? Übrigens, man sprach bei Hofe von Ihrem Buch über Friedrich den Großen. Sagen Sie mir einmal, wie ist denn das nun eigentlich? Über Ihre dramatische Tätigkeit müsste mir doch seinerzeit berichtet worden sein, wenn Sie das Stück bei uns eingereicht haben?«

Der Generalintendant war eine stattliche und angenehme Erscheinung von liebenswürdigen Umgangsformen. Er war den Hofton gewöhnt und zugleich die Gebärde des Theaters; aus seiner Stimme klang edle Leutseligkeit; was er anfasste, wurde in seinen Händen wichtig und würdig, auch wenn es für die deutsche oder europäische Kunst von keinerlei Bedeutung war, sondern nur den Wert einer höfischen Unterhaltung hatte.

»Jawohl, Exzellenz, ich hatte einmal die Schwäche, ein Drama einzureichen, aber nicht unter meinem Namen.«

»Nicht unter Ihrem Namen? Aber ich bitte Sie, mein lieber Baron, wozu denn dieses gänzlich überflüssige Versteckspiel?«

»Ich wollte mein Werk durch sich selber wirken lassen.«

»Und Sie haben es uns vorgelegt? Aber ich entsinne mich doch nicht, dass Ihr Name – –«

»Der Deckname war Franz Sturmegg.«

»Ja so, richtig! Also Sturmegg! Hm! Sturmegg?«

Der Intendant fuhr mit sinnender Gebärde über eine nicht unbedeutende Stirne; er war ein gut repräsentierender Mann.

»Die Sache ist längst erledigt, Exzellenz. Es war für mich eine heilsame Lehre, den Bühnendichtern nicht mehr ins Handwerk zu pfuschen.«

Exzellenz erkundigte sich, immer die Hand in huldvollem Nachdenken an der Stirn, nach Titel und Inhalt.

»Richtig! So etwas mag mir ja wohl einmal, ich glaube sogar mit einer Empfehlung unsres wackren Wildenbruch, durch die Hände gegangen sein. Aber – ja, ja – ein sehr undankbarer Stoff! Sehr undankbar, wirklich! Und bei der – nicht wahr – bei der ungeheuren Fülle von künstlerischer Arbeit, die unsere Königlichen Bühnen zu bewältigen haben – –«

»Ich reiste sogar«, fuhr Ingo fort, »nach brieflicher Anmeldung selber nach Berlin. Aber ich bin telefonisch von irgendeinem Beamten wieder nach Hause geschickt worden, ohne zur Audienz zu gelangen.«

Stein lachte selber über diese überwundene Epoche. Der Intendant war ein klein wenig betreten, beugte sich jedoch mit liebenswürdigstem Lächeln zu dem Baron hinüber:

»Aber als Sturmegg, nicht als Baron Stein?«

»Nur als Sturmegg, Exzellenz!«

Stein-Sturmegg verbeugte sich. Es zuckte unverhohlenes Lachen um seine Mundwinkel; er nahm diese Dinge nicht mehr ernst.

Der Generalintendant der Königlichen Schauspiele verbreitete sich in fein gewählten Worten über die fabelhaften Aufgaben, die von den Königlichen Theatern jährlich geleistet werden, um inmitten der internationalen Zersetzung wahrhaft hohe Kunst durchzuführen und vornehme deutsche Talente zu entdecken und hochzubringen. Dann empfahl er dem Spielmann mit entschiedenem Wohlwollen Stoffe aus der Geschichte der Befreiungskriege oder der Hohenzollern; und während er mit Geschick plauderte, suchten seine Augen in der Umgebung, auf wen er die Fortsetzung des allmählich unbequemen Gespräches abschieben könnte; er winkte einen schriftstellernden Major a. D. heran, den er dem Spielmann vorstellte und als Vorbild empfahl, worauf er sich selber zurückzog, offenbar von Ingos freimütiger und ironischer Tonart nicht gar angenehm berührt.

Am Gespräch über Literatur beteiligten sich einige Herren mit modern gestutzten Haaren auf den Oberlippen, sodass sie in dieser Zahnbürstchenform der Schnurrbärtchen auffallend einander glichen. Man sprach über die beträchtlichen Kosten einer Meyerbeer-Aufführung an der Königlichen Oper, über die nicht minder bedeutenden Kosten eines assyrischen Balletts, über reizende Lustspiele wie »Husarenfieber« und »Wieselchen« – oder war es »Lieselchen«? Der beschämte Troubadour kannte nicht einmal die Namen.

Dann ging man zu einem Gebiet über, auf dem man sich sicherer fühlte: zu Einzelheiten der Jagd; gähnte auch verstohlen und spähte auf die Uhr, ob denn wohl endlich das Festmahl beginnen mochte. Kurz, es war zu irgendwelcher geistigen Vertiefung weder Ort noch Anlass. Und der Freiherr suchte vergeblich eine Einbruchsstelle, wo er mit Kanonen oder Kavallerie des Geistes hätte wirken können.

Jetzt kam der Augenblick, wo der Freiherr von Stein, vom Oberburghauptmann vorgestellt, den festen Händedruck seines Kaisers spürte und ihm in Audienz gegenüberstand.

Trotzendorff strahlte.

Im Zimmer seines Gasthofes schritt Ingo wieder auf und ab, in leichter grauer Litewka, wie er sie im Hause zu tragen pflegte.

Über Thüringen donnerte noch immer das Gewitter. In Wasserfluten schien Deutschland zu ertrinken. Man sah die Wartburg nicht mehr. Von West und Nord und Ost krachten die flammenden Fluten.

Automobile sausten im Unwetter nach der Bahn; die Wartburg hatte sich rasch geleert; es war eine Flucht, ein zersprengtes Heer.

Im stillen Zimmer schritt Ingo auf und ab. Er hatte sich unbeachtet nach der Tafel zurückgezogen; ihm war leicht, frei und heiter zumute. Die letzte Versuchung lag hinter ihm.

Da hielt ein ratterndes Auto vor dem Hotel: Major von Trotzendorff stürmte herauf.

»Junge, wie war's? Mach schnell, ich muss nach der Bahn! Wie war's? Hab dich ja gar nicht mehr erwischen können, war unausgesetzt in Anspruch genommen!«

»Treuer, unermüdlicher Richard, vor allen Dingen Dank!«

»Unsinn! Sag', voran, wie war's da oben, alter Freund?«

»Nun, was soll denn da oben Besondres gewesen sein?«

»Was sagte der hohe Herr? Raus mit der Sprache! Ich hab keine Zeit, das Auto wartet mit zwei Herren vom Hofe!«

»Aber das lässt sich doch so in der Geschwindigkeit –«

»Na so mach doch, guter Junge! Was sagte Seine Majestät zu deinem Buch?«

»Hat ihm famos gefallen, es sei gar nicht konventionell.«

»Siehst du?! Ausgezeichnet! Was weiter?«

»Ja, was denn weiter?«

»Aber, Junge, so erzähl' doch!«

»Was denn, liebster Richard, was denn?«

»Aber, Mensch, zum Donnerwetter, euer Gespräch! Die Ideen, die du entwickeln wolltest –«

»Welche Ideen?«

»Hast du mir nicht hundertmal auseinandergesetzt, was du tun würdest, wenn du der Kaiser wärst oder sonstwie von Einfluss auf den Zeitgeist –?!«

»Ja, da hast du allerdings recht! Aber –«

»Was denn aber? Du machst mich wild! Jetzt *hast* du mit dem Kaiser gesprochen, ich habe mit aller Mühe euch zwei zusammengebracht – und nun?«

»Bester Richard, erst muss mich doch wohl Seine Majestät etwas fragen, eh' ich etwas antworten kann, nicht wahr?«

»Hat er dich denn nicht gefragt? Wie lange dauerte denn die Unterredung?«

»Nun, mindestens zwei Minuten.«

Das Auto draußen tutete ungeduldig; der Gewitterregen rasselte an die Fensterscheiben.

»Hol' dich der Kuckuck, Junge! Entweder hab ich zu viel getrunken bei Tafel – oder du bist nicht nüchtern und willst mich frotzeln –

oder – Kurz, ich erwarte dich morgen in Erfurt! Oder kommst du gleich mit?«

»I, fällt mir nicht ein! Ich bleibe gemächlich hier in Eisenach.«

»Dann ade! Eines will ich dir sagen, du: Ich hab mich nun jahrelang auf diesen großen Tag gefreut. Wenn's dir nicht gelingt, Fuß zu fassen – hol's der Deuwel, so reich' ich meinen Abschied ein und widme mich dem deutschen Volke und seinen zahllosen Vereinen. Gott befohlen – oder vielmehr: Salz' dich ein, du Pechvogel!«

Ingo begleitete den ärgerlich Davonstürmenden an die Türe.

»Richard, nun hör' einmal zu, nun will ich dir ein sehr ernstes Wort sagen! Ich habe seit geraumer Zeit mit dir und deiner Gattin, also mit meinen nächsten Freunden, in einem Kampf gestanden: in einem Kampf um Selbstständigkeit. Verstehst du? Mit Friedel war die Auseinandersetzung von besondrer Art; das haben wir schon in Lourdes abgetan. Nun merke auch du dir, mein Bester: In irgendwelchen höfischen oder staatlichen Mechanismus wirst du mich niemals einfangen! Niemals! Ich gehöre nicht dahin. Das hab ich heute da oben auf der Wartburg klar und deutlich erkannt – erkannt? Nein, erlebt!«

»Aber, Junge, hat man dich denn irgendwie unliebenswürdig behandelt?«

»Im Gegenteil! Ich werde immer mit Vergnügen an diesen Tag zurückdenken.«

»Also –?! Du bist selber strammer Soldat gewesen: Willst du es etwa dem hohen Herrn verargen, dass er ganz besonders auf Jagd, Armee, Marine eingestellt ist?«

»Wie sollt' ich denn! Es wird in Deutschland genug gekrittelt – sollt' ich mich auch noch zu den Nörglern und Hetzern gesellen?! Ich liebe und achte meinen Kaiser. Aber –«

»Aber –?«

»Aber die Stimmung, die jetzt für ein seelisches Deutschland herausgearbeitet werden muss, lässt sich nur in der Stille gestalten. Wir müssen uns auf Arbeitsteilung einigen. Von innen heraus, Richard, von innen heraus muss die Erneuerung des Zeitgeistes versucht werden! Weder von oben noch von unten! Weder Cäsaren noch Demokraten können das Reich Gottes bauen. Denn sie haben es mit den Massen zu tun, nicht mit der Seele. Erneuerung von innen heraus!«

Er sprach mit eindringlichem Ernst.

Aber Trotzendorff lief zornig davon.

»Noch eins, Richard!«, rief ihm Ingo übers Treppengeländer nach. »Weißt du, dass der kleine Marx oben war – Kommerzienrat Marx?«

»Bitte: Geheimrat Marx! Sehr beliebt! Gibt unmenschlich Geld für große Zwecke! Der fliegt rascher die Leiter hinauf als du deutscher Michel! Ade!«

Und mit dröhnenden Stiefeln war er fort.

Und das Auto raste – und das Gewitter raste – und Ingo lag auf dem Diwan, hatte die Hände hinter dem Kopf und starrte zur Decke empor.

Er war ernst.

Ja, er war ernst bis zur Schwermut.

Diese Automobile waren davongefaucht und hatten den Spielmann Ingo von Stein als unverwendbar und überflüssig irgendwo am Wege liegen lassen.

Was hatte er denn eigentlich erwartet? Nichts. Doch hatte ihn Trotzendorff und dessen brave, aber unklare patriotische Romantik, Trotzendorff, der angebliche Tatsachenmensch, immerhin mit einer gewissen Erwartung angesteckt. Diese Erwartung hatte sich freilich rasch verflüchtigt, sobald er einige Minuten die Hofluft selber, den Geist, den Duft, die Essenz dieser höfischen Welt auf sich hatte wirken lassen. Es war von dort zu seiner eigenen Welt der heiligen Stille keine Brücke zu finden.

Man hatte in diesem übervollen Deutschland Leute genug, übergenug; man hatte Kenntnis und Kunst übergenug. Was wollte sich da noch ein einzelner Sonderling und Fremdling hinzudrängen?

»Ich bin durch Nordland und Riviera, durch Lourdes und Montserrat-Stimmung dankbar hindurchgegangen und nicht darin stecken geblieben«, sprach er zu sich selber. »Ich habe Friedel viel zu danken, bin Richard von Herzen gut und dem Sonderling Bruck zugetan. Warum find' ich denn nur nicht den Zugang zum Herzen dieser deutschen Gegenwart? Warum vergisst das moderne Deutschland seine besondre europäische Sendung? Warum geht es nicht mehr führend voran in jener durchgeistigten Gemütskraft, die man ehedem deutschen Idealismus genannt hat?«

Aufspringend schaute Ingo durch nasse Fenster nach den verdüsterten Umrissen der Wartburg empor. Wie lieb war ihm diese Geistesburg! Das Herz schwoll ihm vor Sehnsucht nach warmblütig mitpulsierendem Menschentum, nach Liebe all dieser Zeitgenossen, die heute schattenhaft und gleichgültig an ihm vorbeigewogt waren. So waren sie auch an seinen Büchern vorübergegangen; so gingen sie an seiner Person vorüber; er war überflüssig.

Er sah im Geiste die ausgetretenen Steinfliesen der Vorderburg. Dort hatten sie in einer Mainacht Luther hereingeführt und untergebracht. Wie kommt es, dass mit den thüringischen Fürsten oder den Staufen große Sänger und der Name des deutschen Reformators untrennbar verbunden sind? Wie kommt es, dass sich um die Hohenzollern keine geistesgroßen Dichter gesammelt haben? Ist es ein Gesetz deutscher Arbeitsteilung, dass Potsdam militärische Aufgaben zu lösen hat? Dass sich aber das deutsche Weimar immer wieder abseits in der Stille als ein heiliger Hain erbauen muss?

Diese Gedanken wurden in ihm angeregt durch eine harmlose Audienz, die tausend anderen Audienzen glich.

11. Elisabeth

Auf einer Lilie zittern
Zwei Tropfen rein und rund,
Zerfließen in eins und rollen
Hinab in des Kelches Grund.

Hebbel

Eisenach, den ...

Liebe Elisabeth!

Dein Brief hat mich hier in Eisenach gefunden, am Fuße der Wartburg, wo sich gestern Wichtiges entschieden hat. Ich habe dem Drängen Trotzendorffs nachgegeben und mich zu einer kurzen und konventionellen Audienz gestellt. Die Sache ist abgetan. Nun weiß und fühl' ich in scharfer Klarheit, wo ich fortan zu stehen habe: nicht im politischen, sondern im seelischen Deutschland.

Dein Brief klingt in Es-Dur, meine Elisabeth: feierlich und tief. Es ist darin Böcklins Grundfarbe: ein heiliges Dunkelblau. Ich danke Dir innig dafür, Du Gute! Zum ersten Mal etwas wie ein Klang des Ver-

177

ständnisses, etwas wie ein Widerhall. Und das beseligt mich tief, denn ich bin unheimlich allein. Grade an Dir halte ich trotz alledem mit zäher Beharrung fest, Du meine erste und hoffentlich letzte Liebe! Du bist ein Glockenton meiner Jugend, Du bist meine Jugend selber, Du süße Gespielin von einst! Dich aus dem Herzen reißen, heißt ein Stück meines Herzens ausreißen. Dich umarmend hab ich dort Wald und Seele unsrer Heimat umarmt; in Deinen Küssen war Tannenduft; wenn ich den Namen Elisabeth ausspreche, so sehe ich blühende wilde Rosen und mitten darin ein ernstes Kreuz.

Liebes Mädchen, ihr habt mich oft Spielmann genannt und mir sogar vorgeworfen, dass ich mit dem Leben spiele. Ach, lasst mir doch ein wenig Leicht-Sinn – nicht Leichtsinn –, lasst mich doch das Leben als ein sinnvoll Reigenspiel anschauen, wunderlich verschlungen und doch im Ganzen voller Harmonie und starkem, heiterem Rhythmus! Lasst mich Spielmann bleiben im Unterschied von fantasielosem Philistertum! Nur der Freie kann und darf spielen; der Knecht front. Der Hasenfuß wagt nicht das schöne und kühne Spiel mit dem Abenteuer des Lebens.

Kind, das ist es ja, was ich Dir so oft verweisen musste: Du bist immer viel zu sehr Fronerin gewesen, Du Gehorsame, und viel zu wenig frei Schenkende. Du hast Deinen engen und ängstlichen Moralismus nicht durch den Rhythmus mutiger Selbstbestimmung zu überwinden gewusst. Und so hab ich mich zuletzt auch von Dir leidvoll zurückgezogen und mich abseits im heiligen Hain der großen Toten zu größerer Lebenserfassung herangebildet. Denn wahrlich waren und sind mir Offenbarungen der Weisheit und Schönheit unter allen Umständen wichtiger als das kleinmenschliche Verweilen bei jedwedem körperlichen Missbehagen dumpfer unbedeutender Nebenmenschen, deren Sorglichkeiten Du so wichtig nimmst. Darum bin ich auch für all die modernen Denkmalsfeiern oder ähnliche Äußerlichkeiten des öffentlichen Lebens ebenso verloren wie für die Spezialzerpflückungen unserer wissenschaftlichen Kleinkrämer. Und solange dieser unmelodische Alexandrinismus meiner Zeitgenossen andauert, solange sie nicht mit mir das Große suchen, das Eine, was not ist, die Ideen und Urbilder – so lange gehe ich eben allein. Und solange Elisabeth in Ängstlichkeiten und Schicklichkeiten stecken bleibt, statt zu dem Manne ihres Herzens zu fliegen und sich mit ihm in große Geistes-

und Herzenswelt emporzuheben – so lange gehe ich eben allein. Mein Fall ist kein Einzelfall: Meine Not ist die Not der deutschen Seele.

Weib, wenn Du doch etwas von der verhaltenen, hochgestauten Kraft spürtest, die sich in mir gesammelt hat, die oft über die Ränder sprüht und Freunde sucht, Spielkameraden, Wandergenossen nach der Gralsburg! Weib, sei kühn! Weib, sei doch genial! Fühle doch, dass die Liebe zu dem Einen, der Dich wiederliebt, wertvoller und wichtiger ist als alle Krankenschwesterlichkeit der Welt! Wie oft hab ich Dich gerufen, Elisabeth, meine deutsche Seele, und Du bist nicht gekommen! Sondern Du bist stecken geblieben in den Kleinsorgen der Alltagsmenschen, in der schicklichen Ordnung, in der biedern Mittelmäßigkeit, Du Brave, Du Allzubrave!

Siehst Du, Kind, und so vermag ich Deinem liebevollen und ungewöhnlichen Briefe leider, leider, leider nicht mehr recht zu vertrauen. Zürne mir nicht, dass ich Dir das ausspreche! Du hast mich zu oft allein gelassen.

Wenn ich aber ungerecht bin, wenn ich vergesse, wie oft auch ich Dir wehgetan und Deine heilige Ruhe gestört habe, Du frommes Wesen, sobald meine Ungeduld mit Deiner stillen und tiefen Geduld zusammengestoßen: so vergib mir! Der tiefste Grund meines Wesens ist dennoch Liebe – Liebe zu allen guten Menschen und ganz besonders Liebe zu Dir, Du Beste der Guten. Und so nimm das Ungeduldige in diesen raschen Worten nicht übel: Sie sind nur wie Wolken vor dem Mondlicht meiner Liebe.

Gott behüte Dich, gute Elisabeth!

Dein Ingo.

Am Tage nach dem Wartburggespräch schrieb Ingo diesen Brief in seinem Hotelzimmer.

Die Stille des warmen und wolkigen Tages tat ihm wundersam wohl.

Als er nun aber das Schreiben noch einmal durchlas, schüttelte er den Kopf und legte den Brief in seine Schreibmappe.

»Nein, das kann ich nicht absenden«, sprach er zu sich selber. »Das ist ja nur wieder der alte Ruf der Sehnsucht: Elisabeth, komm zu mir! Ich fahre ja genau da fort, wo ich vor drei bis vier Jahren abgebrochen habe. Ich wiederhole mich ja, das ist ja geschmacklos. Sind wir wirklich in diesem blutarmen, kränkelnden, unheroischen Liebesverhältnis nicht weitergekommen? Dann tut's mir leid. Ich werde Elisabeths Brief überhaupt nicht beantworten. Hier fruchten keine Briefe mehr.«

Der Brief wurde nicht abgesandt.

Er nahm seine Arbeit wieder auf.

Seine Studien über den Gral hatten ihn zu Goethes Gedicht »Die Geheimnisse« geführt. Hierbei, Goethes Dichtungen durchblätternd, war ihm zum Bewusstsein gekommen, wie häufig der große Dichter das Wandermotiv behandelt und vergeistigt: von dem jugendlichen »Wandrers Sturmlied« bis zu den reifen »Wanderjahren«. Er beschloss, diese Linie zu verfolgen und mit dem Gralsuchen in Beziehung zu setzen. Eben las er das edelschöne Gedicht vom Wanderer, der in Tempelruinen eine junge Frau findet, mit den weich hingleitenden Schlussworten:

>O leite meinen Gang, Natur
Den Fremdlingsreisetritt,
Den über Gräber
Heil'ger Vergangenheit
Ich wandle.
Leit' ihn zum Schutzort
Vorm Nord gedeckt,
Und wo dem Mittagsstrahle
Ein Pappelwäldchen wehrt.
Und kehr' ich dann
Am Abend heim
Zur Hütte,
Vergoldet vom letzten Sonnenstrahl,
Lass mich empfangen solch ein Weib,
Den Knaben auf dem Arm!«

Er ließ das Buch sinken.

»Solch ein Weib ... den Knaben auf dem Arm!«

Sieh an, auch hier ein Wanderer, ein Hügel, ein Weib – und in der Nähe ein Säulenpaar! Natur und Religion und Poesie in eins zusammengeblüht! Tod und Leben in eins verschlungen: zerfallener Tempel und nährende Frau, die selber ein Tempel ist, ein Meistergebilde der Natur und der Gottheit! Sind nicht wir Deutschen geboren über Resten

180

heiliger Vergangenheit? Dass ihr Geist auf uns ruhe und uns befruchte, Altes zu ehren und Neues zu schaffen und Gegenwart zu genießen wie dieses glückselig-gesunde Weib – eine Madonna mit dem Knaben auf dem Arm! »Das ist meine Hütte«, sagt sie, »eines Tempels Trümmer!« Ja, ein Tempel, verwandelt in eine Hütte der Liebe und des heiligen Lebens – eine Hütte, entsprossen aus den heiligen Stimmungen eines Tempels! Welche sinnige Verschlingung! Hier ist immer wieder das Ziel!

Ingo lief in seiner jugendstarken Gesundheit im Zimmer auf und ab. Er erlebte diese Zwiesprache mit dem Weib an der Tempelsäule; er war selber dieser Wanderer. Seine Betrachtungsweise war niemals blässlich, immer warmblütig; denn er durchglühte auch geistige Stoffe mit der Kraft persönlichen Erlebens, sodass der Spielmann oft unsesshaft vom Buch aufsprang und laut mit sich selber sprach.

Wieder zum Buch zurückkehrend, schlug er aufs Geratewohl auf. Und – leiteten Geister vom Montserrat seine sinnvoll zugreifenden Finger? Er stieß auf die Randnoten, die Goethe selber zu seinem bedeutsamen Gedicht »Die Geheimnisse« niedergeschrieben hat. »Durch eine Art von ideellem Montserrat« sollte dort der Leser geführt werden – das waren die Worte, die ihn wie ein elektrischer Schlag berührten. Ihm, dem Goethekenner, waren diese Bemerkungen ganz aus dem Gedächtnis geschwunden. Nun sah er sein eigenes Suchen durch den Meister bestätigt. Denn hier stand es ja, hier klang es ja in die Worte aus: »... sich in den Gesinnungen befestigen, in welchen ganz allein der Mensch, auf seinem eigenen Montserrat, Glück und Ruhe finden kann.«

Auf seinem eigenen Montserrat!

Nicht im fernen Land, unnahbar euren Schritten – vielmehr hier und heute und überall, wo der Mensch seines göttlichen Mittelpunktes inne wird!

Welch ein Kraftgefühl, dieser Besitz!

Und doch – einer allein wird nie zulänglich sein, das Leben bedeutend und nutzwirkend zu einer Tempelburg zu gestalten, wenn er sich nicht bei aller eigenen Selbstständigkeit verflechten kann mit anderen. Zur Monade trat schon bei Pythagoras, der selber seine Schülerin Theano zur Gattin erhob, die Dyade, die Triade, die heilige Tetraktis, die Vierzahl; und eins, zwei, drei und vier geben als Summe die Zehn, die heilige Dekade. Saßen nicht auf dem Montserrat zwölf Eremiten um den dreizehnten? Sind nicht zwölf Meister in diesem seltsamen Tempel der »Geheimnisse« mit einem dreizehnten als Oberhaupt? Immer strebt das Leben in eine Runde, eine Tafelrunde, eine kristallinische oder organische Bildung hinaus, in harmonische Vielheit – und wieder zurück zur umfassenden Einheit. Sind nicht alle Sonnen und Planeten, alle Lebewesen und alle Teile des Körpers aufeinander angewiesen und bilden miteinander das rhythmische Ganze?

So wogten seine Gedanken.

Der Einsame war in seinem unbefriedigten Schaffensdrang nahe daran, wehmütig zu werden. Aber in seinem gesunden Blutumlauf hatten weder Zweifel noch Grübelei Raum. Eine halbe Stunde später lag der Goetheband auf dem Teppich, und der glückliche Besitzer und Verehrer des Buches lag auf dem Diwan und schlief mit gekreuzten Armen.

Es klopfte leise an Ingos Tür.

Ingo schlief.

Es klopfte abermals.

Ingo schlief.

Die Tür tat sich auf, und eine Dame stand im Zimmer, ohne Hut und Handschuhe.

Jetzt fuhr der Schlafende empor und sprang sofort auf die Füße, verworren die Augen reibend.

Das Glück stand an der Tür.

Erst war er der Meinung, es hätte sich jemand in der Zimmernummer geirrt. Dann aber, obschon bereits Dämmerung war, erkannte er jählings, wer vor ihm stand.

»Elisabeth!«

Sie lehnte wortlos an der Wand. Sie konnte keine Silbe hervorbringen.

»Aber, Kind, meine gute Elisabeth, wie kommst denn du hierher?! Bist du hier abgestiegen? Hast du ein Zimmer hier im Hotel?«

Sie nickte. Ihre Brust arbeitete mächtig.

»Wohnst am Ende gar im Zimmer gegenüber, das Trotzendorff gestern verlassen hat? Das ist ja ein entzückender Streich! Und ganz aus eigenem Entschluss?«

Sie nickte wieder, kurz und heftig. Aber dann hielt sie's nicht länger aus – mit einem jähen Laut »Ingo!« flog sie ihm um den Hals – und ihre Arme umschlangen ihn – und Mund lag auf Mund. Aus ihrer Brust kam ein Ton wie Jauchzen und Angst. Sie ließ ihn nicht los, sie trank seine Küsse, sie suchte immer wieder seinen Mund und presste ihn mit der ganzen Stärke ihrer starken Arme an ihre wogende Brust.

Und alle Gedanken, Programme, Ideen, die soeben diesen Raum erfüllt hatten – versunken! Nein, verwandelt! In Leben verwandelt! Verwandelt in den einen großen Ton elementarer Liebe, in diese Flut ungestüm andrängender Liebe, in diesen überwältigenden Duft blühenden Lebens – ganz verwandelt in dieses atmende, glühende, sinnenstarke und doch so stolze und herbe Mädchen, das sich nur dem einen Manne auftat!

Umwogt und umwunden von diesem langen Haar mit dem natürlichen Duft, saßen sie wie einst im Wald und wurden nicht satt, sich Kosenamen zu stammeln. Ihr Mund, ihre Augen, Ohren, Hals und immer wieder ihr Mund wurden von Ingos Küssen überdeckt; und wenn er den Kopf an ihrem Halse barg, war sie es, die seine Lippen wie in Angst aufsuchte und unzählige Male immer nur das eine Wort wiederholte: »Mein, mein, mein!«

Ingo hatte nie gewusst, wie ein Weib lieben kann, hatte nie gewusst, wie dieses Weib lieben konnte. Mit dem ganzen, zarten, weichen, vibrierenden Organismus liebt das Weib, ihr Körper ist Liebe, ihr Körper ist Sprache ohne Worte. Mächtiger als der Mund allein spricht und jauchzt das ganze Wunderwerk Weib dem Geliebten entgegen. Die Zeit blieb stehen; sie achteten nicht, ob Sonne oder Mond am Himmel stand; sie hatten ja ewig zusammengehört, von Anfang der Welt an, als noch keine Zeit war. Sie hatten sich gesucht durch Jahrtausende seit der alten Atlantis und jetzt gefunden, hier am Fuße der Wartburg, hier im Herzen Europas.

Allmählich stellten sich dann doch Worte ein, süßes Raunen, töricht holde Melodie, innige Koseworte und Worterfindungen, immer wiederholte Fragen, die keine Fragen waren.

»Du bist mein, nicht wahr, ganz allein mein? Ich hab's ja nicht mehr aushalten können! Ach Ingo, sag's, nicht wahr, ich verliere dich nie mehr, nie mehr, nie mehr?«

»Bis in den Tod, Elisabeth!«

»Bis in die Ewigkeit, Ingo! In alle, alle Ewigkeit! Ewig, ewig, ewig dein!«

Sie erzählte, dass sie keiner Menschenseele von dieser Fahrt nach Eisenach gesagt habe, sondern nach Weimar gefahren sei, um Tante Adelheid zu besuchen. Von dort kam sie her. Sie sprach von allem, was bisher die Liebenden getrennt, sie sprach abgerissen, in Worte zusammendrängend, ohne Satzbildung. Aber sie verstanden sich doch. Es durchflutete die beiden Menschen, die sich so lange gesucht hatten, ein Empfinden, das ihnen bisher unbekannt war: der Jubel der Erfüllung.

Und er gedachte jenes Ringes, den er in Genf gekauft. Er tastete danach, immer noch in ihre herrliche Haarflut gehüllt, und steckte ihn an ihren Finger und zog ihren Schmuckring ab und steckte ihn sich selber an.

»Meine Braut! Mein Weib!«

»Bin ich das? Bin ich dein Weib?«

»Meine Frau halt' ich im Arm! Und was bin ich?«

»Mein süßer Liebster, mein Bräutigam, mein lieber, lieber Mann!«

Ihre Stimme war Herz und Seele; wie ein Kind lag sie an seinem Halse. Die Qual und Spannung von Jahren löste sich in diesen heilig-seligen Augenblicken mit erschütternder Gewalt.

Draußen, weit wo im Westen, flammte ein spätes Abendrot: unter schwarzen Wolkenmassen ein roter Feuerstreifen, als winkte dort, jenseits der Wasser, ein leuchtendes Land.

Zwei Menschen trieben auf einer Planke dem Lande der Liebe zu.

Meine gute Friedel!

Ich habe mich soeben hier in Eisenach mit Elisabeth verlobt. Du sollst die erste sein, die es erfährt, Du, der ich so Unvergängliches verdanke. Ich bin glücklich, Friedel. Mein Herz ist bis obenan voll Dank. Nebenbei war ich gestern auf der Wartburg und hatte die Ehre, Seiner Majestät vorgestellt zu werden. Aber nicht dahin geht mein Weg, sondern in die arbeitsame Stille – mit Elisabeth. Bleibt gut, Du und Richard,

Eurem alten Ingo.

Nachschrift. Liebe gnädige Frau! Ingo bittet mich, einen Gruß darunter zu schreiben. Gern tue ich das. Ich bin Ihnen von Herzen gut und bitte auch Sie um Ihre Freundschaft. Wie glückselig ich bin, das vermag kein Mund auszusprechen.

Ihre Elisabeth.

12. Der Gutsherr

Sehnsucht ins Ferne, Künft'ge zu beschwichtigen,
Beschäftige dich heut' und hier im Tüchtigen!

Goethe

Zeitenwende bereitet sich vor.

Einzelne Wandrer haben sich abgesondert vom Zeitgeist. Sie suchen untereinander Fühlung. Sie bilden eine heimliche Gemeinde der Ernsten und Stillen. Ihr heiliger Hain ist umschirmt von schwarzen Zypressen. Im Innern aber tragen Fruchtbäume rote und goldne Gaben.

Diese Abgesonderten formen langsam das neue Lebens- und Bildungsideal.

Der Spielmann und Gralsucher Ingo von Stein hatte sich nach jenem Wartburgtage dieser unsichtbaren Gemeinde angeschlossen. Sie ist nicht geformt, diese Gemeinde; sie hat weder Satzung noch Rang und Titel. Doch erkennen sich die Begegnenden daran, dass sie, ohne Hast und Unrast, mit einem stillen und starken Herzen Welt und Ewigkeit erleben und verarbeiten. Das kostbare Gut der Ruhe ist ihnen eigen: die Ruhe der gesammelten Kraft. Und ihre Lebensformen sind edel und einfach.

In ihren Tiefen ist Gebet. Sie glauben nicht mehr an den Verstand, sondern an etwas Umfassenderes: an die Gottheit. Nicht sind sie beherrscht vom Willen zur Macht, sondern von einer größeren Kraft: vom Willen zur Liebe. Mit schöpferischer Liebeswärme erobern sie von innen her. Und ihre Gangart ist still und stetig. Denn sie wissen, was sie wollen: Selbstbesinnung. Aus der Selbstbesinnung aber auf edelste Kräfte erwächst die neugestaltende Tat. Auch fehlt ihnen nicht das Arbeitsfeld, denn sie fangen ihr Gestaltungswerk mit sich selber an.

Aus diesen Saatschulen werden die Führer der Zukunft genommen.

Draußen aber vollziehen sich unterdessen die harten Ereignisse, die dem bisherigen Lebenston ein Ende bereiten.

»So stand einst Oberlin als Zeder mitten in der Revolution«, sagte sich Ingo von Stein, als er sich zu jenem Anschluss an die Gemeinde der Stillen entschloss. »So will auch ich auf meinem Felsen stehen.«

Jäh war das Glück der Erfüllung über Ingo gekommen. Aus der verhaltenen Kraft seiner Elisabeth war eine Liebe aufgeblüht, wie er sie nie für möglich gehalten hätte.

Fast unmittelbar hinter jenem Tag von Eisenach starb sein Bruder, der Jäger und Sportsmann, als hätte das Schicksal nur auf diesen Augenblick gewartet.

Ingo war nun Herr über ausgedehnten Landbesitz und umfangreiche Forste. Aber sein Herz hatte nie an äußeren Gütern gehangen; seelische Erfüllung war ihm von Kind an als das Wesentliche erschienen, schon als der Knabe Lieblingsgegenstände hergab, nur um dafür Freundschaft einzutauschen und Freude zu machen. Doch war es ihm ein sinnreiches Symbol, dass er nun auch äußerlich den Lehr- und Wanderjahren entnommen und auf den festen Boden der jetzt anhebenden Mannes- und Meisterjahre gesetzt war. Noch blieb seine eigentliche Kraft und Lebensbestimmung verdeckt und wartend; seine Stunde war noch nicht gekommen; er fühlte sich als Vorbereiter einer neuen Lebensstimmung für ein neues und wieder mehr innerliches Geschlecht.

Und in diesem wichtigen Punkte verstand er sich ausgezeichnet mit dem Vertreter der älteren Generation, der bei Ingo im Hause lebte: mit seinem alten Vater. Dieser Edelmann war von wunderbarer Geistesfrische, wenn er auch durch seine Gicht an den Stock und durch leidige Gewohnheit an die lange Pfeife gekettet war und in seinem Lederstuhl, von den beiden Doggen umlagert, einem Invaliden ähnlich sah. Er trug die Bartform des alten Kaisers, unter dem er die siebziger Schlachten mitgefochten hatte und mit dessen vornehm zurückhaltender edelmännischer Art er auch innerlich verwandt war. Unter Ingos anregendem Geisteshauch lebte der Alte wieder auf; denn er hatte immer eine stille Vorliebe für diesen jüngeren Sohn gehegt, dessen unzeitgemäße Sehnsucht er recht wohl nachfühlen konnte.

Elisabeth, in dem schwarzen Kleid der Trauer noch anziehender, hatte ihre Mutter verloren und war in aller Stille Ingos Gattin geworden. Über ihrem Wesen lag jener Schimmer von Wärme, den man mit dem Worte Innigkeit bezeichnen könnte, einem Worte, das mit Innerlichkeit verwandt ist. Kind, Jungfrau und reifes Weib schienen alle drei in dieser stillen und feinen Gestalt erhalten zu sein, einander ergänzend, nicht störend. Ihre stattliche äußere Erscheinung war von gebietender Hoheit, die aber von der etwas gedämpften und guten Stimme und von einem einfachen, kindlichen, ja fast schüchternen Lächeln des Wohlwollens wieder ausgeglichen wurde. Es war in ihr etwas wie seelische Leuchtkraft. Es gibt Menschen der Erfüllung, wie es Menschen der unruhigen Sehnsucht gibt; Elisabeth war ein Mensch der Erfüllung. Alles Unstete wird in solchen Naturen selige Gegenwart. Sie sind nicht mehr Hitze, sondern Wärme, nicht mehr Kometen, sondern Planeten oder gar Sonne. Dem Unerfüllten ist die Welt romantisch: aber die Erfüller machen die Welt traulich und heilig. In ihnen ist etwas, was der Romantiker leicht unterschätzt: die große Geduld. Sie haben es nicht mehr nötig, Tempelsucher zu sein: Sie sind bereits Tempelbauer und Tempelhüter.

Diese drei, mehr oder minder auf Innerlichkeit und Gehaltenheit abgestimmten Menschen bildeten nun im Thüringer Herrenhause, im Herzen Deutschlands, den Grundstock der neuen Familie. Und es war eigenartig, dass gerade die einfachsten Menschen des Gutes, von der Waschfrau bis zum Feldarbeiter und Waldgänger, dem anscheinend durch Klüfte hoher Bildung von ihnen getrennten neuen Gutsherrn und seiner wahrhaft herzensadligen Gattin Zutrauen entgegenbrachten. Denn sie spürten in diesem jungen Ehepaar reines Menschentum. Auf den Höhen wahrer Bildung wird der Mensch wieder einfach.

Dabei legte Ingo großen Wert auf eine auserwählte und geschmackvolle Bibliothek. Mit ebensolcher Sorgfalt wählte er seinen Wandschmuck, wobei besonders sein Liebling Feuerbach neben alten Meistern in guten Kopien vertreten war. Flügel und Meisterharmonium zierten den großen Saal, der noch mit Jagdtrophäen und Waffen gefüllt war von der andren, der sportsmäßig unruhigen Generation, für die das Tuten eines Automobils wohllautender war als eine Sonate von Beethoven.

In diesem Saale war an einem Winterabend, der etwas Neuschnee über die Fichten gestreut hatte, das Ehepaar Trotzendorff zum ersten Male bei den Jungvermählten zu Gast. Und seltsamerweise hatte sich noch ein Bekannter eingefunden, den einst Ingo in Cette und Lourdes so gut wie gar nicht beachtet hatte: der ernste, etwas trockene Fabrikant Muthner.

Der Diener reichte Tee herum; der Vater hielt sich rauchend im Hintergrunde. Auch Muthner, der ohne seine ägyptischen Zigaretten unglücklich war, bat um die Erlaubnis, rauchen zu dürfen, was die Damen gern gewährten. Und dennoch blieb, bei aller äußeren Gemütlichkeit und bei aller Gedämpftheit auf diesen vielen Fellen und bequemen Polstern des Salons, eine feine Trauer die eigentliche Stimmung.

»Es ist noch kein ganzes Jahr verflossen seit der Riviera«, stellte der Gutsherr fest. »Und was hat uns dieses eine Jahr gebracht! Als hätten sich zehn Jahre in diese kurze Zeitspanne eingepresst! Erinnert ihr euch jenes Gespräches über die Titanic, Friedel und Richard? Und wer spricht heut' noch von der Titanic! Alle Welt ist voll vom Balkankrieg.«

»Die Geschäftslage ist drückend ernst«, warf der Fabrikant ein.

»Auch in die Feier der Befreiungskriege will kein rechter Schwung kommen«, bedauerte Trotzendorff.

Der Major z. D. hatte sich den nach seiner Meinung schmachvoll missglückten Wartburgtag so zu Herzen genommen, dass ein Unmut in ihm zurückgeblieben war. Und bei nächster Gelegenheit hatte er sich aus dem Hofdienst zurückgezogen und sich als Offizier zur Disposition stellen lassen. Vereinstätigkeit und statistische Arbeiten machten ihm nun Freude. »Innere Arbeit am deutschen Volke« nannte er das mit seinem etwas doktrinär betonten vaterländischen Bewusstsein. Friedel saß wieder mit ihrem ganzen blühenden Künstlernaturell neben dem anders gearteten Gatten, so prächtig erholt, dass sie sogar ein wenig zur Fülle neigte, was ihr keinen geringen Kummer verursachte.

»Es geht mir mit diesen Feiern sonderbar«, bemerkte Ingo. »Ich bin doch sonst ziemlich leicht in der Handhabung von Feder und Laute. Aber wenn ich mit meinem Verwalter fertig bin und mich dann wieder zu diesem Stoß von illustrierten Büchern über 1813 wende – ich weiß nicht, wie es kommt: Ich vermag nicht recht mitzujubeln.«

Der alte Vater nickte.

»Wir von 1870 wussten noch, um was wir kämpften. Wir hatten ein Ideal. Heute hat alle Welt Kriegsfurcht.«

»Vielmehr Furcht vor wirtschaftlichen Schädigungen«, verbesserte der Fabrikant. »Damals hatte man etwas zu gewinnen, heute fürchtet man nur zu verlieren.«

»Nämlich Geld und Gut!«, rief der alte Baron aus seinem Sessel zurück. »Und das ist ja wohl schließlich des modernen Menschen höchstes Ideal. Ach, meine Herren, was weiß man heute noch von unsrer Stimmung von 1870? Ich hab es oft erzählt, wie am Abend einer jener mörderischen Schlachten vor Metz unser alter Kaiser an unser zusammengeschossenes Regiment herangeritten kam. Wahrhaftig, es sah bei uns allerdings kläglich aus, wir waren kaum noch ein Trüppchen. ›Kinder, ihr habt ja wohl heute schwer gelitten‹, sagte der Kaiser mit seiner etwas hohen Stimme, ich hör' ihn heute noch. ›Ist das alles, was von euch geblieben ist?‹ Ich stand vor ihm – was sollte ich melden? ›Es werden sich ja wohl noch etliche zusammenfinden, Majestät.‹ Da warf er einen Blick über uns hin – den vergess' ich nie – und die hellen Tränen liefen ihm über die Wangen. Er sagte dann gar nichts weiter, winkte nur mit der Hand – so – zu uns herüber – Unaussprechliches lag in dieser Handbewegung, etwa als wollt' er gute Kameraden grüßen: Haltet aus, liebe Kameraden, seid bedankt, treue Kameraden, es gilt eine hohe Sache! Oh, da war keiner von uns, der nicht gern sein Leben gelassen hätte.«

Der Alte schwieg bewegt.

»Ja, Sie hatten noch Ideale, Herr Baron!«, rief Trotzendorff. »Das Deutsche Reich! Und so war's vor hundert Jahren, als sich Deutschland vom Druck befreite. Aber heute?«

»Ein Krieg von heute würde die europäische Luft reinigen«, führte Ingo die angeschlagenen Gedanken fort. »Und dann wäre Raum und Empfänglichkeit für eine neue Lebensstimmung.«

»Was verstehen Sie eigentlich unter neuer Lebensstimmung?«, fragte der Fabrikant.

»Nun, was hab ich Ihnen neulich geraten, als ich Ihre Fabrik besichtigte, Herr Nachbar? Erfinden Sie ein Entgiftungsmittel und lassen Sie sich ein Patent darauf geben. Ein chemisches Mittel, das unsrer gespannten und misstrauischen sozialen, politischen und geistigen Luft reinen Sauerstoff zuführt. In Oberitalien traf ich einmal eine feine kleine Dame, ebenso praktisch wie anmutig, die mir die Einrichtungen ihres Arbeiterdorfes zeigte: Milchanstalt, alkoholfreie Wirtschaft, Bade-

und Krankenhaus – unpoetische Dinge, die ich aber seither achten gelernt habe. Was ist die Triebfeder bei dieser guten und klugen Witwe? Menschenliebe. Sie ist selber durch Leid gegangen. Und nur so erobert man Herzen, nicht mit Polizei, Paragrafen und Kanonen.«

Dieser Grundanschauung versagten selbst die härteren Elemente der Gesellschaft, Major und Fabrikant, nicht ihren Beifall, wollten aber für Rekruten, Spitzbuben und Feinde unbedingt Polizei und Kanonen geachtet wissen.

»Nicht alles kann mit Menschenliebe erreicht werden«, sagte der Fabrikant. »Das erfahren wir Arbeitgeber bitter genug. Schlagen wir Arbeitsteilung vor! Mag Liebe und Strenge nebeneinandergehen!«

»Der Troubadour hat sich also der sozialen Frage verschrieben?«, neckte Friedel. »Und auch die Gedenkfeiern locken dir kein Lied ab? Der unheimliche Rückzug aus Russland? Die Freiheitsschlachten?«

»Doch, Friedel«, erwiderte Ingo. »Ich habe in der Tat einige Blätter geschrieben. Habt ihr Geduld? So les' ich sie euch vor. Sie sind zugleich Lebensprogramm für mich und mein Weib. Nicht wahr, Elisabeth?«

Er lief in sein Schreibzimmer, kam mit drei Blättern zurück und las ...

1.

»Rückzug aus dem eisigen Russland! ... Eines Titanen hochgespannte Willensleistung ist von den Göttern zerbrochen worden! ... Durch die weiße Wüste, deren Horizonte sich im Schneelicht verlieren, schlürfen die zerlumpten Reihen der Franzosen, umstäubt von Schneewind und Kosaken – aufgelöste, dumpf marschierende, stumm dahinknirschende Grenadiere ... Welch ein Geräusch! Das Zornweinen einer Armee!

Und zwischen den vereisten Bärenmützen, zu Fuß, um sich wieder zu erwärmen, der Kaiser selber. An toten Soldaten und an Pferdeleichen vorüber. Hinter ihm, gleichfalls abgesessen, der Schwarm der Generalität. Und stumpf über den Schnee schlürfend, schlürfend, schlürfend die Reste der Regimenter ...

2.

Wo sind sie heute, die Enkel jener Massen von Hunderttausenden, die der geniale Korse über die Schlachtfelder Europas gejagt hat?

Wiederum bilden sie Massen: Sie fronen in den Fabriken.

Wieder um sie her Glut und Rauch, wie einst in den Schlachten um die Großväter. Gespenstische Gestalten stehen mit langen Stangen, wie Kanoniere, und stoßen in rotfließende Glutmasse.

Aus den Schloten züngelt die Überkraft des Hochofenfeuers. Es überflammt an diesem grauen Winterabend selbst die elektrischen Lichtkugeln.

Und aus diesen steilen schwarzen Kaminen wälzt und rollt und ringelt sich, schwer und dick, ankämpfend gegen pressenden Winternebel, der schwarze Rauch und dunkelt dämonisch den Himmel ein.

Sind es die Geschütze von ehedem? Sind sie steil emporgerichtet und beschießen den alten Himmel? Sind die Titanen wieder im Kampf gegen die Götter?

Ein unsichtbarer Herr lenkt den Willen dieser Hunderttausende, benützt ihre Muskeln, zwingt ihre Kraft nach einem bestimmten Ziel. Denn sie sind Elementarkraft, nicht Geist.

Doch sie dienen. Sie dienen, wie sie einst dem Willen und dem Genie Napoleons gedient haben. Und das Feuer, das in Hallen und Höfen blendend flammt, legt einen verklärenden Goldrand um diese rußigen Männer der Arbeit.

3.

Jedem aber ist ein Feierabend beschieden.

Dann ist ein Tor offen, um sich zurückzuziehen aus der Fron und aus der Gattung, seinen Geist wieder heimzurufen aus dem Dienst an der irdischen Lebenspflicht – und dann allein zu sein, sich wieder als einen selbstständigen Geist zu wissen, sich wieder als eine einzelne persönliche Seele zu empfinden.

Nun treten in die Gesellschaft dieses aufatmenden Feierabendmenschen die großen, guten und schönen Gedanken und Gebilde aus dem Reiche des Geistes.

Hier sind keine rauchenden Schlote; hier wirkt keine Erdenschwere. Dahinten sind Spannung, Kampf, Hass und Verdruss; sie sind abgelegt wie ein Panzer. Der Befreite geht im Festgewand seiner Fantasien und Gedanken.

Hier ist die Liebe Königin; ihre Prinzessinnen heißen Schönheit und Weisheit. Die Edlen, die sich im Seelenland begegnen, sind freie Freunde.

Jetzt beginnt das Amt des Spielmanns und des Gralsuchers.

Er spricht zu Menschen, die wieder ihre unsterbliche Würde empfinden.

Und nun fühlst du plötzlich, dass auch Gedankensenden eine Tat ist. In deinem Zimmer wandelnd, an deinem Ofen träumend, bist du mit Geist und Herz nicht an die Enge gebunden. Dein Drang, Schönheit und Güte zu suchen oder zu entzünden, läuft wie ein Strahlenwerk hinaus durch die sternklare Nacht.

Und wenn alsdann an dein eigenes Herz Gutes pocht, du bedrückter Mann der Arbeit; wenn ein Harfenton der Liebe deine eigene Seele berührt, du müde Freundin – so wisse, dass auch andre Herzen liebevolle Gedanken aussenden an alle sorgende, kämpfende, leidende Menschheit.

Und du bist nie allein …!«

So las Ingo.

Die Gesellschaft gab einen behaglichen Beifall zu erkennen. Aber die unruhig mit den Fingern trommelnde Friedel hatte einen Einwand bereit:

»Lieber Spielmann, jetzt noch ein Schrittchen weiter – und du steckst mit beiden Füßen im sozialen Moralpredigen!«

Man lachte.

»Jawohl!«, beharrte sie. »Und das ist heute die größte Gefahr des Künstlers – und alle tappen hinein, alle!«

»Das will ich nicht hoffen, Friedel!«, rief Ingo. »Ich hab auch noch ein paar andre Stimmungen und Geheimkammern. Und überhaupt: Das müsste denn doch ein geistverlassener Tropf sein, der das reizvoll-bunte Lebensspiel bloß moralisch deuten wollte. Moralisch kann auch der Philister sein. Die Türpfosten zu meinem Studierzimmer heißen

Fantasie und Güte. Und auf dem Querbalken steht der Spruch: Leben entzündet sich nur am Lebendigen!«

Es hatte dies einen leichten Beigeschmack von Zurechtweisung. Elisabeth empfand es, beugte sich zu Frau Friederike hinüber und sagte: »Liebe Friedel, es sind rings um Schloss Waldeck viele Singvögel: Da wird er gewiss das Singen nicht verlernen.«

Elisabeth pflegte mit solchem Eingreifen in das Gespräch so sparsam zu sein, dass diese ausgleichende Bemerkung in ihrer freundlichen Sicherheit umso wirksamer war. Es wurde gelacht. Aber man hatte dabei die eigenartige Empfindung: Diese Beiden da wissen, was sie wollen!

Als sich der Fabrikant verabschiedet hatte, blätterte die Sängerin anspielenderweise im Klindworth'schen Klavierauszug der »Meistersinger« und lobte den prachtvollen roten Ledereinband, den Elisabeth um einige Lieblingswerke ihres Gatten zum Geburtstag hatte besorgen lassen. Sie schlug auf und stieß auf den Namen Hans Sachs.

»Wie duftet doch der Flieder
So mild, so stark und voll!«

Laut las sie die Worte, drehte den Kopf nach Ingo und schaute ihn fragend an, indem sie den Flügel öffnete und die Partitur aufstellte.

Es war seit vielen Wochen in dem Trauerhause fast gar nicht gespielt worden. Jetzt setzte sich Ingo vor die Tasten und sang gedämpft, zum Inhalt und der Stimmung des Hauses passend, jenen Monolog des Meisters Sachs. Und bald stand die genesene Freundin hinter ihm und sang die Rolle der Eva. Ein Zwiegesang entfaltete sich; sie hatten seit Lourdes nicht mehr miteinander musiziert. Jetzt aber hatte Ingo die Führung, wandte sich dazwischen um und rief mit Feuer:

»Was für ein reifer Mann und Poet, nicht wahr, dieser Sachs! Dieses innige Motiv, der Nachhall aus Stolzings Lenzlied, so biegsam, dass es von Verträumtheit in Jubel übergehen kann: Lenzes Gebot, die süße Not, die legt' es ihm in die Brust! Das ist wie ein Bach unter Winterschnee: verhaltene, gesammelte Kraft, die noch in sich hat die Melodien vom verflossenen Sommer und schon in sich die künftigen Frühlingslieder. Gesammelte Kraft! Ja, so ist das Gemüt der besten Deutschen! Hans Sachs in dieser Geklärtheit und männlichen Güte, ein Greis und doch jung und mit Jungen fühlend – das ist ein Spielmann! Das ist ein Edelmann!«

Und als Eva bekannt hatte, dass sie nur ihn zum Gemahl genommen hätte, wär' nicht der andre gekommen, nach jenem ganzen Dank der Eva – »O Sachs, mein Freund, du teurer Mann, wie ich dir Edlem lohnen kann?«, sang Elisabeths Gatte bedeutsam weiter:

»Von Tristan und Isolde
Kenn' ich ein traurig Stück,
Hans Sachs war klug und wollte
Nichts von Herrn Markes Glück« ...

Hier brach der Sänger ab und ging in ernstes Fantasieren über, beginnend mit den Anfangsakkorden von Tristan und Isolde, die ja hier im Orchester der Meistersinger ertönen, überleitend zum Karfreitagszauber, dann Erinnerungen von Lourdes und vom Gralsberg verwebend mit eigenen fremdartigen Fantasien, die zu einem Lieblingswerk von Elisabeth hinüberführten, der Nänie von Brahms: »Auch das Schöne muss sterben, das Menschen und Götter bezwinget.«

Hier sprang er auf.

»Doch nicht diese wehmutvollen Chöre sind der rechte Abschluss! Jetzt setzt meine Orgel ein.«

Und mit feierlichen und großen Choralfantasien am Meisterharmonium machte er den Beschluss.

Trotzendorff lag im Polsterstuhl, nickte behaglich und war einem gemächlichen Halbschlummer nahe. Der Abend mit seinem milden Schneelicht fing sachte an, in lange Dämmerung überzugehen. Frau Elisabeth saß in ihrer üblichen graden Haltung und verwandte kein Auge von den Künstlern am Klavier, besonders von Frau Friedel. Und als nun Ingo aufstand, erhob sich rasch auch seine Gattin, deren Geist insgeheim gearbeitet hatte; sie kam heran, legte einen Arm um die Freundin und den andren um Ingo und küsste beide mit einer wortlosen Zartheit, denn sie hatte die Sprache der Musik verstanden.

»Wenn ich doch nur die Hälfte deines Talentes hätte!«, seufzte sie dann, den Kopf an Frau Friederikens Wange legend.

»Gutes Kind, wie viel hast du im Herzen!«, erwiderte die Künstlerin. »Darf ich manchmal zu dir kommen und Wärme holen, Elisabeth?

Es gibt Menschen, nach denen man Heimweh bekommt, wenn man mit ihnen zusammen war – du gehörst zu diesen seltenen Menschen.«

Ingo brachte das Ehepaar persönlich im Wagen an den kleinen Bahnhof.

»Ernste Zeiten, Ingo! Wartezeit! Aber ich denke, wir stehen unsren Mann!«, war Richards letztes Wort.

»Auf Wiedersehen, Friedel!«

»Ingo, ich kann dir gar nicht sagen, wie froh ich für dich bin! Was ist das für ein begnadetes Menschenkind! Sie wirkt durch ihr bloßes Dasein. Wir andern – müssen reden und singen, um uns wichtig und beliebt zu machen.«

»Nicht wahr?!«

Sie sagten nicht einmal, wen sie meinten, denn das war ja selbstverständlich.

Als aber Ingo wieder sein Haus betrat, in dem Gefühl, dass doch nun erst seine eigentliche Welt beginne, die heilige Stille, hatte er einen rührenden Anblick. Er hörte Klavier spielen und vernahm dazu Elisabeths feine und gute, doch keineswegs tonstarke Stimme. Leise trat er ein. Die schlanke dunkle Gestalt mit der schweren Haarkrone saß und bemühte sich, Evas Partie zu lernen, indem sie die Singstimme zunächst mit den Fingern nachtupfte und mitsang. Aber sie war, obwohl sie leichte Sonaten einwandfrei spielte, größeren Schwierigkeiten doch nicht gewachsen.

»Elisabeth!«, rief Ingo erstaunt, die Türklinke in der Hand.

Sie erschrak und flog empor.

»Meine gute Elisabeth, komm einmal her zu deinem Mann! Sag' einmal, meine süße Santa, was sind denn das für neue Bestrebungen?«

Sie fiel ihm halb lachend, halb verschämt um den Hals.

»Liebster, verzeih! Ich möchte so gern alles mit dir teilen, alles! Auch mit dir singen. Ich möchte dir sein, was dir andre sind.«

»Aber, aber – spricht das meine großherzige Elisabeth? Möchtest du das wirklich? Möchtest du mir etwa meinen lieben alten Konsul Bruck ersetzen und Geister schauen? Oder Trotzendorff? Möchtest du das? Seit wann will mir denn Elisabeth, die mir immer so viel Freiheit gelassen hat, jetzt zu guter Letzt Frau Friedel überflüssig machen? Sind nicht die Freunde da draußen der Stolz unsres Hauses? Die Guten, die zu uns gehören?«

»O ja, du hast recht! Das will ich nicht, wirklich nicht! Im Gegenteil! Vergib, du hast mich da auf einer rechten Schwäche ertappt! Ich dachte nicht, dass du schon so früh zurück wärest.«

»Ich habe ja die Pferde gejagt, dass sie dampften, so sehnt' ich mich, mit meiner Einzigen allein zu sein! Du, mit deiner Seele voll Musik! Hast du nicht Verständnis für große Kunst von Bach bis Brahms – genügt das nicht? Will meine Hausfrau auch noch Sängerin sein? Und dass Meister Wilhelm Raabe dein Lieblingsschriftsteller ist – stellt das nicht deinem literarischen Geschmack ein gutes Zeugnis aus, du Stille im Lande? Komm, küsse mich! Dein Kuss ist Musik, du Süßeste der Süßen! Wir sind wieder allein!«

Und sie sagten sich innige Worte.

Dann gingen sie Arm in Arm in Ingos Arbeitszimmer.

»Hier ist etwas, was dich interessiert, Elisabeth. Da hat mir der Architekt den Plan unsres künftigen Hauses geschickt, den er nach meinen eigenen Angaben ausgearbeitet hat.«

Er breitete den Grundriss über den Tisch aus; und die Gatten vertieften sich in den groß und persönlich angelegten Zukunftsbau.

»Es sieht aus wie ein großes lateinisches T«, bemerkte Elisabeth, »mit einem kleinen Kreis über der Mitte des oberen Querbalkens. Oder wie ein Mensch mit ausgestreckten Armen.«

»Sonderbar, nicht wahr?«, versetzte er. »Am Fuße ist der Haupteingang; ein Korridor läuft im Stamm entlang und in den Seitenarmen. Im Kreuzungspunkt ist die Treppe nach oben; dort ist der Vorraum zur Tempelrotunde, die durch diesen Kreis dargestellt wird.«

»Ein Tempel?«

»Ja, das sind nun einmal meine Besonderheiten. Doch dieser Tempel ist noch Geheimnis. Er wird zuletzt gebaut. Und nicht jeder darf ihn betreten.«

»Wir beide betreten ihn gemeinsam, nicht wahr, Ingo?«

»So ist es, Elisabeth. Wir reifen ihm gemeinsam entgegen, das ahnst du ganz richtig. Diese hohen Dinge kann man nicht so ohne Weiteres machen, sie müssen wachsen, sie werden geschenkt, wenn die Zeit gekommen ist. Den Tempel der Erfüllung kann man erst verstehen, wenn man durch Erlebnis reif ist. Was würdest du hineinstellen, Elisabeth? Lass einmal sehen!«

Sie besann sich ein Weilchen, dann sagte sie:

»In die Mitte, auf einem Postament und aus reinstem Marmor, den segnenden Christus von Thorwaldsen. Und in die Nischen an den Wänden – es sind doch Nischen drin? – die großen Meister, die du besonders verehrst, lauter weiße Marmorgestalten. Das müsste feierlich stimmen, wenn man unter diese großen Menschen tritt, und es fällt nur von oben Himmelslicht hinein, nicht wahr?«

»Sieh mal an, sieh mal an, mein Weib wird ja schöpferisch! Beginnst wohl schon gleich den Tempelbau?«

Sie hatten die Arme umeinandergelegt, gingen im geräumigen Arbeitszimmer langsam hin und her und plauderten von der Zukunft: Er in ernster Symbolik, sie von der weiblichen Freude erfüllt, mit dem Geliebten beraten zu dürfen.

Er sprach über seinen Lieblingsgedanken, drei europäische Grundkräfte zur Harmonie zu bringen: Akropolis, Golgatha und Wartburg – Griechenschönheit, Christusgüte, Germanenernst. Er flocht im Gespräch unsichtbare Rosen um ein unsichtbares Kreuz. Und er teilte seine Gedanken in einer Sprache mit, die ihrer Fassungskraft zugänglich war.

»Diese künftige Einheit herzustellen, ist die Sendung künftiger deutscher Meister«, sprach er. »Die Vorbereitungen dazu können jetzt schon eines Mannes Leben ausfüllen. Deutschland ist das Herz Europas: Es hat den Tempel zu bauen. Auch ich will versuchen, vorbereitend in meinem kleinen Bezirk mitzuwirken. Und Elisabeth soll dabei sein.«

Dann wandte er sich wieder den Plänen zu.

»Um das ganze Haus wird sich im Halbkreis oder in Eiform ein kleines Gitter ziehen, das innerhalb des Parkes den Hausbezirk noch einmal umfriedet. Sinnvolle Blumenanlagen und Statuen werden sich diese Umfriedung entlangziehen. Am linken Flügel mündet der Fahrweg ein, läuft vor den Haupteingang und dann am rechten Flügel wieder hinaus zu den Wirtschaftsgebäuden, führt also ungefähr am inneren Gitter entlang, wo die Statuen grüßen, die gleichsam das Ganze umwachen.«

»Und was steht hier über der Eingangspforte?«

»Dort ist in der höchsten Mitte des Steinbogens ein steinernes Kreuz; darum ein Kranz von sieben Rosen, vier unterhalb, drei über dem Querbalken; die mittlere dieser drei oberen Rosen ist angeheftet am

Stamm. Unter diesem Rosenkreuz ist eine Marmortafel, darauf in Goldschrift folgende Worte:

»Hier ragt in Stein das Zeichen edler Großen,
Und diesem Zeichen sei das Haus geweiht:
Haus Waldeck steht im Bann von Kreuz und Rosen,
Von heitrem Ernst, von ernster Heiterkeit.
Und wer des Zeichens tiefren Sinn erfasst,
Der sei willkommen als erles'ner Gast.«

Es war dunkel geworden. Aber das geheimnisvolle Schneelicht und ein blauer Nachthimmel mit vielen Sternen ließen es nicht ganz finster werden.

Die glücklichen Liebenden kosteten so recht die traute Wärme dieser Schummerstunde. Und es war schwer zu entscheiden, was ihnen inniger am Herzen lag: diese Pläne selber oder die Wonne des gemeinsamen Plänemachens, in dem sich ja symbolisch nur wieder ihr eigenes tiefstes Lieben oder Sehnen aussprach.

Er setzte sich in den Schaukelstuhl; sein Weib schmiegte sich auf seine Knie und in seine Arme. Warm und nahe gingen ihres Busens Atemzüge. Man hörte nur das Ticken der Uhr. Und sie träumten in die erhabene Winternacht.

Um Park und Haus erhoben sich rechts und links Tannenberge; aber die vordere Seite war weithin offen; und erst ganz fern schloss sich der Horizont durch die zart geschwungene Linie bewaldeter Hügel. Man konnte dort an hellen Tagen eine Lücke unterscheiden, und in der Lücke eine Bergstraße, die hinausführte in neue Länder und Weiten. Dorthin schaute der Gutsherr oft und gern. Denn nicht ganz verklungen war die Melodie der Sehnsucht, die ihn einst hinausgetrieben hatte, der Ferndrang, das Iphigenien-Heimweh am Ufer von Tauris. Aber ihn durchdrang die männlich-sichere Empfindung: jene Schönheit auf dem Rivierahügel, jene Geister vom Montserrat – sie sind nicht draußen, sie sind nahe bei mir und in mir; ich habe die weite Welt hereingeholt in die erweiterte Enge.

»Kreuz und Rosen«, sagte Frau Elisabeth träumerisch, ihren Gatten umrankend wie ein Rosenzweig. »Ist es nicht Verklärung des Lebens durch die Liebe? Oder was ist des Zeichens tieferer Sinn?«

»Das werden wir alles noch verstehen lernen, Elisabeth.«

»Wir? Du verstehst es ja schon.«

»Nicht ohne dich. Diese Geheimnisse offenbaren sich nur durch Liebe, nicht durch Verstand. Darum verstehe ich sie nicht ohne dich – und du nicht ohne mich. Ich erlebe und erlerne in dir und du in mir. Und unsere Liebe hat schon alle künftigen Erkenntnisse in sich – wie eine Rosenknospe die künftige Rose.«

Ende

Dekadente Erzählungen

Im kulturellen Verfall des Fin de siècle wendet sich die Dekadenz ab von der Natur und dem realen Leben, hin zu raffinierten ästhetischen Empfindungen zwischen ausschweifender Lebenslust und fatalem Überdruss. Gegen Moral und Bürgertum frönt sie mit überfeinen Sinnen einem subtilen Schönheitskult, der die Kunst nichts anderem als ihr selbst verpflichtet sieht.

Rainer Maria Rilke Die Aufzeichnungen des Malte Laurids Brigge **Joris-Karl Huysmans** Gegen den Strich **Hermann Bahr** Die gute Schule **Hugo von Hofmannsthal** Das Märchen der 672. Nacht **Rainer Maria Rilke** Die Weise von Liebe und Tod des Cornets Christoph Rilke

ISBN 978-3-8430-1881-4, 412 Seiten, 29,80 €

Erzählungen aus dem Sturm und Drang

Zwischen 1765 und 1785 geht ein Ruck durch die deutsche Literatur. Sehr junge Autoren lehnen sich auf gegen den belehrenden Charakter der - die damalige Geisteskultur beherrschenden - Aufklärung. Mit Fantasie und Gemütskraft stürmen und drängen sie gegen die Moralvorstellungen des Feudalsystems, setzen Gefühl vor Verstand und fordern die Selbstständigkeit des Originalgenies.

Jakob Michael Reinhold Lenz Zerbin oder Die neuere Philosophie **Johann Karl Wezel** Silvans Bibliothek oder die gelehrten Abenteuer **Karl Philipp Moritz** Andreas Hartknopf. Eine Allegorie **Friedrich Schiller** Der Geisterseher **Johann Wolfgang Goethe** Die Leiden des jungen Werther **Friedrich Maximilian Klinger** Fausts Leben, Taten und Höllenfahrt

ISBN 978-3-8430-1882-1, 476 Seiten, 29,80 €

Erzählungen aus dem Sturm und Drang II

Johann Karl Wezel Kakerlak oder die Geschichte eines Rosenkreuzers **Gottfried August Bürger** Münchhausen **Friedrich Schiller** Der Verbrecher aus verlorener Ehre **Karl Philipp Moritz** Andreas Hartknopfs Predigerjahre **Jakob Michael Reinhold Lenz** Der Waldbruder **Friedrich Maximilian Klinger** Geschichte eines Teutschen der neusten Zeit

ISBN 978-3-8430-1883-8, 436 Seiten, 29,80 €